PARA DEVOCIONAIS INDIVIDUAIS e em FAMÍLIA. DESDE 1956

Pão Diário

EDIÇÃO ANUAL, VOLUME 20

De: _____

Para: _____

Publicações
Pão Diário

ESCRITORES:
Henry G. Bosch, Dave Branon, Anne M. Cetas, Poh Fang Chia, William E. Crowder, Dennis J. DeHaan, M. R. DeHaan, Mart DeHaan, Richard W. DeHaan, David C. Egner, Juarez Marcondes Filho, H. Dennis Fisher, Davi Charles Gomes, Paul Van Gorder, Vernon C. Grounds, Timothy Gustafson, Clair Hess, Chek Phang Hia, Paschoal Piragine Junior, Cindy Hess Kasper, Ney Silva Ladeia, Albert Lee, Julie Ackerman Link, Herb Vander Lugt, David C. McCasland, Haddon W. Robinson, David H. Roper, Jeremias Pereira da Silva, Luis Roberto Silvado, Joseph M. Stowell, Miguel Uchoa, Marvin L. Williams, Philip D. Yancey, Joanie E. Yoder.

Revisão: Dayse Fontoura, Thaís Soler, Lozane Winter
Edição: Rita Rosário
Coordenação gráfica: Audrey Novac Ribeiro
Diagramação: Priscila Santos

Fotos das capas:
Família © Sunny Studio
Chile, Alex Soh © Ministérios Pão Diário
Buganvília, Alex Soh © Ministérios Pão Diário
Jovens no parque, Daniel Quintiliano © Ministérios Pão Diário

Referências bíblicas:
Exceto se indicado o contrário, as citações bíblicas são extraídas da Edição Revista e Atualizada de João F. de Almeida © 1993 Sociedade Bíblica do Brasil.

Créditos dos artigos:
Artigo: 13 de janeiro, 7 de maio, extraídos e adaptados de: *Oração, Ela faz alguma diferença?* Philip Yancey, © 2007, Editora Vida. Artigo: 3 de fevereiro, 1 de junho, extraídos e adaptados de: *O Deus (in)visível*, Philip Yancey © 2001, Editora Vida. Artigo: 31 de março, 3 de abril, extraídos e adaptados de: *O Jesus que eu nunca conheci,* Philip Yancey © 2002, Editora Vida. Artigo: 21 de julho, extraído e adaptado de: *A Bíblia que Jesus lia*, Philip Yancey © 2000, Editora Vida. Artigo: 21 de agosto, extraído e adaptado de: *Descobrindo Deus nos lugares mais inesperados*, Philip Yancey © 2005, Mundo Cristão. Artigo: 21 de setembro, extraído e adaptado de: *Maravilhosa Graça*, Philip Yancey © 2003, Editora Vida. Artigo: 20 de outubro, extraído e adaptado de: *Onde está Deus quando chega a dor?* © 2005, Philip Yancey, Editora Vida. Artigo: 8 de dezembro, extraído de: *A Bíblia, minha companheira* © 2000 Philip Yancey e Brenda Quinn, © Editora Vida

Pedidos de permissão para usar citações deste devocional devem ser direcionados a: permissao@paodiario.org

PUBLICAÇÕES PÃO DIÁRIO
Caixa Postal 4190, 82501-970 Curitiba/PR, Brasil
Email: publicacoes@paodiario.org • Internet: www.paodiario.org
Telefone: (41) 3257-4028

A7309 • 978-1-68043-132-2
GJ351 • 978-1-68043-133-9
UM733 • 978-1-68043-134-6
MZ810 • 978-1-68043-266-4

© 2016 Ministérios Pão Diário. Todos os direitos reservados.
1ª edição: 2017 • Impresso no Brasil

Sumário

Introdução 5
Aperfeiçoando o seu momento devocional 6
Meditações diárias 7
Cristo em mim 372
O risco do perdão 374
Índice temático 382

Clube Pão Diário

Parabéns, com o seu QR code você tem acesso ao clube *Pão Diário*! O seu cadastro lhe dá acesso a muitos lançamentos, brindes, promoções e você ainda participa de diversos projetos ao redor do mundo. Acesse o seu **QR code**, cadastre-se e participe. Você também pode participar pelo site **www.paodiario.com.br/clube**, informando o código do produto.

Para conteúdo exclusivo, benefícios, *downloads* e novidades use o **Qr Code** e digite o código **A7309**

Você terá acesso a vários recursos, dentre eles:
- Produtos exclusivos preparados especialmente para membros do clube.
- Descontos progressivos nos produtos ofertados na área exclusiva.
- Livretos da série *Descobrindo a Palavra* para baixar em seu computador ou celular.
- Conteúdo web como vídeos, aplicativos, músicas para baixar e mensagens em áudio.
- Opção de receber recursos por *email* e ler na área restrita.

www.paodiario.com.br/clube

Introdução

estamos muito contentes porque você tem em suas mãos uma cópia da edição anual do devocional, *Pão Diário*, o qual é distribuído em 56 línguas para 156 países. Que cada página deste livro traga orientação em sua caminhada diária com a Palavra de Deus e o aproxime do Senhor.

Nas páginas finais, leia o artigo que detalha algumas verdades bíblicas sobre o ato de perdoar. Nos dias de hoje, este assunto tão sensível, às vezes, torna-se tão malcompreendido. O autor esclarece qual é a aparência do perdão; se o ofensor precisa se arrepender antes de receber o nosso perdão; e ainda, o que podemos fazer quando não temos o desejo de perdoar?

Esperamos que estas verdades bíblicas o ajudem, de maneira bem prática, em seus relacionamentos familiares, no trabalho, na igreja etc.

Se você quiser que os seus familiares, amigos, vizinhos enriqueçam os seus momentos com Deus e o conheçam melhor, por favor, considere a possibilidade de levar-lhes este devocional, como um presente que dará frutos por todos os dias do novo ano.

—*dos editores do* Pão Diário

Aperfeiçoando o seu momento devocional

Aqui vão algumas sugestões para obter o máximo da leitura devocional do *Pão Diário*:

- **Separe um local e uma hora específica.** Seu momento devocional será mais expressivo se você puder se concentrar e estabelecer uma prática regular.
- **Leia a passagem bíblica.** Essas verdades da Palavra de Deus são as afirmações mais importantes que você lerá todos os dias. Ao ler a Palavra de Deus, procure aprender mais sobre o Senhor, sobre seu relacionamento com o Pai e como Ele quer que você viva o seu dia a dia.
- **Medite sobre o versículo-chave.** Aplique-o em seu cotidiano, quando possível.
- **Leia o artigo atenciosamente.** Reflita no que o autor está propondo.
- **Aproprie-se das palavras das orações.** Utilize-as ao iniciar uma oração para expressar ao Senhor o seu sentimento.
- **Use o "pensamento do dia" final em negrito** para lembrar-se do foco de cada meditação.
- **Anote as suas descobertas.** O que Deus está falando para você por meio de Sua Palavra, na meditação do dia?
- **Invista o seu tempo em oração.** Fale com o Senhor sobre o que você descobriu em Sua Palavra e sobre a sua resposta a Ele.
- **Compartilhe o que aprendeu.** Ao conversar com outras pessoas, compartilhe o que Deus o ensinou em Sua Palavra e por meio destas meditações diárias.

Oramos para que você encontre o encorajamento, a esperança e o conforto do Senhor. Temos a certeza de que se você se achegar a Deus, Ele se revelará e se achegará a você, e fará morada em seu coração.

1.º DE JANEIRO

A BÍBLIA em UM ANO:
Gênesis 1–3, Mateus 1

Lança o teu pão sobre as águas

A Bíblia fala muito sobre pão, mas a que pão o autor de Eclesiastes se refere? Que tipo de pão é esse que deve ser lançado sobre as águas?

Esse "pão" é a oportunidade que não deve ser desperdiçada. As oportunidades vêm e vão em nossa vida. As Escrituras mencionam algumas oportunidades que não podem ser perdidas: fazer o bem ao próximo (PROVÉRBIOS 3:27); seguir Jesus e ser um discípulo fiel (LUCAS 9:57-62); não perder as oportunidades para pregar o evangelho, mesmo quando cercado por adversários (1 CORÍNTIOS 16:8,9).

> **LEITURA:**
> **Eclesiastes 11:1-6**
>
> Lança o teu pão sobre as águas, porque depois de muitos dias o acharás. v.1

Esse tipo de pão quando é lançado nas águas retorna, no tempo de Deus. Em 1925, no Rio Grande do Sul, Maria Isabel, filha de lavadeira foi interpelada por um senhor, a quem entregava as roupas, e este lhe perguntou o que ela queria ser ao crescer. "—Médica", disse-lhe a menina. Esse senhor resolveu patrocinar os estudos dela e, mais tarde, ela tornou-se uma médica respeitadíssima.

Em 1976, no Rio de Janeiro, Maria Isabel soube numa conversa no elevador, de um rapaz que sofrera um acidente grave e estava na iminência de amputar uma perna. Na sequência, ela descobriu que o rapaz era bisneto do senhor que patrocinara todos os seus estudos. O jovem José teve sua perna recuperada pela atuação de Maria Isabel. Cinquenta e um anos mais tarde, o pão voltou… no tempo de Deus. 🌿

JMF

- Você aproveita as oportunidades que Deus coloca à sua frente?

O teu pão é uma semente, não deixe de lançá-lo sobre as águas.

2 DE JANEIRO — A BÍBLIA em UM ANO: *Gênesis 4–6, Mateus 2*

Extensão da caminhada

Nos tempos coloniais da América do Norte, William Penn era reconhecido como uma pessoa benevolente por lidar de forma justa com os americanos nativos. Quando retornou à Inglaterra, seus filhos, que não compartilhavam dessa integridade, permaneceram lá e tramaram um esquema para enganar uma tribo americana.

Apresentaram um contrato antigo, no qual os índios haviam concordado em vender a porção de terra que um homem pudesse caminhar num dia e meio. Os filhos de Penn se alegraram. Empregaram três dos corredores mais velozes que encontraram. Um dos homens percorreu 104 quilômetros em 18 horas. Eles desconsideraram totalmente o texto e a essência do acordo.

> LEITURA:
> **Marcos 7:5-13**
>
> ...os preceitos mais importantes da Lei: a justiça, a misericórdia e a fé... Mateus 23:23

Nos dias de Jesus, os escribas e fariseus arrumaram desculpas para violar a essência da lei de Deus. Jesus demonstrou essa prática hipócrita quando citou o mandamento de Moisés: "...Honra a teu pai e a tua mãe..." (MARCOS 7:10-13). Eles estavam declarando uma parte de seus ganhos como "oferta dedicada a Deus" a fim de não usá-la para cuidar de seus pais idosos.

A Bíblia não é um instrumento para conseguirmos o que queremos, mas precisamos pedir a Deus que nos ajude a compreender os Seus propósitos. Vamos nos assegurar de não negligenciarmos os "...preceitos mais importantes da Lei: a justiça, a misericórdia e a fé..." (MATEUS 23:23).

HDF

● *A Bíblia é a sua fonte de conhecimento dos preceitos divinos?*

Obedecer a lei é bom; obedecer a essência da lei é melhor.

3 DE JANEIRO

A BÍBLIA em UM ANO:
Gênesis 7–9, Mateus 3

Perspectiva eterna

No filme *O Gladiador*, o general Maximus Meridius procura incitar sua cavalaria a lutar bravamente na iminente batalha contra a Germânia. Dirigindo-se às tropas, ele as desafia a darem seu melhor, e faz essa profunda afirmação: "O que fazemos na vida ecoa na eternidade."

Essas palavras, de um líder militar fictício, transmitem um conceito poderoso que tem um significado particular para os cristãos. Não estamos simplesmente ocupando o nosso tempo e espaço com algo sem significado. Estamos aqui com a oportunidade de fazer uma diferença eterna por meio de nossa vida.

> **LEITURA:**
> **Colossenses 3:1-7**
>
> **Pensai nas coisas lá do alto, não nas que são aqui da terra.** v.2

O próprio Jesus disse: "...mas ajuntai para vós outros tesouros no céu, onde traça nem ferrugem corrói, e onde ladrões não escavam, nem roubam" (MATEUS 6:20). Quando temos a perspectiva de viver para a eternidade, isso pode fazer toda a diferença neste mundo.

Como podemos aprender a manter o pensamento "nas coisas lá do alto"? (COLOSSENSES 3:2). Uma boa maneira de começar é descobrir o que nosso Deus eterno valoriza. Por meio das páginas da Bíblia, Ele nos lembra que valoriza as pessoas acima dos seus bens, e nosso caráter acima das nossas realizações. Essas são verdades que duram para sempre. Adotá-las pode trazer uma perspectiva eterna para o nosso viver diário.

WEC

- *Qual é a fonte dos seus valores?* _____

O que fazemos na vida ecoa na eternidade.

4 DE JANEIRO

A BÍBLIA em UM ANO:
Gênesis 10–12, Mateus 4

Lugar de habitação

Quando Abraão tinha 75 anos, Deus o chamou para deixar a sua terra natal. E então, com idade avançada, partiu da terra de Canaã — Sem raízes em outro lugar, sem lar definido, "...sem saber aonde ia" (HEBREUS 11:8). Esta foi parte da história da vida de Abraão.

A velhice traz mudanças e incertezas. Significa transição de um passado familiar para um futuro incerto. Pode significar mudar-se do lar de uma família para um lugar menor, para a casa de uma filha, para um asilo de idosos — o último *resort*. Assim como Abraão, alguns de nós nos mudamos de um lugar para outro, sempre viajando e sem saber para onde estamos indo.

> **LEITURA:**
> **Gênesis 12:1-8**
>
> **Pela fé, Abraão, quando chamado, obedeceu [...] e partiu sem saber aonde ia.**
> Hebreus 11:8

Contudo, podemos estar em casa, em qualquer moradia, pois nossa segurança não está no lugar onde vivemos, mas no próprio Deus. Podemos habitar "no esconderijo do Altíssimo" e descansar "à sombra do Onipotente" (SALMO 91:1). Ali, em Sua presença, sob Suas asas, encontramos refúgio (v.4). O Deus eterno torna-se nosso refúgio (v.9).

Embora nosso abrigo aqui na terra seja incerto, Deus será nosso companheiro e amigo até nossos dias de jornada terminarem e chegarmos ao verdadeiro lar — o céu. Até lá, vamos derramar a luz da bondade amorosa de Deus sobre outros viajantes. 🌱

DHR

- *Você caminhará com Jesus até o lar celestial?*

Para o cristão, o céu significa "Lar".

5 DE JANEIRO

A BÍBLIA em UM ANO:
Gênesis 13–15, Mateus 5:1-26

A espera

Qualquer mãe pode afirmar que esperar para dar à luz é uma experiência que produz paciência. Mas pobre da mãe elefanta: a sua gravidez demora aproximadamente 22 meses! Há uma espécie de tubarão cuja gestação dura de 22 a 24 meses. E nas elevações de mais de 1.400 metros, a salamandra dos Alpes suporta uma gestação de mais de 38 meses!

> **LEITURA:**
> **Gênesis 15:1-6**
>
> **Ele creu no SENHOR, e isso lhe foi imputado para justiça.** v.6

Abraão pode ser comparado com esses exemplos da natureza. Em sua velhice, o Senhor lhe fez uma promessa: "...de ti farei uma grande nação, e te abençoarei..." (GÊNESIS 12:2). Mas, com o passar dos anos, Abraão questionou como seria possível o cumprimento dessa promessa sem ter o alicerce inicial — um filho (15:2). Então o Senhor lhe assegurou que um filho gerado pelo próprio Abrão seria o seu herdeiro (v.4).

Apesar da idade avançada, Abraão creu em Deus e foi chamado de justo (v.6). No entanto, ele esperou 25 anos desde o tempo da promessa até o nascimento de Isaque (17:1,17).

Esperar até que se cumpram as promessas de Deus faz parte de nossa confiança nele. Não importa o quanto demorem, precisamos esperar por Ele. Como o autor da carta de Hebreus nos lembra: "Guardemos firme a confissão da esperança, sem vacilar, pois quem fez a promessa é fiel" (10:23). 🌿

MLW

- *Em que situações você provou da fidelidade de Deus?*

Deus sempre cumpre o que promete.

6 DE JANEIRO

A BÍBLIA em UM ANO:
Gênesis 16–17, Mateus 5:27-48

Doação total

A voz no telefone dizia: "Sr. Branon, preciso falar com o senhor sobre algo importante." Faltavam apenas dois dias para que um pequeno grupo de adolescentes e adultos fossem à Jamaica, em viagem missionária. Planejávamos visitar uma escola de surdos a fim de construir o pátio para recreação que eles necessitavam. Então, quando essa adolescente telefonou, pensei: *Oh, não. Ela não poderá ir.*

> **LEITURA:**
> **Marcos 12:41-44**
> ...ela, porém, da sua pobreza deu tudo quanto possuía, todo o seu sustento. v.44

Mas quando ela, sua mãe e eu nos encontramos para almoçar naquele dia, descobri como essa jovem mãe era realmente especial. Contou-me que doaria todo o dinheiro que economizara para ajudar a pagar a viagem — toda a quantia que tinha guardado para comprar um carro. Ela explicou: "Quando estava orando nas últimas noites, senti que Deus me dizia para doar todo o meu dinheiro." Naquele dia, em meio às batatas fritas e hambúrgueres, corriam lágrimas de alegria em nosso rosto.

Isso exemplifica o quanto devemos dar de nós mesmos a Deus! Ele quer um sacrifício total — por mais difícil que isso possa ser — não somente 10%. Se Jesus é de fato nosso Senhor, devemos dar a Ele todo o nosso ser! Nosso falar. Nosso tempo. Nossas escolhas.

Jesus louvou a viúva que "...deu tudo quanto possuía, todo o seu sustento" (MARCOS 12:44). Imagine a influência que poderíamos ter se praticássemos isso e déssemos tudo para Deus. 🌿   JDB

● *O seu falar, seu tempo e suas escolhas já pertencem ao Senhor?*

Ofertar é mais fácil quando você entrega-se a si mesmo ao Senhor.

7 DE JANEIRO

A BÍBLIA em UM ANO:
Gênesis 18-19, Mateus 6:1-18

Onde está Deus?

Quando eu era criança, meu pai pastoreava uma tribo de índios na Amazônia. Certa vez, íamos para lá num pequeno avião e nos deparamos com uma "tempestade perfeita" que arremessava a aeronave para todos os lados. Meu pai estava nervoso, porém confiante. Quando pousamos, ele disse ao piloto que seu sorriso constante lhe transmitira paz. O piloto confessou que aquilo era sinal de nervosismo.

> LEITURA:
> **Marcos 4:35-41**
>
> ...Por que sois assim tímidos?! Como é que não tendes fé? v.40

As tempestades não são estranhas em nossa vida e normalmente nos levam a questionar onde Deus está em meio a tudo isso.

Nesse texto, Jesus está dormindo enquanto atravessa o mar da Galileia com Seus discípulos. De repente, se levanta um grande temporal. Os homens, incrédulos, o acordam e perguntam se Ele não se importava que eles morressem. O adequado seria dizer: "Deus, o que o Senhor quer comigo?"

Depois de acalmar a tempestade, Jesus repreendeu os Seus discípulos por terem fé tão pequena. Fé é confiança nas promessas de Deus. Neste caso, a resposta de fé deveria ser: "Mestre, tudo parece apontar em direção contrária, mas se tu disseste que iríamos chegar do outro lado, é porque vamos."

As tempestades que Deus permite em nossa vida são para nos treinar para as coisas que Ele ainda tem para nós aqui e na eternidade. Você consegue imaginar o que Deus pode fazer com um povo totalmente entregue nas mãos dele? ❡

DCG

- Você pode afirmar que Deus está no barco da sua vida? _____

Jesus se importa tanto conosco que entrou no barco da história humana.

8 DE JANEIRO

A BÍBLIA em UM ANO:
Gênesis 20–22, Mateus 6:19-34

Testemunho silencioso

Numa manhã bonita e quente do mês de janeiro, um colega e eu estávamos tomando café na cafeteria de um parque em Singapura. Com um lindo lago e jardins bem cuidados a nos cercar, o lugar estava tranquilo, calmo e gostoso, com uma leve brisa soprando sobre as águas.

Na mesa próxima, uma jovem mulher estava sentada lendo a Bíblia silenciosamente. E estava tão absorvida no texto, que olhava ocasionalmente para cima a fim de considerar o que estava lendo. Ela não falou nenhuma palavra, mas seu coração e suas prioridades eram visíveis a todos naquela cafeteria. Foi uma testemunha gentil, firme, silenciosa.

> **LEITURA:**
> **Filipenses 1:21-27**
>
> Vivei, acima de tudo, por modo digno do evangelho de Cristo [...] lutando juntos...
> v.27

Aquela moça não se envergonhou de Cristo nem de Seu livro. Ela também não deu um sermão nem cantou uma canção. Estava disposta a ser identificada com o Salvador, mas não precisou anunciar essa lealdade.

Em nossas tentativas de compartilhar a mensagem de Jesus, às vezes, precisamos usar palavras porque, em última instância, as palavras são necessárias para apresentar o evangelho. Mas podemos também aprender com o exemplo daquela mulher.

Há momentos que o silêncio dos nossos atos diários fala alto, revelando nosso amor pelo Senhor. Em nosso desejo de compartilhar Cristo com o mundo perdido, não ignoremos o poder do nosso testemunho.

WEC

- De que maneira você torna visível o seu amor a Cristo? _____
  _____

Testemunhe de Cristo com sua vida, e também com os seus lábios.

9 DE JANEIRO

A BÍBLIA em UM ANO:
Gênesis 23–24, Mateus 7

Planos e realidades

Aos 18 anos fui para o **Instituto Bíblico Moody** e matriculei-me no curso para formação de pastores. Imaginava-me pregando e liderando uma igreja da mesma maneira que o pastor de minha cidade natal. Mas após ouvir que cinco fiéis missionários entre os índios Aucas, tinham sido tragicamente assassinados no Equador, questionei se dedicaria mesmo a vida para missões.

> **LEITURA:**
> **Provérbios 16:1-9**
>
> O coração do homem traça o seu caminho, mas o SENHOR lhe dirige os passos. v.9

Contudo, Deus tinha planejado outra direção para mim. Por Sua clara orientação e de acordo com os dons que Ele me concedeu, tornei-me professor, editor e escritor.

A maioria de nós tem experiência semelhante. Pensamos no futuro e elaboramos cuidadosamente o nosso projeto. Em nossas mentes, vemos em detalhes, como será o nosso futuro. Mas nem tudo acontece como planejado. Algumas portas se fecham e outras se abrem. Se isso lhe acontecer, talvez Deus tenha algo completamente diferente em mente para a sua vida.

É bom planejar, sonhar e pensar no futuro, mas precisamos estar sempre abertos para as mudanças que Deus indicar em determinada direção. "O coração do homem traça o seu caminho, mas o SENHOR lhe dirige os passos" (PROVÉRBIOS 16:9).

Deus nunca nos conduzirá na direção errada. Quando confiamos nele de todo o nosso coração, Ele dirige os nossos caminhos (PROVÉRBIOS 3:5,6). O caminho do Senhor é sempre o melhor. DCE

- *Os seus planos de vida incluem Deus?*

Para onde o dedo de Deus apontar, Sua mão abrirá o caminho.

10 DE JANEIRO

A BÍBLIA em UM ANO:
Gênesis 25–26, Mateus 8:1-17

Estou com Ele

Meu esposo tem uma camiseta estampada com o desenho de uma ovelha caminhando em apenas duas pernas em direção a um lobo, que está impedindo a passagem pelo portão.

Parado junto à ovelha está um homem bem conhecido. Ele tem barba, olhos cheios de compaixão e um olhar de autoridade. A ovelha ao se dirigir ao lobo, aponta para o homem e diz: "Estou com Ele." A confiança da ovelha no seu Pastor lhe dá grande segurança.

> **LEITURA:**
> **Lucas 23:32-43**
>
> Jesus lhe respondeu: Em verdade te digo que hoje estarás comigo no paraíso.
> v.43

No dia em que Jesus morreu foram erguidas três cruzes. Jesus estava no centro, entre dois criminosos. Um dos homens zombou dele, mas o outro lhe disse: "... Jesus, lembra-te de mim quando vieres no teu reino. Jesus lhe respondeu: Em verdade te digo que hoje estarás comigo no paraíso" (LUCAS 23:42,43).

Imagine os pensamentos daquele homem ao respirar pela última vez. Ele havia recebido uma punição horrível pelos seus crimes. Mas agora, era bem-vindo no céu como filho de Deus por ter confiado em Jesus. Quem sabe ele tenha dito com fé: "Sei que não mereço estar aqui, mas estou com Ele!", apontando para Jesus. E o Senhor deve ter confirmado isso, dizendo: "Ele está comigo."

Assim como o ladrão na cruz, todos nós enfrentamos uma escolha. Você já tomou a decisão de confiar em Jesus? Você pode dizer com certeza: "Estou com Ele"? 🌿

CHK

- *O seu posicionamento por Cristo já se tornou público?*

A fé em Cristo nos faz ter confiança para enfrentar a morte.

11 DE JANEIRO

A BÍBLIA em UM ANO:
Gênesis 27-28, Mateus 8:18-34

Como ser feliz

Todos querem ser felizes, mas muitos falham em sua busca para encontrar este prêmio ilusório porque o procuram no lugar errado.

O livro de Provérbios afirma: "...o que confia no S<small>ENHOR</small>, esse é feliz" (16:20). E o Salmo 146:5 indica que aqueles que encontram ajuda e esperança em Deus conhecem a felicidade.

> **LEITURA:**
> **Salmo 146**
>
> Bem-aventurado aquele que tem o Deus de Jacó por seu auxílio... v.5

O fundamento da felicidade é um relacionamento apropriado com o Senhor. Mas para experimentar completamente essa felicidade, precisamos construir sobre esse fundamento, de formas práticas. Encontrei esta lista de dez dicas para viver mais contente:

1. Doe algo.
2. Faça uma gentileza.
3. Agradeça sempre.
4. Trabalhe com disposição e vigor.
5. Visite os idosos e aprenda com as experiências deles.
6. Olhe com atenção para o rosto de um bebê e maravilhe-se.
7. Ria com frequência — é o lubrificante da vida.
8. Ore para conhecer o caminho de Deus.
9. Planeje como se você fosse viver para sempre — você viverá.
10. Viva como se hoje fosse seu último dia de vida na Terra.

Essas são excelentes ideias para se ter uma vida feliz. Reforce cada uma dessas dicas com louvor, e sua felicidade será completa. "Aleluia! Louva, ó minha alma, ao S<small>ENHOR</small>. Louvarei ao S<small>ENHOR</small> durante a minha vida..." (SALMO 146:1,2).

RWD

● E a 11.ª dica que quero acrescentar é: _____

Confiar e obedecer ao Senhor traz verdadeira felicidade.

12 DE JANEIRO

A BÍBLIA em UM ANO:
Gênesis 29–30, Mateus 9:1-17

Socorro!

As pessoas devem chamar o número 190 somente em caso de emergência, mas muitos não entendem ou não seguem essa norma. A polícia de emergência recebia chamadas de pessoas informando que seus aparelhos de TV não estavam funcionando, perguntando sobre a temperatura ou ainda querendo denunciar falsificação de identidade, contanto que permanecessem anônimas.

Muitas vezes imagino quantas de nossas orações por socorro não soam frívolas para Deus. É impossível saber; mas podemos ter a certeza de que em nossas necessidades, o Senhor não somente ouve os nossos clamores, mas Ele está junto de nós.

> **LEITURA:**
> **Salmo 46**
>
> Deus é o nosso refúgio e fortaleza, socorro bem presente nas tribulações. v.1

O Salmo 46 descreve tempos de grande calamidade, incluindo guerras e desastres da natureza. Entretanto, é uma canção de confiança que começa e termina com a mesma afirmação: "O Senhor dos Exércitos está conosco; o Deus de Jacó é o nosso refúgio" (v.11).

O Senhor está sempre em ação, realizando Seus propósitos — mesmo quando o mundo parece estar caindo aos pedaços. Ele nos diz: "Aquietai-vos e sabei que eu sou Deus; sou exaltado entre as nações, sou exaltado na terra" (v.10).

Não precisamos ter medo. Quando clamamos por socorro, sabemos que Ele ouve e se aproxima de nós. DCM

● *O Senhor já o livrou de aflições?*

O socorro de Deus está perto, ao alcance de uma oração.

13 DE JANEIRO

A BÍBLIA em UM ANO:
Gênesis 31–32, Mateus 9:18-38

Ecos do paraíso

Uma **propaganda diz:** "Venha ao paraíso", apresentando praias de areia branca, águas azuladas e palmeiras balançando ao vento. É como se pudéssemos olhar de relance e redescobrir o Éden.

Não muito tempo atrás, minha esposa e eu fizemos uma viagem para as Bahamas. Aquelas ilhas maravilhosas de corais têm uma beleza única. Mas para nós, aqueala paisagem não bastava para assemelhar-se ao paraíso. Faltava algo.

LEITURA:
Apocalipse 21:1-7
...Eis que faço novas todas as coisas... v.5

Então, no domingo encontramos o que estávamos procurando. Participamos de um culto em uma igreja local. Durou três horas, porém repleto de adoração vibrante. Falando com o bonito sotaque das Bahamas, o pastor e sua congregação se revezavam, citando as Escrituras em todo o sermão. Minha esposa e eu deixamos o culto fortalecidos em nossa fé.

Lembrei-me do testemunho encontrado no livro de Apocalipse com relação ao coro do futuro: "Entoavam novo cântico diante do trono..." (14:3). Um dia, Deus "...enxugará dos olhos toda lágrima, e a morte já não existirá, já não haverá luto, nem pranto, nem dor..." (21:4). Este dia será um dia de júbilo!

Nossa adoração aqui é um mero prelúdio do grande culto de louvor no futuro, quando estaremos face a face com Deus. Mas algumas vezes, quando nos reunimos com outros numa adoração vibrante, experimentamos um eco do paraíso na terra. HDF

- *Você está preparado para viver no paraíso de Deus?*

Quando Deus enxugar nossas lágrimas, a tristeza dará lugar à canção eterna.

14 DE JANEIRO

A BÍBLIA em UM ANO:
Gênesis 33–35, Mateus 10:1-20

Dom da graça

Uma mulher contou-me que, quando pequena, as crianças da vizinhança não podiam brincar com ela porque não frequentava uma igreja. Mais tarde, ao se tornar cristã, sua mãe lhe perguntou: "Você não vai começar a agir como se fosse melhor do que todos nós, não é?" A mãe dela tinha a impressão errada do que é ser cristã por causa de seus vizinhos.

> **LEITURA:**
> **Mateus 22:34-39**
>
> **Porque pela graça sois salvos, mediante a fé; [...] é dom de Deus.**
> Efésios 2:8

É bom sermos vigilantes em relação às influências na vida de nossos filhos, mas não ao ponto de não podermos compartilhar o amor de Deus com os nossos vizinhos. As palavras de Jesus em Mateus 5:14-16 afirmam: "Vós sois a luz do mundo. [...] Assim brilhe também a vossa luz diante dos homens, para que vejam as vossas boas obras e glorifiquem a vosso Pai que está nos céus."

Podemos sentir uma tensão entre viver uma vida santa, "separada" (2 CORÍNTIOS 6:17) e o mandamento de amar o nosso próximo como a nós mesmos (MATEUS 22:39). Mas esses dois conceitos não se opõem. Um aspecto central da vida de obediência a Deus é demonstrar preocupação e amor pelos perdidos.

Como não fizemos nada para merecer a salvação, nada temos de que nos vangloriar. Paulo escreveu: "Porque pela graça sois salvos, mediante a fé; e isto não vem de vós; é dom de Deus; não de obras, para que ninguém se glorie" (EFÉSIOS 2:8,9).

Compartilhe esse presente da graça com outros! CHK

- *Qual a impressão que o seu testemunho cristão causa ao seu redor?*

O testemunho de Cristo mostra a graça de Deus e compartilha o Seu amor.

15 DE JANEIRO

A BÍBLIA em UM ANO:
Gênesis 36–38, Mateus 10:21-42

Deixe a liberdade ecoar

Em 1963, durante uma marcha pacífica em Washington, EUA, Martin Luther King proferiu a sua famosa frase: "Eu tenho um sonho." Ele clamou de forma eloquente para que a liberdade ressoasse do alto de todas as montanhas da nação. O custo para ele e para aqueles que se uniram ao movimento de resistência pacífica, foi alto — mas logo começou uma mudança verdadeira. Deus usou aquele discurso para despertar a consciência do povo norte-americano a fim de lutar pela liberdade dos oprimidos e discriminados.

> **LEITURA:**
> **Isaías 58:1-12**
>
> Porventura, não é este o jejum que escolhi: que soltes as ligaduras da impiedade...? v.6

No século 8 a.C., em meio às injustiças pessoais e nacionais, o profeta Isaías foi usado por Deus para despertar a consciência do Seu povo. A sua espiritualidade era cômoda e os havia levado à violência e insensibilidade com os outros. O povo de Deus estava oprimindo os pobres e usando práticas religiosas para substituir um viver justo e genuíno (ISAÍAS 58:1-5). Deus os acusou (v.1) e prescreveu uma vida espiritual que se expressa em voltar-se para Deus em arrependimento genuíno e dar liberdade às pessoas (vv.6-12).

Assim como Isaías, fomos enviados para fazer a liberdade ecoar. Pelo poder do Espírito Santo, precisamos proclamar que os cativos podem ser liberados, os oprimidos libertos de seus opressores, e que a era da benevolência do Senhor já chegou. MLW

● De que maneira você anuncia que há liberdade em Cristo? _____

Sem justiça não há liberdade!

16 DE JANEIRO

A BÍBLIA em UM ANO:
Gênesis 39–40, Mateus 11

Integridade

lguns **dicionários** *on-line* exibem anualmente quais as palavras mais consultadas na internet. Em 2005, devido aos eventos catastróficos ocorridos no mundo naquele ano, algumas das mais populares foram: *refugiado, pandemia, tsunami e barragem*. Logo, podemos compreender, facilmente, porque essas palavras foram destacadas.

> **LEITURA:**
> **Gênesis 39:1-12**
>
> ...como, pois, cometeria eu tamanha maldade e pecaria contra Deus?
> v.9

No *site* do dicionário mais importante da língua inglesa, a palavra mais consultada foi *integridade*. A definição dada a ela é: "aderência firme a um código de valores, especialmente morais ou artísticos". É usada para descrever quem não está disposto a se deixar subornar ou ser moralmente corrompido. Por que essa palavra ficou no topo da lista? Será a integridade tão rara que alguns nem sabem identificá-la na vida de outra pessoa?

Em Sua Palavra, Deus dá um exemplo de integridade — a vida de José. Potifar tinha designado José como administrador de seus bens e sua casa (GÊNESIS 39:5). Quando ele foi assediado pela esposa de Potifar, José recusou a tal proposta, e disse: "...como, pois, cometeria eu tamanha maldade e pecaria contra Deus?" (v.9). Ele conhecia os padrões de Deus, e escolheu o que era certo — à custa de sua liberdade.

Integridade — consulte a palavra em Gênesis 39. Depois, viva de acordo com ela, mediante as forças que Deus lhe dá. ❦ AMC

- *O padrão de Deus é a sua norma de conduta?*

Nenhum legado é tão valioso quanto a integridade.

17 DE JANEIRO

A BÍBLIA em UM ANO:
Gênesis 41–42, Mateus 12:1-23

Qual é o caminho?

Todas as noites, dois amigos, Howard e Mel, frequentavam bares de baixo nível no estado de Michigan, EUA, na esperança de livrar-se de mais um dia miserável. Por fim, a dor de uma vida desperdiçada foi tão forte que Mel pegou um trem para Chicago, onde esperava terminar com tudo aquilo.

Mas, em 1897, ao caminhar descalço por uma tempestade em direção a um lago para se suicidar, foi interrompido pelo obreiro de uma missão. Mel ouviu o evangelho e aceitou Jesus Cristo como seu Salvador pessoal.

> LEITURA:
> **1 Coríntios 1:18-31**
> ...a palavra da cruz é loucura para os que se perdem... v.18

Mais tarde, Mel retornou à sua cidade para iniciar um trabalho missionário. Seu amigo soube que ele havia sido salvo por Cristo, mas, em vez de confiar em Jesus, Howard simplesmente riu do "Velho Mel". Para ele, a mensagem da cruz era loucura (1 CORÍNTIOS 1:18). No final, a bebida o levou a cometer suicídio.

Mais de 100 anos depois, a *Missão Mel Trotter* ainda dá as boas-vindas às pessoas que necessitam de um lugar para morar e precisam de Jesus. Há mais de 100 anos, nossa família ainda está triste com a morte de Howard, pois ele era o avô de minha esposa.

Assim como Mel e Howard, nós também podemos escolher. "...quem crê no Filho tem a vida eterna; o que, todavia, se mantém rebelde contra o Filho não verá a vida, mas sobre ele permanece a ira de Deus" (JOÃO 3:36). O que você escolherá? JDB

- *Você já escolheu a quem servir?*

_____
_____
_____

Escolher Cristo agora é uma escolha para toda a eternidade.

18 DE JANEIRO

A BÍBLIA em UM ANO:
Gênesis 43–45, Mateus 12:24-50

Você e seus bens

Seis homens armados entraram no depósito de cofres de um banco em Londres e roubaram objetos no valor de aproximadamente quatorze milhões de reais. Uma mulher, cujas joias foram estimadas em um milhão de reais, lamentou: "Tudo o que eu tinha estava lá. Toda a minha vida estava naquele cofre."

Algumas pessoas assumiram riscos insensatos para agarrarem-se às suas riquezas. Morreram correndo para o interior de casas em chamas ou foram mortas porque resistiram de forma obcecada aos ladrões armados. Aparentemente, achavam que sem os seus bens materiais a vida não teria mais sentido. Outros, quando perdem a riqueza, desesperam-se tanto, que chegam ao ponto de suicidar-se.

> **LEITURA:**
> **Mateus 19:16-26**
>
> ...um rico dificilmente entrará no reino dos céus. v.23

O maior perigo em identificar-se demasiadamente com os nossos bens está na área espiritual da vida. Apegar-se de forma nociva às coisas materiais pode impedir uma pessoa não salva a voltar-se para Cristo e dificultar que um cristão viva para Ele. A história do jovem rico ilustra enfaticamente esta verdade. As palavras de Jesus: "...Não podeis servir a Deus e às riquezas" (MATEUS 6:24), certamente se aplicam a todos nós.

Conserve um grande abismo entre você e seus bens materiais. Isso o livrará de muitas dores de cabeça. Se você não for cristão, não cometa o erro do jovem rico. Isso lhe custará a sua alma.

HVL

- *Os seus bens o impedem ou facilitam ao servir a Deus?*

Ser rico em Deus é melhor do que ser rico em bens materiais.

19 DE JANEIRO

A BÍBLIA em UM ANO:
Gênesis 46–48, Mateus 13:1-30

Esquecendo Deus

Um erudito da Bíblia chamado A. J. Heschel relata uma história da época em que era estudante em Berlim. Embora fosse homem devoto, começou a se preocupar tanto com as artes daquela brilhante cultura que um dia deixou de orar ao entardecer, como era seu infalível costume. Ele admite: "O sol havia se posto, a noite chegara [...] e eu havia esquecido de Deus."

LEITURA:
Mateus 13:1-9,18-23

...o que ouve a palavra e a compreende; este frutifica e produz...v.23

A omissão de Heschel pode parecer algo ínfimo para nós, mas o seu zelo demonstra que ele compreendia a importância de cultivar a sua vida espiritual.

Jesus contou a história de um semeador, uma semente e quatro tipos de solo (MATEUS 13:1-9). A terra com os espinhos representa aqueles que permitem que a Palavra de Deus seja sufocada em seus corações pelos cuidados e prazeres de um mundo sedutor (v.7,22).

Esta é uma possibilidade sedutora para todo aquele que responde de forma irrefletida à Palavra de Deus. O mundo pode nos induzir a esquecer a realidade e a responsabilidade espiritual.

Será que permitimos que as atrações deste mundo nos desviem de ler e meditar na Palavra de Deus? Vamos procurar ser, por meio da oração, como aquele que "...ouve a palavra e a compreende; este frutifica e produz a cem, a sessenta e a trinta por um" (v.23).

Hoje, quando o sol se puser, que ninguém diga que nos esquecemos de Deus.

VCG

- Em que momento me colocarei diariamente na presença de Deus?

A oração e a obediência a Deus afofarão o solo de um coração endurecido.

20 DE JANEIRO

A BÍBLIA em UM ANO:
Gênesis 49–50, Mateus 13:31-58

Perfeito para sempre

Quando visitei os EUA, uma marca comercial chamou-me a atenção por ser igual ao meu sobrenome, e fiquei imaginando se seria chinesa ou coreana. Depois soube que não era uma nem outra: era o nome de uma menina. Um fabricante deu o nome de sua filha ao seu produto. Sara Lee, a filha, disse que o pai queria que o produto "fosse perfeito, já que levava o nome da filha".

A perfeição é um padrão que nenhum de nós jamais pode alcançar. Mas aprendemos na carta aos Hebreus que Jesus, por Seu supremo sacrifício por nossos pecados, "...aperfeiçoou para sempre quantos estão sendo santificados" (10:14).

> **LEITURA:**
> **Hebreus 10:8-18**
>
> ...com uma única oferta, aperfeiçoou para sempre quantos estão sendo santificados. v.14

Os contínuos sacrifícios oferecidos pelos sacerdotes desde os tempos de Moisés nunca puderam mudar a natureza pecaminosa de alguém diante de Deus (HEBREUS 10:1-4). Mas o sacrifício único de Cristo na cruz — aquele que não conhecia o pecado, morrendo pelos pecadores — nos aperfeiçoou para sempre aos olhos de Deus. O pagamento de Jesus, único e definitivo pelos nossos pecados, foi suficiente. O autor da carta de Hebreus parafraseou o versículo do livro de Jeremias 31:34: "Também de nenhum modo me lembrarei dos seus pecados..." (HEBREUS 10:17).

Fomos aperfeiçoados para sempre a fim de estarmos diante de Deus, por causa da obra perfeita realizada por Jesus na cruz. Esta é a certeza da nossa salvação.

AL

● *Os seus pecados já foram lançados ao pé da cruz?*

Deus é o Juiz perfeito e pode declarar perfeitos os culpados.

21 DE JANEIRO

A BÍBLIA em UM ANO:
Êxodo 1–3, Mateus 14:1-21

Fome espiritual

Em uma história de ficção, um vírus destrói as plantações do mundo. Não somente os jardins, mas os cereais, incluindo trigo, cevada, centeio, aveia e arroz. Em meses, o mundo mergulha na fome e na violência. As pessoas começam a lutar; depois a matar, por comida.

A ficção descreve uma cena que vemos acontecer no mundo real, como as crises de fome vistas nos noticiários de TV. É terrível! Mal posso imaginar como seria.

> **LEITURA:**
> **1 Pedro 2:1-10**
>
> **Eis que vêm dias... em que enviarei fome sobre a terra, [...] de ouvir as palavras do SENHOR.** Amós 8:11

O profeta Amós falou de um tipo diferente de fome — a fome e a sede de ouvir "as palavras do SENHOR" (8:11). Enquanto a falta de comida pode provocar doenças e morte, a fome da Palavra produz consequências eternas. Sem acesso à Palavra de Deus, falta-nos sabedoria para viver a mensagem da vida eterna em Cristo. Como cristãos, precisamos do "...genuíno leite espiritual, para que, por ele, [nos] seja dado crescimento para salvação" (1 PEDRO 2:2). Podemos nos identificar com o profeta quando ele disse: "Achadas as tuas palavras, logo as comi; as tuas palavras me foram gozo e alegria para o coração, pois pelo teu nome sou chamado, ó SENHOR, Deus dos Exércitos" (JEREMIAS 15:16).

O mundo está desejando ardentemente o conhecimento do Deus que pode satisfazer as necessidades do coração humano. Vamos ajudar a encher seus corações, compartilhando a Palavra de Deus.

WEC

● *Você considera a Palavra de Deus fonte de alegria e gozo?*

Sem um coração voltado para Deus, não podemos ouvir a Sua Palavra.

22 DE JANEIRO

A BÍBLIA em UM ANO:
Êxodo 4–6, Mateus 14:22-36

O que Deus nos deve

onta-se a história de um comerciante que vendia rosquinhas por 50 centavos cada, numa banca na esquina de uma rua. Um praticante de *cooper* passava correndo, jogava algumas moedas no balde, mas não levava nenhuma rosca. Fez isso todos os dias, por alguns meses. Certo dia, quando o corredor estava passando novamente, o vendedor o parou. "Provavelmente você quer saber por que sempre lhe dou dinheiro e nunca levo uma rosca, não é?", disse o corredor. "Não", respondeu o vendedor. "Só queria informar que o preço das roscas agora é 60 centavos."

> LEITURA:
> **Colossenses 1:9-14**
>
> ...a fim de viverdes de modo digno do SENHOR... v.10

Muitas vezes, como cristãos, tratamos Deus com o mesmo tipo de atitude. Além de sermos ingratos pelo que Ele nos deu, queremos sempre mais. De alguma forma, achamos que Deus nos deve boa saúde, uma vida confortável, bênçãos materiais etc. É óbvio, Deus não nos deve nada, no entanto, nos concede tudo.

G. K. Chesterton escreveu: "Aqui morre mais um dia, durante o qual tive olhos, ouvidos, mãos e o mundo maravilhoso a me cercar. E com o amanhã, começa um novo dia. Por que me é permitido ter dois dias?" O salmista disse: "Este é o dia que o SENHOR fez; regozijemo-nos e alegremo-nos nele" (SALMO 118:24).

Cada dia, seja ele bom ou ruim, é mais um presente do nosso Deus. Nossa resposta de gratidão deveria consistir em viver para agradá-lo. ❧

CHK

● *Você agradece a Deus pelo privilégio de receber mais um dia das mãos dele.*

A vida é um presente concedido por Deus para ser vivida para o Senhor.

23 DE JANEIRO

A BÍBLIA em UM ANO:
Êxodo 7–8, Mateus 15:1-20

Fugindo de Deus

Por que as pessoas fogem de Deus? Por causa de ira, decepção, desespero, desobediência ou uma rede de rebelião tecida por nossos próprios desejos?

O livro de Jonas retrata um profeta que rejeitou o chamado de Deus de proclamar a Sua palavra ao povo de Nínive. No primeiro capítulo (v.3,10), Jonas teve a intenção de ir para Társis, para fugir do Senhor. Ele sabia para onde estava indo e o porquê. Depois de ser-lhe dada uma segunda chance (3:1,2), Jonas anunciou a mensagem de Deus — mas reagiu com ira quando o Senhor poupou a cidade arrependida (3:10–4:2).

> **LEITURA:**
> **Jonas 1:1-10**
>
> Jonas se dispôs, mas para fugir da presença do Senhor, para Társis... v.3

O livro termina quando o Senhor fala a Jonas sobre a compaixão que teve: "...e não hei de eu ter compaixão da grande cidade de Nínive...?" (4:11). Mas não há qualquer indicação de que o profeta contrariado mudou de atitude. O povo de Nínive se arrependeu; Jonas não.

A história de Jonas deve nos motivar a sermos honestos em relação aos nossos sentimentos com Deus. Estamos abrigando ressentimento por sua complacência com pessoas, as quais achamos que merecem ser julgadas? Esquecemo-nos de que Deus nos perdoou? Estamos dispostos a obedecer ao Seu chamado e deixar o resultado com Ele?

A história de Jonas aclara nossas reações com Deus e mede nossa disposição em confiar nele quando não conseguimos compreender os Seus caminhos. 🌱

DCM

● *E se Deus disser: disponha-se e vá... Você está pronto?*

Quem mais confia em Deus — melhor o agrada.

24 DE JANEIRO

A BÍBLIA em UM ANO:
Êxodo 9–11, Mateus 15:21-39

Salvar a nós mesmos

Lá dentro, ouvia-se a música. Do lado de fora, as folhas caíam. Com a rajada de vento, uma das últimas folhas do outono voou para cima, quando ouvi a frase: "Ele ressuscitou!" No final do hino, todavia, a folha estava caída ao chão. A gravidade vencera a brisa.

Mais tarde, ouvi três mulheres de meia-idade discutir sobre dietas, exercícios, cirurgias plásticas do rosto e outros esforços para desafiar a idade. Assim como a folha da árvore, elas tentavam evitar que a gravidade as empurrasse ao inevitável.

> LEITURA:
> **1 Coríntios 15:12-20**
>
> ...Se já morremos com ele, também viveremos com ele.
> 2 Timóteo 2:11

A conversa delas lembrou-me das boas obras que as pessoas fazem para tentarem salvar-se a si mesmas da morte espiritual. Mas assim como as folhas não podem evitar de cair e as pessoas de envelhecer, ninguém pode trabalhar o suficiente para evitar a consequência do pecado, que é a morte (ROMANOS 6:23).

Na crucificação, os zombadores desafiaram Jesus a salvar-se a si mesmo. Mas Ele colocou Sua vida nas mãos do Pai, e Deus, não somente, devolveu-lhe a Sua própria vida, mas também a nossa. Para receber a salvação, também precisamos simplesmente colocar nossa vida nas mãos de Deus, pois se o Espírito de Deus que ressuscitou a Jesus da morte vive em nós, Ele também nos dará vida (ROMANOS 8:11).

As forças externas do pecado não podem derrotar a vida de Cristo em nós.

JAL

● *Em que momento vencemos a morte?* _____

A salvação não significa abrir uma nova página; mas significa receber uma nova vida.

25 DE JANEIRO

A BÍBLIA em UM ANO:
Êxodo. 12–13, Mateus 16

Valorizando outros

Quando jovem, Roberto experimentou muitas dificuldades na vida — pobreza, lar desmoronado, uma vizinhança violenta. Muitas vezes, ainda menino, deixava de ir à escola e era difícil lidar com ele. Mas quando um amigo foi assassinado, Roberto considerou esse fato como um chamado para despertar. Determinado a mudar sua vida, trabalhou duro para levantar seus créditos escolares e ter médias mais altas.

LEITURA:
Lucas 19:1-10

Porque o Filho do Homem veio buscar e salvar o perdido. v.10

Mas o conselheiro da escola não acreditou nele e disse-lhe que nenhuma universidade o aceitaria. Contudo, Roberto provou o contrário: formou-se na universidade e tornou-se um profissional da educação. Escolheu essa carreira porque, como ele diz: "Os professores me viram como alguém sem identidade — uma pessoa de pouco valor." Ele não queria que o mesmo acontecesse com os outros.

Jesus nos vê como pessoas de valor. Zaqueu era um coletor de impostos desonesto (LUCAS 19:1-10). Jesus poderia ignorá-lo, mas o viu na árvore e o chamou pelo nome.

É importante que os cristãos reconheçam os outros como pessoas de valor. Brennan Manning escreve: "O cristão que não olha simplesmente, mas enxerga o outro, diz a essa pessoa que ela está sendo reconhecida como ser humano num mundo impessoal, de objetos."

As pessoas com as quais nos encontramos sabem que as vemos como valiosas para nós e para Deus? AMC

● *As pessoas ao seu redor conhecem o valor que elas têm?*

Ame as pessoas e não as coisas — use as coisas e não as pessoas.

26 DE JANEIRO

A BÍBLIA em UM ANO:
Êxodo 14–15, Mateus 17

Em direção ao deserto

Depois de atravessarem milagrosamente o mar Vermelho, os israelitas foram conduzidos ao deserto. É estranho que Deus os tenha levado de um lugar de revelação e poder a um lugar de decepção e horríveis necessidades!

Mas Deus queria lhes mostrar que a vida é a combinação de amargo e doce, de triunfo e derrota. Quando os israelitas chegaram a Mara, se queixaram porque as águas eram amargas (ÊXODO 15:23). Depois que Moisés intercedeu por eles (v.25), Deus lembrou-lhes de que deveriam guardar os Seus mandamentos (v.26). Então conduziu-os à abundância e refrigério de Elim (v.27).

> **LEITURA:**
> **Êxodo 15:22-27**
>
> ...eu sou o SENHOR, que te sara. v.26

O Senhor queria ensinar-lhes que cada experiência em sua jornada revelaria os seus corações. Este teste mostrou que estavam vivendo pelo que viam e não pela fé.

Eles também aprenderam que Deus estava envolvido nos acontecimentos diários. Deus queria que soubessem que Ele não somente podia separar o mar, mas também prover a água para o povo. Ele conhecia suas necessidades porque planejou o caminho para eles.

Se neste momento você está sendo conduzido a um deserto de decepção e amargura, confie em Deus, pois Ele sabe exatamente onde você está e o que precisa. Ao obedecer aos Seus mandamentos, Ele o tirará do deserto e o conduzirá a um lugar de abundância, cura e refrigério espiritual. 🌿

MLW

- *Você reconhece a ação de Deus em seu dia a dia?*

Quanto mais amarga a experiência do deserto, mais doce será a água do oásis.

27 DE JANEIRO

A BÍBLIA em UM ANO:
Êxodo 16–18, Mateus 18:1-20

Manjar turco

No livro *As Crônicas de Nárnia*, Edmundo foi arrastado para o lado da escuridão pela malvada feiticeira branca. O método dela era simples — apelava para o amor dele por doces e guloseimas, posição social e vingança. O manjar turco que ela lhe ofereceu era delicioso e fez desejá-lo ainda mais. Sua atração era tão forte que levou Edmundo a trair seu irmão e irmãs.

> **LEITURA:**
> **Gálatas 5:16-25**
>
> **...revesti-vos do Senhor Jesus Cristo e nada disponhais para a carne no tocante às suas concupiscências.**
> Romanos 13:14

Os apetites do mundo e da carne são ferramentas poderosas usadas pelo diabo para nos induzir ao vício. Ele apela ao amor que temos pelo que satisfaz nossos desejos egoístas e pecaminosos e usa isto para nos tentar, controlar, desencorajar, derrotar e destruir. Lutamos por poder, dinheiro, comida, álcool, roupas ou sexo, mesmo correndo o risco de sacrificar nossos amigos, entes queridos e até nosso relacionamento com o nosso Salvador, a fim de satisfazer nossos desejos.

Como podemos resistir às tentações de Satanás? Paulo disse: "...andai no Espírito e jamais satisfareis à concupiscência da carne" (GÁLATAS 5:16). Ele também escreveu: "...revesti-vos do Senhor Jesus Cristo e nada disponhais para a carne no tocante às suas concupiscências" (ROMANOS 13:14). E João disse: "Não ameis o mundo nem as coisas que há no mundo..." (1 JOÃO 2:15).

Revistam-se do Senhor e vivam pelo Espírito. É assim que quebramos o poder da síndrome do manjar turco. 🌱   DCE

- *Como podemos reconhecer as artimanhas de Satanás?*

Deus provê a armadura para resistirmos à tentação, mas nós temos que vesti-la.

O nome

Não é fácil entender as abreviações que são usadas na *internet* e celulares, principalmente as utilizadas pelos jovens. Nas mensagens de texto, *também* é "tb", risos se torna "rss" e, lamentavelmente, já vi pessoas usando "plmdds" para "Pelo amor de Deus!".

Esta última frase parece estar nos lábios de muitos que recebem notícias assustadoras. Mas, como cristãos, precisamos parar antes de usar essa expressão ou qualquer outra frase que use o nome de Deus de maneira irreverente.

> LEITURA:
> **Êxodo 20:1-7**
> **Não tomarás o nome do SENHOR, teu Deus, em vão...** v.7

No evangelho de Mateus, quando Jesus ensinou os Seus discípulos a orar, Ele os instruiu dizendo: "...Pai nosso, que estás nos céus, santificado seja o teu nome" (6:9). É evidente, o nome de Deus, em si, é especial. Ele inclui Sua natureza, ensinamentos e autoridade moral. Falar o nome de Deus é clamar ao Criador e sustentador do Universo.

Deveríamos honrar e proteger de todas as formas possíveis o nome santo de Deus, preservando seu uso para as ocasiões quando estivermos falando dele ou se dirigindo a Ele pela fé.

Cuidemos para nunca rebaixar o nome santo do nosso maravilhoso e poderoso Deus em uma simples e irreverente frase dos nossos lábios ou numa mensagem de texto. 🌿

JDB

- *Quem é a nossa Rocha, Baluarte, Torre Forte?*

Use o nome de Deus com cuidado.

29 DE JANEIRO

A BÍBLIA em UM ANO:
Êxodo 21–22, Mateus 19

A comparação certa

Quando eu era estudante, lavava paredes e janelas nas casas das pessoas para ganhar algum dinheiro. E num novo emprego, um homem de 1,20 m saudou-me à porta de sua casa. Ele me contou que empregava alguém para limpar as janelas porque elas eram muito altas e ele não conseguia alcançá-las. Embora eu tenha apenas 1,65 m de altura, me senti um gigante naquela casa. Aos olhos de Deus, é claro, nossa estatura física não significa nada.

> **LEITURA:**
> **2 Coríntios 10:12-18**
> **Porque não ousamos classificar-nos ou comparar-nos com alguns que se louvam a si mesmos...** v.12

Algumas pessoas na igreja pensam, de forma errada, que são gigantes espirituais. Esses "figurões" podem achar que são superiores por causa de seus cargos. Paulo escreveu a respeito dessa autopromoção equivocada: "...eles, medindo-se consigo mesmos e comparando-se consigo mesmos, revelam insensatez" (2 CORÍNTIOS 10:12).

Outros podem achar que seu crescimento está estagnado porque não desempenham um papel visível. Isso também está errado. Algumas vezes, os que mais crescem podem sentir-se inferiores àqueles que mantêm uma aparência hipócrita de perfeccionismo legalista. Comparações espirituais sempre são insensatas. Somente o Senhor é o verdadeiro juiz do crescimento espiritual.

A estatura física não importa — a nossa vida espiritual, sim. Se você estiver se sentindo superior ou inferior a alguém, peça a Deus que lhe dê a atitude apropriada. Ele é o verdadeiro juiz do coração (1 SAMUEL 16:7). 🌿

HDF

● *O seu verdadeiro valor depende dos outros ou só de você?*

Nenhum engano é tão perigoso quanto o autoengano.

30 DE JANEIRO

A BÍBLIA em UM ANO:
Êxodo 23–24, Mateus 20:1-16

Existir ou viver?

Ao visitar a **Disneylândia** com minha família, observei o letreiro no arco de entrada que dizia: "Bem-vindo ao lugar mais feliz da terra." No restante do dia, olhei para os rostos das pessoas e fiquei impressionado pelo pequeno número dos que estavam verdadeiramente sorrindo durante o seu passeio "ao lugar mais feliz da terra". Percorri o parque com a atenção dividida — tentando assegurar que meus filhos tivessem um tempo agradável e imaginando por que tão poucos adultos pareciam estar se divertindo.

> LEITURA:
> **João 10:1-11**
>
> **...eu vim para que tenham vida e a tenham em abundância.** v.10

Ao pensar naquele dia, recordo da frase de uma antiga canção que diz: "A vida continua, muito tempo depois do entusiasmo da vida desaparecer. É o que parece.

Viver ao máximo é qualitativamente diferente do que apenas existir. Aliás, Jesus disse que parte de Sua missão era nos capacitar a viver de forma plena: "...eu vim para que tenham vida e a tenham em abundância" (JOÃO 10:10). Ele veio para que experimentássemos a plenitude da vida — não conforme os padrões desse mundo decaído, mas a vida como tinha sido planejada para ser. É a vida de acordo com os desígnios e vontade do Criador.

Jesus, ao vir para prover perdão às pessoas rebeldes e vulneráveis, nos possibilitou vivermos uma vida de alegria e esperança num mundo em aflição.

WEC

- *Você já experimentou a plenitude da vida em Cristo?*

Conhecer a Deus traz uma canção ao seu coração e um sorriso ao seu rosto.

31 DE JANEIRO

A BÍBLIA em UM ANO:
Êxodo 25-26, Mateus 20:17-34

Responsabilidade

Ao **aparecerem escombros em chamas** e pessoas desesperadas na tela de TV, um repórter disse: "Uma organização terrorista assumiu a responsabilidade pelos bombardeios de ontem à noite, que deixaram 23 mortos e muitos feridos." Isso não foi um simples ato ocasional de violência, mas um ato calculado a fim de aterrorizar pessoas e promover os objetivos daqueles que deram um passo à frente e disseram: "Nós fizemos isso."

> LEITURA:
> **Isaías 53**
>
> **Mas ele foi traspassado pelas nossas transgressões e moído pelas nossas iniquidades...** v.5

Diferente desse ato insano, um dos atos mais brutais da história teve a intenção de trazer paz e cura — e não medo. Além disso, Deus se responsabilizou por ele na profecia de Isaías, sete séculos antes da sua ocorrência. O profeta previu a morte do Messias com as palavras: "Mas ele foi traspassado [...] o castigo que nos traz a paz estava sobre ele, e pelas suas pisaduras fomos sarados [...]. Todavia, ao SENHOR agradou moê-lo..." (ISAÍAS 53:5,10).

Pouco antes de ser crucificado, Jesus Cristo disse: "Ninguém a [vida] tira de mim; pelo contrário, eu espontaneamente a dou [...]. Este mandato recebi de meu Pai" (JOÃO 10:18). Jesus morreu espontaneamente por nossos pecados, para que pudéssemos viver pela fé nele.

Deus assumiu a responsabilidade pela morte de Seu Filho, o que permite que qualquer pessoa reivindique esse presente de perdão. 🌿

DCM

- *Você já reconheceu que o sacrifício de Jesus foi por sua causa?*

A busca pelo perdão termina quando encontramos Cristo.

1.º DE FEVEREIRO

A BÍBLIA em UM ANO:
Êxodo 27–28, Mateus 21:1-22

Vivendo cada dia

Quando festejou seu **104.º aniversário,** Tamer Lee Owens disse que "o riso, o Senhor e as pequenas coisas" a fizeram seguir adiante na vida. Esta senhora ainda encontrava prazer todos os dias ao conversar com pessoas, caminhar, ler a Bíblia, como tinha feito desde a infância. Ela dizia: "Não sei quanto tempo Ele ainda vai me deixar aqui, simplesmente agradeço ao Senhor pelo que já me deu."

> **LEITURA:**
> **Provérbios 15:13-31**
>
> **Todos os dias do aflito são maus, mas a alegria do coração é banquete contínuo.**
> v.15

A maioria de nós não viverá 110 anos como ela, mas podemos aprender com Tamer Lee como desfrutar cada dia que nos é dado.

O riso — "O coração alegre aformoseia o rosto, mas com a tristeza do coração o espírito se abate" (PROVÉRBIOS 15:13). A verdadeira felicidade começa em nosso interior e transparece em nosso rosto.

O Senhor — "O temor do SENHOR é a instrução da sabedoria, e a humildade precede a honra" (v.33). Quando Deus é o centro de nossa vida, Ele pode nos ensinar Seus caminhos.

As pequenas coisas — "Melhor é um prato de hortaliça onde há amor do que o boi cevado e, com ele, o ódio" (v.17). Preservar os relacionamentos de amor e desfrutar das coisas básicas da vida é mais importante do que riqueza e o sucesso.

Nem todos nós teremos uma vida longa — mas todos podemos viver bem a cada dia — com risos, com o Senhor e desfrutando das pequenas coisas da vida. 🌿

DCM

● *Há alguma atitude que você precisa mudar para viver melhor?*

***A felicidade não é um local onde podemos chegar,
é uma jornada diária.***

2 DE FEVEREIRO

A BÍBLIA em UM ANO:
Êxodo 29–30, Mateus 21:23-46

O lanche de um menino

Certa vez, cometi o erro de pensar que poderia comer sozinho um bife de 800 gramas, num restaurante. O que não consegui comer, levei para casa. *E pensei: Pelo menos vou ter outro banquete.*

Ao sair do restaurante, alguém se aproximou de mim, pedindo dinheiro. A princípio, recusei. Porém, golpeado por uma culpa repentina, chamei-o de volta, dei-lhe certa quantia e o abençoei em nome de Jesus. Fiquei contente por ter cumprido minha obrigação. Mas ao me retirar dali com o bife embalado em minha mão, ele perguntou: "E o pacote?" Tenho que admitir, foi difícil desfazer-me do banquete que eu já planejava.

> **LEITURA:**
> **João 6:1-14**
>
> ...Eu sou o pão da vida; o que vem a mim jamais terá fome; e o que crê em mim jamais terá sede.
> v.35

Uma das minhas histórias favoritas do Novo Testamento é a do menino que levou o seu "pacote" a um sermão de reavivamento (JOÃO 6:1-14). Se ele fosse como a maioria dos meninos, aquele seu lanche era muito importante. Mas o garoto se dispôs a dar os seus cinco pães de cevada e os dois peixinhos ao Senhor. Acho que este menino sabia que, se o colocasse nas mãos de Jesus, Ele poderia fazer algo extraordinário com aquilo. E assim aconteceu. Jesus alimentou milhares de pessoas famintas.

Jesus ainda está à procura de algumas pessoas como você e eu, dispostas a praticar atos intencionais de sacrifício, de maneira que Ele possa transformar nossas ofertas em algo para Sua glória. Pratique um ato desses hoje! 🌿

JMS

● *Você está pronto a praticar atos intencionais de amor ao próximo hoje?*

Deixe que Jesus compartilhe com os outros o que você quer guardar para si.

3 DE FEVEREIRO

A BÍBLIA em UM ANO:
Êxodo 31–33, Mateus 22:1-22

Nossa viva esperança

Na manhã que se seguiu à morte de minha mãe, li a Bíblia e falei com o Senhor a respeito da minha tristeza. A leitura bíblica anual para aquele dia foi no evangelho de João 6.

Quando cheguei ao versículo 39, o Senhor sussurrou conforto ao meu coração triste: "E a vontade de quem me enviou é esta: que nenhum eu perca de todos os que me deu; pelo contrário, eu o ressuscitarei no último dia." O espírito de mamãe já estava com o Senhor, mas eu sabia que um dia todos seremos ressuscitados e receberemos um corpo novo.

> **LEITURA:**
> **João 6:39-54**
>
> **[Deus] nos regenerou para uma viva esperança, pela ressurreição de Jesus Cristo dentre os mortos.** 1 Pedro 1:3

Ao continuar lendo, percebi que, no evangelho de João 6, Jesus disse mais três vezes que ressuscitaria Seu povo dos mortos, no último dia. Ele estava repetindo aquela verdade para aqueles que o tinham ouvido há muito tempo e repetia para mim também naquele dia.

Nossa esperança da ressurreição se cumprirá quando Jesus voltar. "...num momento, num abrir e fechar de olhos, ao ressoar da última trombeta. A trombeta soará, e os mortos ressuscitarão incorruptíveis, e nós seremos transformados" (1 CORÍNTIOS 15:52). Depois da ressurreição, os cristãos receberão corpos novos e as recompensas pelo seu fiel serviço (1 CORÍNTIOS 3:12-15; 2 CORÍNTIOS 5:9-11).

A ressurreição é a viva esperança dos cristãos. Você tem essa esperança?

AMC

● *O seu encontro com Cristo na eternidade é uma fonte de esperança?*

O Cristo ressuscitado virá dos céus para levar os seus para a eternidade.

4 DE FEVEREIRO

A BÍBLIA em UM ANO:
Êxodo 34–35, Mateus 22:23-46

Muralha de unificação

Os muros dividem. A Grande Muralha da China foi construída como proteção contra as tribos saqueadoras. Aquela linha notável de defesa, de 6.400 quilômetros, cercou toda a Ásia, e grande parte dela ainda existe. Em contraste, o Muro de Berlim mantinha as pessoas do lado de dentro, e não de fora. A sua destruição, em 1989, uniu as pessoas numa alegre celebração.

> **LEITURA:**
> **Neemias 4:1-3,10-18**
>
> Assim edificamos o muro [...] porque o povo tinha ânimo para trabalhar. v.6

Séculos atrás, a reconstrução de outro muro serviu para unir as pessoas. Deus havia dito a Neemias para reconstruir o muro ao redor de Jerusalém. Ele era essencial para a proteção, mas havia sido destruído durante a invasão do rei da Babilônia. Os inimigos dos judeus se opuseram ao projeto de reconstrução e buscavam maneiras de sabotar os seus esforços (NEEMIAS 4:7,8). Enquanto a metade dos homens trabalhava na edificação, outros permaneciam armados, montando guarda, a fim de protegê-los.

Além de dar-lhes proteção, este muro foi uma demonstração de trabalho conjunto e de unidade (NEEMIAS 3). Todos os membros da equipe usaram seus talentos e habilidades, unindo-se para realizar muito mais do que poderiam ter feito sozinhos.

Assim deveria ser na igreja hoje. Nossos talentos são dons de Deus para serem usados com o objetivo de construir o Seu Reino. Nós trabalhamos melhor quando trabalhamos em conjunto. CHK

- *Quais dos seus talentos estão à disposição do Senhor?* _____

Reunir-se é o começo; permanecer unidos é progresso; trabalhar juntos é sucesso.

5 DE FEVEREIRO

A BÍBLIA em UM ANO:
Êxodo 36–38, Mateus 23:1-22

Preço de uma alma

Segundo o artigo de um jornal, Hemant Mehta queria descobrir se estava "perdendo algo" como ateu. Por isso, o estudante fez um anúncio na internet — passaria uma hora frequentando uma igreja a cada dez reais da maior oferta que recebesse. O vencedor do leilão foi um ex-pastor evangélico, que fez uma oferta no valor de um mil reais.

Quanto você pagaria pela oportunidade de apresentar Cristo a uma pessoa não-cristã? O apóstolo Paulo deu muito mais do que um mil reais, em seu esforço de levar o evangelho às pessoas que nunca tinham ouvido a respeito de Jesus Cristo. Ele viajou arduamente muitos quilômetros pelo mundo. Num relato impressionante, contou suas experiências: naufrágio, prisão, açoites, apedrejamentos, exaustão, fome, frio e perigos (2 CORÍNTIOS 11:23-28).

> LEITURA:
> **Mateus 16:24-28**
>
> ...o que ganha almas é sábio. Provérbios 11:30

Nos últimos 2 mil anos de esforços missionários, homens e mulheres valentes deixaram seus países de origem para proclamar Cristo em lugares remotos, primitivos e perigosos. Muitos perderam suas vidas; outros sofreram perseguição. Em diversas partes do mundo hoje, falar publicamente sobre Jesus pode significar sofrimento, prisão e até morte.

Quando consideramos o sacrifício de Jesus por nós, é válido qualquer sacrifício que fazemos para trazer outros a Ele. DCE

- Você precisa deixar algo para trás para servir melhor a Cristo?

Quando abrimos nosso coração para o Senhor, Ele abre os nossos olhos para os perdidos.

6 DE FEVEREIRO

A BÍBLIA em UM ANO:
Êxodo 39–40, Mateus 23:23-39

Paixão espiritual

or que a paixão espiritual desaparece com facilidade? Ao experimentarmos pela primeira vez o amor de Deus, investimos horas estudando Sua Palavra e falando aos outros o quanto Ele significa para nós. De repente, nossas agendas lotadas diminuem lentamente nossa paixão. Nosso anseio por Jesus e o estudo de Seu caráter se tornam um olhar ocasional. Com certeza não foi o objeto da nossa afeição que mudou!

A igreja de Éfeso lutou para manter sua paixão espiritual. Por meio de João, Jesus queria ajudá-los a restaurar e manter seu amor e zelo por Ele. Embora elogiasse aquela igreja por seu trabalho, Jesus viu que eles abandonaram o seu primeiro amor — isto é, o próprio Jesus (APOCALIPSE 2:4).

> **LEITURA:**
> **Apocalipse 2:1-7**
>
> Tenho, porém, contra ti que deixaste o teu primeiro amor. v.4

Os efésios haviam perdido sua paixão por Jesus, e a igreja se tornara uma ortodoxia fria e mecânica. Pergunto-me se eles permitiram a entrada dos males invisíveis da religiosidade e das muitas atividades em seu coração. O que quer que tenha sido, algo roubou-lhes a afeição inicial que tinham pelo Senhor.

Você permitiu que algo roubasse a sua paixão? Se isso já ocorreu, ela poderá ser restaurada e mantida, quando lembrar-se do maravilhoso amor demonstrado por você no Calvário. Arrependa-se das suas atitudes pecaminosas e destituídas de amor e, por amor a Jesus, repita as obras que praticava no princípio (v.5).

MLW

● *Você precisa restaurar o seu amor pelo Senhor?*

Devoção a Jesus é a chave para a paixão espiritual.

7 DE FEVEREIRO

A BÍBLIA em UM ANO:
Levítico 1–3, Mateus 24:1-28

O poder da influência

No dia 9 de fevereiro de 1964, os *Beatles* apareceram na televisão e cativaram a juventude do mundo todo. Depois de ouvir a música e observar o visual deles, fiz o que milhões de jovens fizeram — pedi a meus pais que me deixassem usar cabelos compridos.

Na sequência, formei uma banda de garagem com o meu melhor amigo. A apresentação dos *Beatles* teve impacto tão grande em nós que tentamos intencionalmente ser como eles. Para mim, foi uma demonstração importante do poder da influência.

> **LEITURA:**
> **Mateus 5:1-16**
>
> Vós sois o sal da terra; ora, se o sal vier a ser insípido, como lhe restaurar o sabor?...
>
> v.13

Anos mais tarde, o poder da influência tornou-se algo muito mais significativo para mim, quando comecei minha jornada como seguidor de Cristo. Eu queria viver sob a Sua influência — mas também queria influenciar outros, mostrando-lhes o Salvador.

Em parte, isso é o que Jesus nos desafia a entender no evangelho de Mateus 5:13-16. O sal e a luz são fatores de influência neste mundo sombrio e corrompido. E Cristo — que é a Luz do mundo — nos chama para sermos também luzes que influenciam. O Mestre, que é a perfeita pureza, diz-nos que devemos ser o sal que dá sabor e impede que as coisas se estraguem.

Neste mundo cheio de necessidades, não sejamos apenas influenciados por Cristo: sejamos também influenciadores no que diz respeito a Cristo.

WEC

- *Como cristão também podemos ser formadores de opinião?*

Como "sal da terra", os cristãos fazem com que outros tenham sede da "Água da Vida".

8 DE FEVEREIRO

A BÍBLIA em UM ANO:
Levítico 4–5, Mateus 24:29-51

Náufrago

No filme *Náufrago*, Tom Hanks interpreta Chuck Noland, inspetor de uma empresa multinacional de postagem que, devido a um acidente fica preso numa ilha deserta por quatro anos. Completamente isolado de outras pessoas e das comodidades modernas, ele precisa desenvolver as habilidades primitivas de um homem das cavernas.

Seus esforços para arpoar peixes, fazer fogo a partir da fricção de gravetos, abrir cocos para obter a água e a polpa são árduos. O filme é rico em demonstrações sobre como a vida pode se tornar difícil para quem fica abandonado num lugar deserto.

> **LEITURA:**
> **1 Reis 19:1-10**
>
> Tendo-se levantado alta madrugada, saiu, foi para um lugar deserto e ali orava.
>
> Marcos 1:35

Na Bíblia, o deserto, muitas vezes é o cenário para a obra poderosa de Deus no coração humano. Jesus praticou isso e foi para um lugar deserto, para orar e receber a orientação de Deus (MARCOS 1:35). Em cenário semelhante, Deus alimentou o desanimado profeta Elias com alimento do céu (1 REIS 19:1-10); e, no deserto, um etíope que meditava sobre o evangelho (ATOS 8:26-40). Depois de sua conversão, Paulo se retirou para o deserto da Arábia e ali foi instruído pelo Espírito do Senhor (GÁLATAS 1:15-18).

Você se encontra numa experiência de "deserto", isolado dos amigos e família? Então talvez o Senhor queira ensinar lições de fé e perseverança que você nunca aprenderia em meio à grande multidão.

HDF

● *O seu coração está pronto para ser instruído pelo Espírito do Senhor?*

Deus está com você, por mais árido que seja o seu deserto.

9 DE FEVEREIRO

A BÍBLIA em UM ANO:
Levítico 6–7, Mateus 25:1-30

Cinco Cs ou G e B

Em determinada época, os jovens de Singapura desejavam ter os cinco Cs: *Conta* (bancária, dinheiro); *Carreira para o futuro*; *Carro* para dirigir; *Condomínio onde morar*; *Cartão de crédito* para levar nas viagens.

Uma reportagem recente de jornal indica que agora há uma versão atualizada dos cinco Cs: interConectividade, para estar sintonizado; esColhas (quanto mais melhor); audáCia, para fazer as coisas à própria maneira; boas Causas, porque está na moda ser solidário; bons Consumidores, que gastam primeiro e pagam mais tarde.

> LEITURA:
> **Provérbios 30:7-9**
>
> ...o SENHOR dá graça e glória; nenhum bem sonega aos que andam retamente.
> Salmo 84:11

Em lugar desses cinco Cs, Agur, que escreveu o livro de Provérbios 30, pediu a Deus *graça e bondade* divinas. Buscou a graça de Deus para manter longe dele a falsidade e a mentira (v.8). Ele não queria cair na armadilha de crer que os princípios, as práticas e os sentimentos corruptos são aceitáveis.

Agur também pediu pela *bondade* de Deus, para que lhe desse o que necessitava — nem mais nem menos (v.8,9). Agur estava preocupado que a pobreza o levasse a se tornar cobiçoso e então viesse a desonrar o nome de Deus. Mas também compreendeu como as riquezas poderiam torná-lo presunçoso e levá-lo a negar o Senhor.

O que você mais deseja? A satisfação temporária dos cinco Cs ou as recompensas da graça e da bondade de Deus? AL

● *O seu desejo de honrar o nome de Deus está acima de tudo?* _____

A graça de Deus é o amor infinito que se expressa por meio da Sua bondade infinita.

10 DE FEVEREIRO

A BÍBLIA em UM ANO:
Levítico 8–10, Mateus 25:31-46

Qual é o custo?

Anos atrás, quando a Romênia estava sob o controle do comunismo, Bela Karolyi era treinador de ginástica. Ele desenvolveu com habilidade os talentos de estrelas, como a ganhadora de medalha de ouro, Nadia Comaneci. Como recompensa por seu sucesso em treinar atletas que trouxeram fama para o país, recebeu um carro muito caro e muitos outros favores. Mas Karolyi desejava a liberdade. Assim, certo dia, carregando apenas uma pequena mala, saiu resoluto da Romênia para a liberdade, sem um centavo.

> LEITURA:
> **Lucas 14:25-33**
>
> **Mas o que, para mim, era lucro, isto considerei perda por causa de Cristo.**
> Filipenses 3:7

Seguir a Jesus e experimentar a liberdade que Ele dá também exige um custo. Quando os pescadores Pedro e André ouviram o chamado de Jesus: "...Vinde após mim, e eu vos farei pescadores de homens. Então, eles deixaram [...] as redes e o seguiram" (MATEUS 4:19,20). De forma semelhante, Tiago e João deixaram seu pai e sua profissão para iniciar uma vida precária de discipulado. Eles sabiam o custo disso e preferiram seguir a Jesus, deixando tudo para trás (v.21,22).

Que exemplo para todos nós que reivindicamos ser discípulos de Jesus! Ele disse: "E qualquer que não tomar a sua cruz e vier após mim não pode ser meu discípulo" (LUCAS 14:27). Estamos dispostos a fazer sacrifícios — grandes ou pequenos — por amor a nosso Senhor? Vamos responder ao convite do Salvador: "Vinde após mim", não somente por meio de palavras, mas de atos.

VCG

● *Você está pronto a negar-se a si mesmo por amor a Jesus?*

Quando seguimos Jesus, tudo na vida muda de direção.

11 DE FEVEREIRO

A BÍBLIA em UM ANO:
Levítico 11–12, Mateus 26:1-25

Fora de proporção

É impossível esquecer o momento em que tirei uma foto com um dos grandes profissionais do basquetebol. Nunca me considerei baixinho, até ficar ao lado de um jogador de 2,15 metros. A minha cabeça ficava abaixo dos braços dele, e repentinamente compreendi que não era tão alto quanto pensava, pelo menos não quando estava ao lado de Shaquille O´Neal!

LEITURA:
Salmo 111

O temor do SENHOR é o princípio da sabedoria... v.10

O salmista escreveu: "O temor do SENHOR é o princípio da sabedoria..." (111:10). Temer a Deus consiste em considerar as coisas na proporção certa, como o fato de que Ele é muito maior do que nós em todos os sentidos. "Grandes são as obras do SENHOR, consideradas por todos os que nelas se comprazem" (v.2). São uma demonstração do Seu amor, força, sabedoria, presciência, vontade e fidelidade. Temer a Deus significa aceitar essa verdade.

Mas é fácil afastar-se do ponto central quando não permanecemos próximos de Deus. Quanto mais perto estivermos dele, mais compreenderemos o quanto nos falta e o quanto precisamos desesperadamente de Sua infinita sabedoria para dirigir nossas vidas. Quando dependemos unicamente de nós mesmos, tudo perde o sincronismo. Se formos honestos, temos de admitir que nossa perspectiva limitada muitas vezes é errada e algumas vezes pode ser destrutiva.

Pessoas sábias compreendem quão pouco sabem e quanto necessitam da grande sabedoria de Deus.

JMS

● *Você permanece próximo a Deus em todos os momentos da vida?*

Os sábios reconhecem suas próprias limitações e o poder ilimitado de Deus.

12 DE FEVEREIRO

A BÍBLIA em UM ANO:
Levítico 13, Mateus 26:26-50

Toc toc

Alguém bateu à porta da casa de um homem jovem com filhos pequenos. Ao atendê-la, o jovem pai foi cumprimentado por um homem que nunca tinha visto antes — um senhor gentil, de uma igreja das proximidades, que havia ido até ali somente para conversar.

Seu comportamento agradável e suas palavras amáveis o impressionaram e os dois combinaram de se encontrar novamente. Quando isso ocorreu, o visitante apresentou-lhe o evangelho de Jesus Cristo. O jovem e também sua esposa confiaram em Jesus como seu Salvador.

> LEITURA:
> **2 Timóteo 1:8-12**
> Não te envergonhes, portanto, do testemunho de nosso Senhor... v.8

Esse fato mudou tudo, completamente. O casal começou a participar dos cultos na igreja e todos os seus seis filhos se tornaram cristãos. Mais tarde, o pai se tornou professor da Escola Dominical e diácono da igreja.

Uma das filhas desse casal cresceu e estudou na mesma universidade cristã na qual estudei. Desde a primeira vez que vi aquela linda estudante, fiquei encantado. Mais tarde, o homem que abrira aquela porta se tornou meu sogro. Aquele embaixador de Cristo, que ia de porta em porta, transformou não somente um homem, mas toda uma família — e os resultados continuam a transformar outras vidas.

O apóstolo Paulo nos encorajou: "A vossa palavra seja sempre agradável, temperada com sal, para saberdes como deveis responder a cada um" (COLOSSENSES 4:6).

JDB

● *E você? A quem poderá transformar com sua influência?*

As boas-novas de Cristo são boas demais para guardá-las somente para você.

13 DE FEVEREIRO

A BÍBLIA em UM ANO:
Levítico 14, Mateus 26:51-75

Ressuscitado em glória

Anos atrás ouvi a história de um homem que buscava flores para plantar na primavera. Numa estufa, ele se deparou com um crisântemo dourado. Para sua surpresa, ele estava escondido num canto e crescendo num balde velho e cheio de buracos. Ele pensou: "Se esta flor fosse minha, eu a plantaria num bonito pote e a colocaria em algum lugar onde pudesse ser vista e admirada! Por que está confinada neste balde velho e escondida neste lugar?"

> **LEITURA:**
> **1 Coríntios 15:42-49**
> ...Semeia-se o corpo na corrupção, ressuscita na incorrupção... v.42

Quando comentou com a proprietária sobre aquela flor, ela explicou: "Coloquei a plantinha naquele balde velho para que florescesse. Mas é por pouco tempo. Vou replantá-la no meu jardim."

O homem sorriu e imaginou uma cena semelhante no céu. Deus vai dizer: "Eis aqui uma alma bonita, resultado do meu carinho amoroso e da minha graça. Agora ela está confinada num corpo danificado e na obscuridade, mas em breve, no meu jardim, esta alma estará grande e bela!"

Quem sabe agora estamos "plantados" em recipientes tortos e amassados, por um pequeno espaço de tempo, enquanto nosso Senhor vai embelezando nossas almas. Mas, "...assim como trouxemos a imagem do que é terreno, devemos trazer também a imagem do celestial" (1 CORÍNTIOS 15:49). Então Deus vai apresentar Sua obra de arte e a nossa formosura, para que sejam vistas por todos. Essa é nossa certeza e prazer.

DHR

● *De que maneira você está irradiando a imagem de Deus em sua vida?*

Enquanto Deus prepara um lugar para nós, Ele nos prepara para esse lugar.

14 DE FEVEREIRO

A BÍBLIA em UM ANO:
Levítico 15–16, Mateus 27:1-26

Existe amor

Há algum tempo, eu trocava *emails* com um amigo que se aproximava dos 30 anos e não tinha um relacionamento amoroso sério em vista. Ele é talentoso, engraçado, bonito e um cristão comprometido. Mas até então, tudo no seu horizonte romântico não passava de miragem.

Meses antes, ele se entusiasmara muito em relação a uma jovem, com a qual estava se correspondendo por *email*. Duas semanas antes de se encontrarem pela primeira vez, ela morreu como resultado do descontrole de um motorista bêbado. Meu amigo viajou para conhecer a família dela, compartilhar a dor deles e lidar com o sentimento de perda.

> **LEITURA:**
> **1 João 4:7-11**
>
> **Agora, pois, permanecem a fé, a esperança e o amor, estes três; porém o maior destes é o amor.** 1 Coríntios 13:13

Muitas pessoas sentem profundamente a ausência de um amor. Num mundo onde o amor significa muito, há uma palavra do Senhor para todos, os que têm e os que não têm uma pessoa amada.

A carta de 1 João 4 revela o amor de Deus por nós e fala do nosso amor de uns para com os outros, não de ser amado por outra pessoa, (v.7-11). E a carta de 1 Coríntios 13:7 afirma que o amor "tudo sofre, tudo crê, tudo espera, tudo suporta". Como isso é possível? "...porque o amor de Deus é derramado em nosso coração pelo Espírito Santo, que nos foi outorgado" (ROMANOS 5:5).

Muito depois que as flores e os cartões forem esquecidos, ainda haverá o amor que flui do coração de Deus para os nossos corações!

DCM

- *Você se dispõe a permitir que Deus ame as pessoas por seu intermédio?*

Quanto mais entendemos o amor de Deus por nós, mais amor demonstramos aos outros.

15 DE FEVEREIRO

A BÍBLIA em UM ANO:
Levítico 17–18, Mateus 27:27-50

Guardas de cera

Por diversos anos, nossa família viveu numa pequena cidade onde eu pastoreava uma igreja. A comunidade na qual vivíamos não tinha recursos para financiar policiais para patrulhar completamente as ruas. Por isso havia uma preocupação genuína com a falta de segurança quanto aos motoristas imprudentes.

Para enfrentar essa situação, os políticos da cidade tiveram a ideia que chamaram de *Guardas de cera*. Eram manequins uniformizados colocados em carros de patrulhamento ao longo das ruas. É óbvio, esses "guardas" não podiam perseguir os que violavam a lei ou dar multas — mas apenas a visão daqueles carros com "policiais" era o suficiente para que as pessoas diminuíssem a velocidade. Foi uma forma criativa de ajudar as pessoas a obedecerem a lei.

> **LEITURA:**
> **João 14:15-24**
>
> Se me amais, guardareis os meus mandamentos. v.15

Como cristãos, não deveríamos ser forçados nem enganados para praticar o que é certo. Na verdade, a obediência perde seu significado se obedecemos somente por dever ou obrigação. Nosso desejo deveria ser fazer o que agrada ao Senhor, porque o amamos. Jesus disse: "Aquele que tem os meus mandamentos e os guarda, esse é o que me ama…" (JOÃO 14:21). "É por isso que também nos esforçamos […] para lhe sermos agradáveis" (2 CORÍNTIOS 5:9).

Façamos o que é certo, com um coração agradecido pela graça de Deus por nós.

WEC

● *Ao obedecer a Deus, o seu objetivo é agradá-lo?*

Nosso desejo de agradar o Senhor é nosso maior motivo de obedecer-lhe.

16 DE FEVEREIRO

A BÍBLIA em UM ANO:
Levítico 19–20, Mateus 27:51-66

O grande achado

Em 1987, um casal comprou quatro livros numa venda dos bens que haviam sido herdados em certa propriedade. Eles ficaram entusiasmados quando viram que os livros continham duas coleções de cartas e sermões do pregador e autor de hinos John Newton (1725-1807). Também estava incluída uma obra, em dois volumes, de seus sermões baseados no *Messias* de Handel.

LEITURA:
2 Crônicas 34:14-21
...Achei o Livro da Lei na Casa do S‍ENHOR.
v.15

A família de John Newton preservou esses escritos no decorrer dos anos. Seus herdeiros os levaram para os EUA em 1840. Eles foram usados, posteriormente, em comemoração ao 200.º aniversário dele, por uma organização que reeditou e publicou todos os trabalhos de Newton. Depois disso, os livros originais seriam doados a um museu na Inglaterra.

Achado ainda maior está registrado em 2 Crônicas 34:15. Durante o reinado de Josias, como rei de Judá, ele ordenou que o templo fosse restaurado. Hilquias — o sumo sacerdote — encontrou, no templo, o Livro da Lei que havia sido dado a Moisés pelo Senhor. Quando Josias ouviu as palavras da Lei (v.19), sentiu-se culpado e, mais tarde, diante de seu povo, fez uma aliança comprometendo-se a obedecer "de todo o coração e de toda a alma" aos mandamentos escritos no livro (v.31).

A Bíblia ainda é o melhor livro que podemos descobrir. Nela aprendemos o que Deus quer que façamos para agradá-lo. AMC

- *A Bíblia é o livro mais precioso para você?*

A Palavra escrita revela a Palavra Viva.

17 DE FEVEREIRO

A BÍBLIA em UM ANO:
Levítico 21–22, Mateus 28

Encontrando Deus

Quando nossos meninos eram pequenos, brincávamos de um jogo chamado "Sardinhas". Apagávamos todas as luzes dentro de casa e eu me escondia num armário ou nalgum lugar apertado. O restante da família tateava na escuridão, para encontrar meu esconderijo e depois esconder-se comigo, até que todos estivéssemos juntos e espremidos, como na lata de sardinhas. Daí veio o nome.

O membro mais novo da nossa família às vezes ficava com medo do escuro, e então quando se aproximava de nós, eu sussurrava suavemente para ele: "Estou aqui."

"Encontrei o papai!", anunciava enquanto se acomodava perto de mim na escuridão, não sabendo que eu me deixara encontrar.

> **LEITURA:**
> **Atos 17:22-31**
>
> Pois o Filho do Homem veio buscar e salvar o que estava perdido.
> Lucas 19:10

Da mesma forma, fomos criados para buscar a Deus — "tateando", como Paulo descreveu de forma tão vívida em Atos 17:27. Mas eis as boas-novas: não é difícil encontrá-lo, pois não está longe de cada um de nós. Ele deseja tornar-se conhecido. Juliana de Norwich escreveu séculos atrás: "Existe em Deus uma característica que anseia que permaneçamos nele."

Antes de conhecermos a Cristo, tateamos em busca de Deus, na escuridão. Mas se o buscarmos ardentemente, Ele se dará a conhecer, pois é "...galardoador dos que o buscam" (HEBREUS 11:6). Ele nos dirá suavemente: "Estou aqui."

E o Pai espera nossa resposta: "Eu o encontrei" 🌿 DHR

● *Com que frequência você busca a Deus?*

Buscai o Senhor enquanto se pode achar... —ISAÍAS 55:6

18 DE FEVEREIRO

A BÍBLIA em UM ANO:
Levítico 23–24, Marcos 1:1-22

Caminho do sucesso

Durante o Ano Novo chinês, é costume ter *hongbaos* (pequenos envelopes vermelhos com dinheiro) para serem doados para alguém. Quando os pais dão *hongbaos* para seus filhos, querem desejar-lhes prosperidade e sucesso. Entretanto, sabendo que este desejo sincero não é suficiente, estes envelopes também os lembram de que devem estudar arduamente. O povo chinês geralmente crê que uma boa educação é a chave do sucesso na vida de alguém.

Deus disse a Josué que seus caminhos poderiam prosperar, já que assumira o papel de liderança de Moisés. Mas ele e o povo deveriam mostrar coragem diante da forte oposição ao entrarem na Terra Prometida (JOSUÉ 1:6). Deus prometeu dar-lhes sucesso se eles considerassem Seu "Livro da Lei" (v.8).

> **LEITURA:**
> **Josué 1:1-9**
>
> Não cesses de falar deste Livro da Lei; antes, medita nele dia e noite [...] então, farás prosperar o teu caminho... v.8

Os cristãos de hoje também precisam viver conforme a Palavra de Deus, se quiserem desfrutar de sucesso em sua caminhada espiritual. A Bíblia não contém somente observações sobre "o que fazer e não fazer" a fim de viver, mas também registra as experiências de vida daqueles que agradaram ou desagradaram a Deus.

Assim como Josué, temos a promessa de Deus de que Ele sempre estará conosco (JOSUÉ 1:9; MATEUS 28:20). Isso deveria nos dar forças para enfrentar os desafios e dificuldades que, inevitavelmente, surgem ao procurarmos agradar o Senhor. ❧

AL

● *De que maneira a Bíblia pode nos fortalecer ao enfrentarmos desafios e dificuldades?*

Quando enfrentar uma crise, confie em Deus e siga adiante.

19 DE FEVEREIRO

A BÍBLIA em UM ANO:
Levítico 25, Marcos 1:23-45

Morto ou vivo

Visitantes de todo o mundo esperam em longas filas, dia após dia, para visitar a tumba de Lenin e ver seu corpo embalsamado. Embora ele tenha morrido em 1924, seu cadáver aparentemente não sofreu decomposição. Apresenta o aspecto de como era quando vivo. Porém é, sem dúvida, enganoso. Artistas habilidosos monitoram o cadáver preservado, colorindo artificialmente seu rosto e usando massa para preencher qualquer linha ou o menor sinal de decomposição.

> **LEITURA:**
> **João 20:1-8**
>
> ...mas, ao entrarem, não acharam o corpo do Senhor Jesus.
> Lucas 24:3

As pessoas também visitam regularmente Jerusalém para ver o lugar onde Jesus morreu e foi sepultado. Mas existe um contraste notável — não há nenhum cadáver do Cristo crucificado, em lugar algum. Bem, há uma tumba talhada na rocha onde, segundo a tradição, o corpo de Cristo, traspassado por pregos e coroado de espinhos, foi depositado. Mas ressuscitado pelo poder de Deus, Seu Pai, o Salvador deixou Sua mortalha para trás quando saiu da tumba, como uma borboleta quando abandona seu casulo.

Jesus está vivo e você pode experimentar a presença dele hoje. Por Sua morte expiatória e túmulo vazio, podemos ter vida eterna (1 CORÍNTIOS 15:20-22). Você precisa admitir que é um pecador e que deseja a Sua salvação. Ele lhe dará vida nova agora, e um dia você o verá face a face e estará com Ele para sempre (1 PEDRO 1:3-5).

VCG

● *Você já encontrou-se com o Jesus ressurreto?*

O túmulo vazio de Cristo garante nossa completa salvação.

20 DE FEVEREIRO

A BÍBLIA em UM ANO:
Levítico 26–27, Marcos 2

Escolhas

Certa vez, um amigo me disse: "Compreendi que minha vida não é constituída pelos sonhos que tenho, mas pelas escolhas que faço."

Conte com isso: você terá muitíssimas escolhas na vida. E geralmente elas se resumem a uma escolha entre "o que quero" e "o que é o melhor para os outros".

Depois que os maridos faleceram, Rute e Orfa fizeram uma escolha estratégica (RUTE 1:11). A sua sogra Noemi disse-lhes que voltassem para casa. Ela não queria que elas sentissem qualquer obrigação em respeito a ela, apesar do fato de sua perda ter sido muito maior. Ela perdeu seu próprio marido e ambos os filhos.

> **LEITURA:**
> **Rute 1:11-18**
>
> ...aonde quer que fores, irei eu e, onde quer que pousares, ali pousarei eu; o teu povo é o meu povo, o teu Deus é o meu Deus. v.16

Orfa e Rute podiam ou retornar à casa de seus pais e começar uma nova vida, ou ficar com Noemi para ajudá-la numa época de grande necessidade. Elas sabiam muito bem que a segunda escolha provavelmente significaria viver numa terra estranha como viúvas, pelo restante de suas vidas, já que poucos judeus casariam com uma mulher estrangeira.

Rute escolheu atender as necessidades de Noemi em vez de servir a si mesma. Orfa escolheu deixar Noemi, pois achou que assim teria uma vida melhor. Rute seguiu adiante para desempenhar um papel significativo na história judaica e tornou-se uma ancestral de Jesus (MATEUS 1:5).

Faça a melhor escolha. Escolha servir aos outros. *JMS*

● *O amor a Cristo motiva as suas escolhas e decisões?*

Sirva a Deus servindo aos outros.

21 DE FEVEREIRO

A BÍBLIA em UM ANO:
Números 1–3, Marcos 3

Jogo de culpa

Um funcionário público está processando o município por danos, depois de ter ele mesmo batido com um caminhão da prefeitura em seu próprio carro estacionado. Ele argumenta que "o veículo da prefeitura danificou seu veículo particular", e por isso o município lhe deve aproximadamente sete mil reais. Por mais ridículo que isso possa parecer, culpar os outros tem sido uma característica básica do ser humano, desde o início.

> LEITURA:
> **Gênesis 3:1-13**
>
> **Então, disse o homem: A mulher que me deste por esposa, ela me deu da árvore, e eu comi.** v.12

Quando Adão e Eva comeram da árvore proibida, seus olhos se abriram e eles perderam sua inocência. Deus fez uma pergunta simples a Adão: "Onde estás?" (GÊNESIS 3:9). Antes, Adão tinha um relacionamento íntimo com Deus — mas naquele momento ele respondeu com medo e escondeu-se de Deus.

A pergunta de Deus foi mais condenatória do que a primeira: "...Comeste da árvore de que te ordenei que não comesses?" (v.11). E começou o jogo da culpa: "A mulher que me deste por esposa, ela me deu da árvore, e eu comi" (v.12). O homem culpou a Deus e a mulher pelo seu pecado. A mulher culpou a serpente e não a si mesma. Desde aquele dia, no Jardim do Éden, temos a tendência de culpar os outros em vez de admitirmos nossas escolhas pecaminosas.

Ao pecarmos, devemos assumir a responsabilidade. Oremos como Davi: "Confessei-te o meu pecado e a minha iniquidade não mais ocultei..." (SALMO 32:5).

MLW

● *Senhor, confessamos o nosso pecado e pedimos perdão.*

O primeiro passo para arrepender-se dos pecados é admitir a própria culpa.

22 DE FEVEREIRO

A BÍBLIA em UM ANO:
Números 4–6, Marcos 4:1-20

Felicidade e santidade

Na **Universidade de Harvard,** pode-se fazer um curso sobre felicidade. Essa matéria é popular e ajuda os estudantes a descobrir "como ser feliz", afirma o professor.

Não é uma má ideia. Na verdade, a Bíblia até mostra a importância de ser feliz ou alegre. Salomão nos diz que Deus dá felicidade e isso é um privilégio (ECLESIASTES 3:12; 7:14; 11:9).

> **LEITURA:**
> **1 Pedro 1:13-21**
>
> **Segui a paz com todos e a santificação, sem a qual ninguém verá o Senhor.** Hebreus 12:14

Algumas vezes, entretanto, a nossa busca por felicidade terrena vai longe demais. Fazemos dela a busca mais importante e até cremos que nossa felicidade é o alvo maior de Deus para nós. É então que nossos pensamentos começam a se confundir.

A Palavra de Deus nos diz que a verdadeira felicidade vem quando obedecemos às Suas leis (SALMO 1:1,2; PROVÉRBIOS 16:20; 29:18). Deus exige santidade e nos chamou para uma vida de santificação — uma vida que mostra Seu caráter moral (1 TESSALONICENSES 4:7; 2 PEDRO 3:11). Na primeira carta de Pedro, lemos: "...segundo é santo aquele que vos chamou, tornai-vos santos também vós mesmos em todo o vosso procedimento, porque escrito está: Sede santos, porque eu sou santo" (1 PEDRO 1:15,16).

Quando tomamos decisões sobre a nossa maneira de agir ou viver, devemos manter em mente que o mandamento de Deus não é: "Seja feliz", mas "Seja santo". A verdadeira alegria surgirá de uma vida santa, que honra a Deus. 🍂

JDB

● *Você está pronto a viver uma vida de santidade que agrade ao Senhor?*

Não há verdadeira felicidade sem santidade, e não há santidade sem Cristo.

23 DE FEVEREIRO

A BÍBLIA em UM ANO:
Números 7–8, Marcos 4:21-41

A nova religião

Ao viajar pela Irlanda para uma conferência bíblica, vi um anúncio fascinante. Era um cartaz grande e branco, sem nada escrito, somente um sapato vermelho, de mulher, com uma legenda em destaque: "Fazer compras é a nova religião?"

A busca por bens continua a ser uma das motivações mais fortes que as pessoas podem experimentar. Mas será que o acúmulo de coisas traz a verdadeira satisfação?

No evangelho de Lucas 12:15, Jesus respondeu a esta pergunta de forma firme e intransigente "Não!". E afirmou: "... Tende cuidado e guardai-vos de toda e qualquer avareza; porque a vida de um homem não consiste na abundância dos bens que ele possui". A vida sempre deve ser algo mais do que apenas o inventário de coisas que possuímos.

> LEITURA:
> **Eclesiastes 2:1-11**
>
> ...guardai-vos de toda e qualquer avareza...
> Lucas 12:15

O rei Salomão também tentou encontrar satisfação na busca por coisas materiais, mas descobriu que estas não preenchiam o vazio da alma (ECLESIASTES 2:1-17). Se colocarmos "a abundância dos nossos bens" no centro de nossa vida, poderemos torná-la um substituto para Deus — uma nova religião. Tais comportamentos sempre resultarão em vazio.

Davi, num cântico de louvor, reconheceu que é Deus quem supre nossas necessidades: "Abres a mão e satisfazes de benevolência a todo vivente" (SALMO 145:16).

Somente Deus é capaz de trazer a verdadeira satisfação à nossa vida.

WEC

- *Quem é o Único que nos concede a satisfação em viver?*

Você é rico quando está satisfeito com o que tem.

24 DE FEVEREIRO

A BÍBLIA em UM ANO:
Números 9–11, Marcos 5:1-20

Disque 9

Você está num consultório odontológico e está demorando mais do que imaginava. Já se atrasou para o próximo compromisso e pede se pode usar o telefone. Digita o número duas vezes e nada acontece. "Como consigo linha?", você pergunta frustrado. A recepcionista diz: "Perdão, disque o zero primeiro."

Você veio para a igreja a fim de adorar a Deus. Você está cantando. Está orando junto com o pastor e acompanhando as passagens bíblicas, ao serem lidas. Mas dentro de você não acontece nada. Você quer adorar o Senhor, mas está apenas seguindo os movimentos. O que você pode fazer?

> **LEITURA:**
> **Salmo 9:1-14**
>
> **Louvar-te-ei, SENHOR, de todo o meu coração; contarei todas as tuas maravilhas.** v.1

Aqui está uma sugestão: disque 9. Abra a sua Bíblia no Salmo 9 e siga as indicações de Davi, ao expressar o seu louvor sincero ao Senhor.

- Abra seu coração (v.1). Deixe o louvor emergir!
- Procure lembrar-se de todas as coisas que Ele fez por você (v.1).
- Alegre-se! Exulte! Cante! (v.2).
- Reconheça que Ele o defende (vv.3-5).
- Busque refúgio nele (v.9).
- Fale do que Ele fez por você (v.11).
- Receba Sua misericórdia e regozije-se em Sua salvação (vv.13,14).

Tente seguir o exemplo de Davi. Você vai se reconectar com Deus em sua adoração e louvor. 🌱

DCE

● *Você deseja louvar a Deus em sinceridade?* _____

_____

Adore ao Senhor de todo o coração.

25 DE FEVEREIRO

A BÍBLIA em UM ANO:
Números 12–14, Marcos 5:21-43

Celebração da criação

Num dos livros de *As crônicas de Nárnia*, de C. S. Lewis, Digory e Polly usam anéis especiais para entrar em outro universo. Em uma ocasião, são transportados a um lugar onde são testemunhas da criação de um novo mundo. Na escuridão, uma bela voz canta e faz aparecer as estrelas, seguidas por um novo amanhecer.

Na luz matutina, eles veem que o cantor é um leão misterioso. Como resposta à sua voz, a relva aparece como um tapete e as árvores crescem apenas em alguns momentos. Então começam a se formar animais da terra. Quando a criação de Nárnia está completa, Aslan — seu criador — dá o dom da fala aos animais e comemora junto com suas criaturas.

> **LEITURA:**
> **Jó 38:1-7**
>
> **...pois, nele, foram criadas todas as coisas...** Colossenses 1:16

Lewis, num habilidoso emprego do simbolismo cristão, dá uma nova perspectiva do milagre do início do nosso próprio mundo. Houve uma época na qual não existia o nosso universo. Não havia matéria, nem energia e nem tempo.

Então, o Filho de Deus falou e criou o que vemos agora (JOÃO 1:1-3). Em resposta, soou uma adoração angelical vinda dos lugares celestiais. O livro de Jó nos conta que quando foram lançados os alicerces da terra "...as estrelas da alva, juntas, alegremente cantavam, e rejubilavam todos os filhos de Deus" (JÓ 38:4,7).

Uma noite estrelada pode fazer ressoar em nossos corações a adoração que começou com anjos, para a glória de Deus. ❦   HDF

- *O que a natureza lhe ensina sobre o amor de Deus?* _____

A obra da criação de Deus está concluída; nossa obra de louvor apenas começou.

26 DE FEVEREIRO

A BÍBLIA em UM ANO:
Números 15–16, Marcos 6:1-29

Spray de lama

Uma companhia britânica desenvolveu um produto chamado *"spray* de lama" para que os moradores da cidade pudessem dar aos seus veículos 4x4 de luxo a impressão de terem feito um passeio *off-road*, para um dia de caça e pesca, sem jamais terem saído da cidade. A lama é até filtrada, para remover pedras e fragmentos que possam arranhar a pintura. Segundo a companhia, as vendas estão indo bem.

> **LEITURA:**
> **2 Timóteo 3:1-9**
>
> ...tendo forma de piedade, negando-lhe, entretanto, o poder. Foge também destes.
> v.5

Existe, dentro de cada um de nós a tendência em valorizar mais a aparência exterior do que a pessoa que somos interiormente. Devido a isso, algumas pessoas retocam seus currículos ou enfeitam suas autobiografias. Mas, como seguidores de Jesus isto não deve ter lugar em nossa vida.

O apóstolo Paulo advertiu Timóteo a respeito de pessoas na igreja que tinham a forma de piedade, negando-lhe, entretanto o poder: "parecerão ser seguidores da nossa religião, mas com as suas ações negarão o verdadeiro poder dela. Fique longe dessa gente!" (2 TIMÓTEO 3:5, NTLH). A realidade interior de Cristo é o que conta, porque produz sinais externos de fé.

A autoridade de Paulo em instruir a igreja sobre a autenticidade espiritual veio por meio dos seus sofrimentos, não por *"spray* de lama". "...porque eu trago no corpo as marcas de Jesus" (GÁLATAS 6:17), disse o apóstolo.

Deus nos chama para uma vida autêntica hoje. DCM

- Você aceita o convite para ter esta vida autêntica?

Se você é verdadeiro com Deus, não será falso com os outros.

27 DE FEVEREIRO

A BÍBLIA em UM ANO:
Números 17–19, Marcos 6:30-56

Continue a orar

Às vezes, oramos em silêncio. Outras vezes, em voz alta. Oramos por mais de 17 anos pela saúde de nossa filha Melissa, por orientação, por sua salvação e muitas vezes por proteção. Assim como oramos por nossos outros filhos, pedimos que a mão protetora de Deus estivesse sobre ela.

Quando Melissa chegou à adolescência, oramos ainda mais para que Deus a guardasse do mal — que mantivesse Seus olhos sobre ela quando, junto com seus amigos, começou a dirigir. Oramos: "Deus, por favor, proteja Melissa."

> LEITURA:
> **Lucas 11:5-13**
>
> **Pois todo o que pede recebe; o que busca encontra; e a quem bate, abrir-se-lhe-á.** v.10

Então, o que aconteceu? Será que Deus não compreendeu que, perder esta linda jovem desta maneira machucaria muitas pessoas, já que ela tinha tanto potencial para servi-lo e servir aos outros? Será que, naquela noite quente de primavera, Deus não viu o outro carro aproximar-se?

Nós oramos, mas Melissa morreu.

E agora? Vamos parar de orar? Vamos desistir de Deus? Vamos tentar seguir sozinhos?

Absolutamente, não! A oração é ainda mais vital para nós agora. Deus — nosso inexplicável e soberano Senhor — ainda tem o controle. Seus mandamentos para orar ainda são válidos. Seu desejo de ouvir-nos ainda persiste. A fé não exige o que queremos; ela confia na bondade de Deus, apesar das tragédias da vida. Nós sofremos. Oramos. E continuamos a orar. *JDB*

- *A oração é o elo que o liga ao Pai?*

Deus pode negar nossos pedidos, mas nunca decepcionará nossa confiança.

28 DE FEVEREIRO

A BÍBLIA em UM ANO:
Números 20–22, Marcos 7:1-13

Lance suas ansiedades

O salmista escreveu: "Aquietai-vos e sabei que eu sou Deus..." (46:10). Paulo exortou os filipenses: "Não andeis ansiosos de coisa alguma..." (FILIPENSES 4:6). E Pedro instruiu seus leitores a lançarem todas suas ansiedades sobre Deus (1 PEDRO 5:7).

Como alguém pode parar de se preocupar e "aquietar-se"? Somente por meio da oração e confiança no Deus de amor (FILIPENSES 4:6-7). Aqueles que lançam sua ansiedade sobre Ele podem colocar de lado o barulho e a confusão, ambições e esforços, e experimentar a paz de Deus (v.7).

> **LEITURA:**
> **Filipenses 4:4-9**
>
> ...lançando sobre ele toda a vossa ansiedade, porque ele tem cuidado de vós.
> 1 Pedro 5:7

Isso não significa que aqueles que se "aquietam" diante do Senhor vão escapar dos perigos e dilemas da vida — mas significa que terão a habilidade de viver com tranquilidade em meio a tudo isso. Embora os problemas permaneçam, a confusão, a apreensão e o desespero desaparecerão lentamente. Tais pessoas mostram equilíbrio quando sob pressão; ficam inabalados com as dificuldades da vida; irradiam paz onde quer que vão.

Se você nunca se conscientizou da profundeza do amor de Deus e do Seu chamado para viver nesse amor, sua vida será repleta de ansiedade e cuidados. Muitas vezes você ficará nervoso e impaciente — sempre buscando aquele "algo mais".

Quando você aprende a confiar em Deus e lançar suas ansiedades sobre Ele, pode ficar calmo em meio às exigências da vida.

DHR

- *É possível manter a calma em meio às tempestades?*

Podemos deixar nossos cuidados com Deus, porque Ele cuida de nós.

1.º DE MARÇO

BÍBLIA em UM ANO:
Números 23–25, Marcos 7:14-37

Nova identidade

Um dos meus filmes favoritos é *A Identidade Bourne*. O personagem principal sofre de uma amnésia severa que o deixa aterrorizado, frustrado e confuso.

Muitos de nós vivemos como Jason Bourne. Nossas histórias não são tão dramáticas — mas as questões são as mesmas: quem sou eu e será que alguém se importa comigo? Corremos de um relacionamento a outro, de um evento social a outro, de um emprego a outro ou até de uma igreja a outra, tentando "nos encontrar".

> **LEITURA:**
> **2 Coríntios 5:14-21**
> E, assim, se alguém está em Cristo, é nova criatura; as coisas antigas já passaram...
> v.17

E se buscarmos nossa identidade em nossa carreira, quem haveremos de ser quando aposentados? Mas há boas notícias para os que buscam uma identidade. Podemos ter uma identidade significativa e segura no relacionamento com Jesus.

Embora Deus tenha nos criado à Sua imagem (GÊNESIS 1:27), o pecado corrompeu nossa alma e nos privou da alegria de um relacionamento com o nosso Criador. Nossa identidade como Sua valorosa e preciosa criação sofreu dano — até que veio Jesus Cristo para resgatar-nos e recuperar Suas criaturas para si (ROMANOS 5:12-19). Se confiamos em Cristo para sermos salvos, temos o status privilegiado de estarmos "nele".

Ele toma tudo o que é velho e o faz novo. Ao compreender que você é uma nova criatura, a sua crise de identidade acabará. 🌱

JMS

● *A sua nova identidade está centrada em Jesus?*

___

Para resolver nossa crise de identidade, precisamos nos identificar com Cristo.

2 DE MARÇO

A BÍBLIA em UM ANO:
Números 26–27, Marcos 8:1-21

Resgate e resposta

A placa da loja de Davi Tiago fala mais de consertar vidas do que de arrumar aspiradores de pó — mas Davi ainda a mantém, pois faz ambas. A primeira linha do cartaz é sempre a mesma: AQUI, BÍBLIAS GRÁTIS! A segunda linha muda e apresenta pensamentos, tais como: ENTREGUE SEU CORAÇÃO PARA TER UM NOVO COMEÇO.

Na última década, o Sr. Davi Tiago consertou milhares de aspiradores de pó e presenteou os seus clientes com milhares de Bíblias. Esta é a sua forma de agradecer ao Senhor por tê-lo salvo da destruição.

> LEITURA:
> **Salmo 107:1-9**
>
> **Digam-no os remidos do S**ENHOR**, os que ele resgatou da mão do inimigo.** v.2

Esse bem-sucedido homem de negócios, havia caído numa vida de vício em drogas. Ele acrescenta: "Se Deus não tivesse tirado a cocaína de mim, eu estaria morto." O Senhor o ajudou a descontaminar-se e encontrar um novo começo.

Cada testemunho para Cristo começa com um resgate, seguido de agradecimento: "Rendei graças ao SENHOR, porque ele é bom, e a sua misericórdia dura para sempre" (SALMO 107:1).

Se a nossa experiência de salvação é dramática ou não, permanece sendo um fato verdadeiro: "Ele nos libertou do império das trevas e nos transportou para o reino do Filho do seu amor" (COLOSSENSES 1:13). Porque fomos resgatados, deveríamos querer compartilhar a nossa experiência.

DCM

● *De que maneira você agradece a Deus por tê-lo salvo da destruição?*

A melhor maneira de agradecer a Cristo por nos salvar é falar aos outros a respeito dele.

Pão Diário, volume 20

3 DE MARÇO

A BÍBLIA em UM ANO:
Números 28–30, Marcos 8:22-38

El Roi

Muitos dispositivos de localização no mercado hoje prometem nos ajudar a encontrar os pais idosos, crianças, animais de estimação, indivíduos em liberdade condicional e até vítimas de sequestradores.

Por mais úteis que sejam, eles não teriam ajudado Agar. Ninguém parecia se importar com ela e com o filho que esperava. Ninguém a procurou para certificar-se do seu bem-estar no deserto. Ninguém a não ser *El Roi* — palavra hebraica para "Tu és o Deus que vê" (GÊNESIS 16:13).

Agar servia a Sara, esposa de Abraão, que sentia-se como o elo fraco da cadeia de promessas de Deus para abençoar o seu marido com muitos descendentes. Por ser estéril, ela aconselhou seu marido Abraão a dormir com sua serva e construir uma família utilizando-se dela. Esta má sugestão, nascida em meio às intensas pressões culturais de prover herdeiros, lhes trouxe somente problemas.

> **LEITURA:**
> **Gênesis 16:7-13**
>
> Então, ela invocou o nome do SENHOR, que lhe falava: Tu és Deus que vê; pois disse ela: Não olhei eu neste lugar para aquele que me vê? v.13

Quando Agar ficou grávida, passou a olhar para Sara com desprezo, pois a esposa de Abraão era incapaz de gerar filhos. Sara passou a maltratar Agar severamente, tanto, que ela fugiu. Ali, no deserto, sentindo a miséria de seu passado e a incerteza do futuro, Agar se encontrou com Deus, que a viu e cuidou dela.

El Roi vê seu passado miserável, sua dor no presente, seu futuro incerto. Ele é tão atencioso que sabe quando morre o menor dos pardais (MATEUS 10:29-31). E Ele é o Deus que o vê e cuida de você ainda hoje.

MLW

● *O seu futuro já está sob os cuidados do Senhor?*

Mantenha os seus olhos fitos no Senhor; Ele nunca deixa de vê-lo.

4 DE MARÇO

A BÍBLIA em UM ANO:
Números 31–33, Marcos 9:1-29

Questão de família

Quando eu era criança, ouvi meu pastor ler muitas vezes os Dez Mandamentos e o mandamento de nosso Senhor a respeito de amar a Deus de todo coração e ao nosso próximo como a nós mesmos. Sei que nunca cumpri totalmente estes preceitos, mas os levei a sério.

Aos oito anos, fiquei triste quando um vizinho de seis anos, de uma família não-cristã, morreu. Mas também me senti culpado por não ter me sentido tão triste quanto, se isso tivesse acontecido a um de meus irmãos. E, ainda hoje, embora meus irmãos e eu tenhamos nossas próprias famílias, que ocupam um lugar muito especial em nossa vida, ainda temos grande interesse uns pelos outros.

> LEITURA:
> **Marcos 3:31-35**
>
> ...e todo aquele que ama ao que o gerou [o Pai] também ama ao que dele é nascido.
> 1 João 5:1

Deus se agrada quando valorizamos os laços familiares — mas Ele também quer que amemos todos os que fazem parte da nossa família espiritual, por terem nascido de novo. Esta é a família a qual Jesus se referiu ao receber a mensagem de que sua mãe e irmãos queriam lhe falar. Ele olhou para a multidão ao redor dele e disse: "...Eis minha mãe e meus irmãos" (MARCOS 3:34,35).

Nossa tarefa é amar os perdidos, mas também aqueles que nasceram na família de Deus — não importa quais forem as suas falhas. Afinal, trata-se de uma questão de família. *HVL*

● *A sua família biológica é tão importante quanto a sua família espiritual?*

Demonstramos que amamos a Deus quando amamos a Sua família.

5 DE MARÇO

A BÍBLIA em UM ANO:
Números 34–36, Marcos 9:30-50

Distúrbio interior

Às vezes parece que tenho um relacionamento ruim — comigo mesma! Sempre que eu, como escritora, inicio um parágrafo, a minha porção de editora me interrompe. "Não, não, não. Não escreva dessa maneira! Por que você é sempre tão negativa?" Ou, "O que a faz pensar que tem algo importante a dizer?"

Antes de terminar um único pensamento, o meu ego já rasgou a página em pedaços. Este é um ritual muito cansativo, e muito comum à condição humana.

> **LEITURA:**
> **1 Samuel 1:9-18**
>
> ...porém venho derramando a minha alma perante o **SENHOR.** v.15

Satanás gosta de nos distrair com críticas e nos incita a agir da mesma maneira em relação aos outros e a nós mesmos. Julgamos de forma prematura e queremos corrigir os outros antes de saber o que estão dizendo. O sacerdote Eli agiu dessa maneira quando Ana estava chorando diante de Deus. Ele interrompeu a oração dela, acusando-a de estar embriagada (1 SAMUEL 1:12-14).

Mas Deus permite que derramemos nossos corações diante dele em completa honestidade (SALMO 62:8). Na verdade, os salmos indicam que quando expressamos nossas dúvidas e temores, Deus os resolve. Muitos salmos que iniciam com palavras de desespero terminam em louvor (22; 42; 60; 69; 73).

Quando uma batalha estiver sendo travada em seu íntimo, derrame sua alma diante do Senhor (1 SAMUEL 1:15). Ele pode dar um sentido àquilo que parece sem sentido. ❦

JAL

- *Suas dúvidas e temores acabam em louvor ao Senhor?*

A oração nos faz ver as coisas como Deus as vê.

6 DE MARÇO

A BÍBLIA em UM ANO:
Deuteronômio 1–2, Marcos 10:1-31

Tentação esmagadora

Kirby Puckett, famoso jogador de beisebol, morreu repentinamente em 2006. Ele liderou a conquista de um time de Minnesota, EUA, entre 1987 e 1991. Embora lhe tivessem oferecido contratos melhores para jogar por outros times, ele permaneceu no mesmo time durante toda a sua carreira. Quando foi diagnosticado com glaucoma, em 1996, sua carreira terminou repentinamente.

> LEITURA:
> **Mateus 4:1-11**
>
> **Prossigo para o alvo, para o prêmio da soberana vocação de Deus em Cristo Jesus.**
> Filipenses 3:14

Ao ser incluído no *Hall da Fama* do beisebol, em 2001, ele relembrou as dificuldades que enfrentou quando era jovem. Puckett queria tornar-se um jogador profissional de beisebol, mas muitas vezes, esse desejo sofria certas tentações. Os traficantes de droga e membros de gangues o convidaram, repetidas vezes, a juntar-se a eles naquele estilo de vida destrutivo. Mas sempre que a tentação o assolava, este jovem lembrava-se de seu objetivo maior: o beisebol.

Embora sejamos encorajados a viver de maneira digna (EFÉSIOS 4:1), estamos num mundo em que enfrentamos seduções que nos distraem. Quem sabe nos foi oferecido um emprego bem pago mas que exige que comprometamos os princípios bíblicos? Que o nosso chamado seja sempre cumprir a vontade de Deus.

Quando somos confrontados com tentações que queiram nos desviar de Deus, lembremo-nos de que como servos de Jesus — temos um objetivo maior. 🌿

VCG

● *De que maneira podemos evitar de nos desviarmos da vontade de Deus?*

___

Para vencer o pecado, resista à tentação.

7 DE MARÇO

A BÍBLIA em UM ANO:
Deuteronômio 3–4, Marcos 10:32-52

No fundo do mar

Minha esposa e eu fomos ao cinema ver um documentário em 3D sobre a vida no fundo do mar. Colocamos os óculos adequados que criavam o efeito tridimensional e nos maravilhamos com as surpresas: as criaturas pareciam saltar da tela em direção a nós.

Tubarões predadores nadavam de forma perigosa em nossas proximidades. Tartarugas gigantes se moviam e serpenteavam tão perto que achávamos que podíamos tocar nelas. Uma criatura marinha exótica balançava algo que parecia uma isca, em frente à sua boca, para atrair os peixes pequenos. O narrador disse, com admiração, que os corais se reproduzem numa única noite do ano, inexplicavelmente. Suas crias embarcam nas correntes que as levam para outras partes do oceano.

> **LEITURA:**
> **Jó 41:1-11**
>
> **Criou, pois, Deus os grandes animais marinhos [...] os quais povoavam as águas...**
> Gênesis 1:21

Sentado lá, comecei a pensar: como alguém pode achar que tudo isso aconteceu por acaso? As impressões digitais do Projetista estão em cada criatura marinha que vemos! Como cristãos, sabemos que o tempo e o acaso nunca poderiam resultar em tais criaturas marinhas, perfeitamente planejadas. Aceitamos o testemunho da Palavra de Deus, de que: "Criou, pois, Deus os grandes animais marinhos [...] os quais povoavam as águas..." (GÊNESIS 1:21).

Quanto mais aprendemos sobre a vida em nosso mundo, mais reconhecemos o poder eterno de Deus e o adoramos como Senhor da criação (ROMANOS 1:20).

HDF

- *Você é responsável em cuidar da natureza que Deus criou?*

Toda a criação canta louvores a Deus.

8 DE MARÇO

A BÍBLIA em UM ANO:
Deuteronômio 5–7, Marcos 11:1-18

Jesus chorou

Uma amiga, cuja filha jovem morreu num acidente de carro em maio de 2005, contou-me: "Eu chorava com facilidade antes do acidente de Natalie. Agora estou *sempre* chorando. Algumas vezes, as lágrimas simplesmente começam a cair."

Qualquer um que sofreu uma tragédia pessoal intensa, compreende o que ela está falando. Há algo errado em chorar? Temos alguma evidência bíblica que sugere que não há problema nisso?

LEITURA:
João 11:17-37

Jesus chorou.
João 11:35

Jesus nos dá a reposta. Lázaro, um amigo muito próximo do Mestre, havia morrido. Quando Jesus chegou à casa das irmãs de Lázaro, elas estavam rodeadas por amigos que tinham vindo para consolá-las. Jesus viu Maria e Marta e seus amigos sofrendo, e também se emocionou. Sofrendo com elas, "Jesus chorou" (JOÃO 11:35).

Tristeza, lágrimas e luto são sentimentos conhecidos para qualquer um nesta terra — até para Jesus. Suas lágrimas nos falam que está tudo bem se as lágrimas "simplesmente aparecem". E estas mesmas lágrimas nos relembram que as lágrimas de tristeza serão extintas no céu: "...não haverá luto, nem pranto, nem dor..." (APOCALIPSE 21:4).

Quando Deus apagar os efeitos do pecado, Ele anulará a necessidade das lágrimas — mais uma razão para olharmos em frente rumo à eternidade. JDB

- *A esperança da eternidade fortalece a sua fé*

Céu — sem dor, noite, morte ou lágrimas.

9 DE MARÇO

A BÍBLIA em UM ANO:
Deuteronômio 8–10, Marcos 11:19-33

Não sou mais jovem

Recentemente, ao sair de uma loja, ouvi o homem que havia me atendido sussurrar: "Ele me chamou de 'tio', mas com certeza é mais velho do que eu". Desde a infância, a cultura chinesa me ensinou que faz parte da boa educação dizer: "Obrigado, tio!", por alguma ajuda recebida de alguém mais velho.

Esta educação foi de grande valia para mim — mas agora devo refletir antes de usar esta expressão. O espelho confirma aos meus olhos, que já não sou mais a pessoa jovem da qual me lembro.

Ser jovem tem muitas vantagens, mas a idade traz em si a alegria em refletir sobre a fidelidade de Deus. Davi lembra-nos no Salmo 37: "Fui moço e já, agora, sou velho, porém jamais vi o justo desamparado, nem a sua descendência a mendigar o pão" (v.25).

> **LEITURA:**
> **Salmo 37:23-31**
>
> **Pois o Senhor ama a justiça e não desampara os seus santos; serão preservados para sempre...** v.28

Hoje, mais idoso, reflito e penso como pude ter achado que um dia Deus me abandonou. Sim, Ele permitiu que eu enfrentasse o que pareciam ser dificuldades insuportáveis — mas sei que foi somente para me moldar. Deus sempre me preservou, e ao tropeçar, sei que o Senhor me toma pela mão (v.24).

Como a idade que aumenta dia a dia, podemos crescer na gratidão pelas misericórdias de Deus. Acima de tudo, somos gratos porque Ele coloca o amor por Sua lei em nossos corações, e guarda os nossos pés para não pisarmos em falso (v.31). AL

● *A fidelidade de Deus, através dos anos, o motiva a louvá-lo diariamente?*

À medida que os anos passam, a fidelidade de Deus parece se multiplicar.

10 DE MARÇO

A BÍBLIA em UM ANO:
Deuteronômio 11–13, Marcos 12:1-27

O segredo de Satanás

Um instrutor de autoescola na Alemanha foi parado pela polícia após um pequeno acidente com um caminhão. Quando lhe pediram a carteira de motorista, ele não pode apresentá-la, pois não a possuía. Havia sido instrutor de autoescola por mais de 40 anos, mas nem sequer tinha sua própria carteira de habilitação! Anos antes, ele não passara num teste de direção e ficou com medo de tentar novamente. Por vergonha, manteve esse fato em segredo.

> **LEITURA:**
> **Romanos 6:11-23**
>
> ...maior é aquele que está em vós do que aquele que está no mundo. **1 João 4:4**

Satanás também tem um segredo em seu passado que não quer que as pessoas saibam. Seu segredo? Já não tem mais poder para separar-nos de Deus. Nosso inimigo não quer que ninguém saiba dessa verdade, pois seu plano é manter os incrédulos controlados pelo pecado e os cristãos enredados no pecado.

É verdade, por causa do pecado fomos separados de Deus. Mas quando morreu na cruz, Jesus carregou todos os nossos pecados e levou sobre si o nosso castigo da morte. Porém Deus ressuscitou Jesus dos mortos, e Ele agora reina nos céus.

Quando confiamos no que Jesus fez por nós, iniciamos um relacionamento com Deus, e o pecado já não tem mais controle sobre nós. O apóstolo Paulo escreveu: "Porque o pecado não terá domínio sobre vós…" (ROMANOS 6:14). Já não estamos separados de Deus. Fomos libertos da escravidão (v.18). O segredo de Satanás foi desvendado.

AMC

- *Há algum segredo em seu coração que precise ser confessado a Deus?*

Deus sempre se posiciona entre o cristão e o inimigo.

11 DE MARÇO

A BÍBLIA em UM ANO:
Deuteronômio 14–16, Marcos 12:28-44

Diminua o ritmo

Vivemos num mundo orientado para a ação, e parece que nunca foi tão complicado simplificar a nossa vida! Não parece que sempre há o trabalho a ser feito e nenhum tempo para descanso? Responda às perguntas a seguir da forma mais honesta possível para ver se você precisa de descanso. Sinto-me estressado em minhas atividades diárias? É difícil encontrar alegria? Consigo descansar tudo o que o meu corpo necessita? Eu já acordo cansado?

Na criação, Deus estabeleceu um padrão de trabalho e descanso, que serve de modelo para os cristãos. Ele trabalhou durante seis dias para colocar o mundo em ordem. Mas, no sétimo dia, depois que terminou toda a Sua atividade criativa, descansou. Deus demonstrou que o descanso é apropriado e correto.

> **LEITURA:**
> **Gênesis 2:1-3**
>
> E, havendo Deus terminado no dia sétimo a sua obra, que fizera, descansou nesse dia de toda a sua obra que tinha feito. v.2

Jesus demonstrou a importância do descanso quando, cansado, sentou-se à beira de um poço, após uma longa jornada (JOÃO 4:6); e quando dormiu na popa de um barco, com a cabeça sobre um travesseiro (MARCOS 4:38). Jesus também descansou, quando afastou-se da multidão com Seus discípulos (MARCOS 6:31,32).

Se o Senhor descansou da obra da criação e de Seu ministério nesta terra, nós também precisamos descansar do nosso trabalho. Nossas horas de descanso nos renovam para as horas de serviço. Coloque em sua agenda um tempo para "diminuir o ritmo" esta semana.

MLW

- *Você utiliza o seu tempo sabiamente?*

O trabalho, sem qualquer prazer, tira-nos a alegria de viver.

12 DE MARÇO

A BÍBLIA em UM ANO:
Deuteronômio 17–19, Marcos 13:1-20

Problemas com raposas

Certa vez, os britânicos tiveram problemas com as raposas. Segundo um jornal, esses pequenos animais astutos invadiram Londres e criaram uma perturbação geral. Derrubaram latas de lixo, pegaram sapatos que foram deixados para secar, destruíram jardins e deixaram um mau cheiro para trás. À medida que a cidade avançava em direção às áreas rurais, as raposas inconvenientes se adaptaram, em vez de ir embora — e muitos moradores de Londres, frustrados, sofreram com a presença delas.

> **LEITURA:**
> **1 João 1:5-10**
>
> **Se dissermos que não temos pecado nenhum, a nós mesmos nos enganamos, e a verdade não está em nós.** v.8

Quando você para e pensa a respeito disso, sabe que as "raposas" pequenas podem tornar-se graves problemas para os seguidores de Cristo que procuram honrá-lo. Os pecados que consideramos "pequenos" e "inofensivos" podem causar a nossa queda. "Maquiar a verdade", por exemplo, é mentir. E a fofoca não é nada menos do que o assassinato do caráter de outra pessoa. O problema é que estes pequenos pecados, inevitavelmente, se tornam maiores. Antes de nos darmos conta, precisamos de arrependimento e confissão.

Se algumas pequenas raposas entraram sorrateiramente nos jardins de nossa vida espiritual, está na hora de lidar com elas. Com a ajuda do Espírito Santo, identifique-as. Admita a sua culpa, confesse estas pequenas práticas ruins a Deus e livre-se delas, antes que arruínem toda a paisagem de sua vida. DCE

- *Há algo que precise ser eliminado da sua prática?*

Os pecados mais mortíferos não pulam sobre nós, eles avançam sorrateiramente em nossa direção.

13 DE MARÇO

A BÍBLIA em UM ANO:
Deuteronômio 20–22, Marcos 13:21-37

Quem diz o que é certo?

Os que rejeitam os padrões de certo e errado são, muitas vezes, absolutamente incoerentes. Quando pensam que são tratados de forma injusta, apelam para um modelo de justiça e esperam que todos sigam tal padrão.

Um professor de filosofia começava cada novo semestre perguntando à classe: "Vocês acreditam que existem valores absolutos, como a justiça, e que estes podem ser comprovados?" Os alunos adeptos do livre pensamento argumentavam que tudo é relativo e nenhuma lei pode ser aplicada de forma universal.

> LEITURA:
> **Romanos 2:12-16**
>
> ...os gentios, que não têm lei [...] servem eles de lei para si mesmos. v.14

Ao final do semestre, o professor dedicava um período de aula para debater a questão. Por fim, concluía: "Independente do que vocês pensam, quero que saibam que a existência de valores absolutos pode ser comprovada. E se vocês não aceitam o que estou dizendo, vou reprová-los!" Um estudante, irado, levantou-se e insistiu: "Isto não é justo!" E o professor respondeu: "Você acabou de comprovar a minha tese: apelou para um padrão maior de justiça."

Deus deu a todos o discernimento sobre o certo e o errado (ROMANOS 2:14,15), e Seus padrões morais estão descritos na Bíblia. Toda vez que usamos as palavras *bom e mau* indicamos um padrão, pelo qual fazemos tais julgamentos. Os valores bíblicos valem para qualquer época, porque têm sua origem no Deus eterno e imutável. ❡

DJD

● *Os padrões bíblicos já estão gravados em seu coração e mente?*

Somente Deus tem o direito de definir o que é errado.

14 DE MARÇO

A BÍBLIA em UM ANO:
Deuteronômio 23–25, Marcos 14:1-26

Sempre presente

Davi, noivo de Tânia, estava na UTI, após uma cirurgia delicada para reparar um aneurisma cerebral. Seus olhos estavam focados em Tânia, que ficou ao lado dele por vários dias. Admirado, ele disse: "Toda vez que eu abro os olhos, você está aqui. Toda vez que penso em você, abro os meus olhos e você está aqui. Amo isso."

O apreço daquele jovem rapaz pela mulher que amava, lembra-me do que devemos sentir pela presença de Deus em nossa vida.

> LEITURA:
> **Salmo 139:1-12**
>
> ...porque o SENHOR, vosso Deus, é quem vai convosco; não vos deixará, nem vos desamparará.
>
> Deuteronômio 31:6

Ele sempre está presente. A presença do Senhor nos dá conforto e segurança. Ele prometeu: "...De maneira alguma te deixarei, nunca jamais te abandonarei" (HEBREUS 13:5). Quem nos conhece de maneira mais completa? Quem nos amou de maneira mais intensa? Quem cuida tão bem de nós?

No Salmo 139, lemos que o rei Davi pensou na preciosa presença de Deus. Ele escreveu: "SENHOR, tu me sondas e me conheces. Sabes quando me assento e quando me levanto; de longe penetras os meus pensamentos. Esquadrinhas o meu andar [...]. Se subo aos céus, lá estás..." (v.1-3,8).

Não importa o que acontecer conosco, temos a certeza: "Deus é o nosso refúgio e fortaleza, socorro bem presente nas tribulações" (SALMO 46:1). Abra os seus olhos e o seu coração. Ele está presente.

CHK

- *A presença constante de Deus lhe traz consolo?*

Podemos enfrentar qualquer coisa quando sabemos que o Senhor está perto.

15 DE MARÇO

A BÍBLIA em UM ANO:
Deuteronômio 26–27, Marcos 14:27-53

Bolsos cheios

Todo homem precisa de bolsos grandes o suficiente para levar coisas importantes: carteira, chaves, pastilhas de hortelã. Quando olho na bolsa da minha esposa, parece que há um mundo de recursos — mas os homens levam o essencial! Basta pôr a mão no bolso e tenho acesso a dinheiro, cartões de crédito e um molho de chaves que me dão acesso a privilégios exclusivos.

E as crianças sabem que, quando pedem que seus pais procurem no bolso ou bolsa um chiclete, uma balinha, um pente, um lenço ou dinheiro, tudo o que acham que podem suprir suas necessidades do momento — vão receber, porque estarão lá!

> LEITURA:
> **Efésios 1:3-14**
>
> ...[Deus] que nos tem abençoado com toda sorte de bênção espiritual nas regiões celestiais em Cristo. v.3

Nosso privilégio como filhos de Deus não é diferente. Na salvação somos colocados "em Cristo" e temos total acesso a todos os recursos valiosos que Deus nos oferece. Recursos como a Sua sabedoria: "Lâmpada para os meus pés é a tua palavra..." (SALMO 119:105). Perdão e graça: "no qual temos a redenção, pelo seu sangue, a remissão dos pecados, segundo a riqueza da sua graça" (EFÉSIOS 1:7). Novas perspectivas que trazem esperança e confiança, mesmo nos tempos mais difíceis (EFÉSIOS 1:18), provisões materiais (MATEUS 6:30,31) e paz (EFÉSIOS 2:14) também são nossas em Cristo.

Deus nos concede Seus recursos em abundância "...segundo a riqueza da sua graça" (EFÉSIOS 1:7). Procure-os.

JMS

- *Você usufrui dos recursos que Deus disponibiliza aos Seus filhos?*

Os filhos do Rei não têm razões para viver como miseráveis.

16 DE MARÇO

A BÍBLIA em UM ANO:
Deuteronômio 28–29, Marcos 14:54-72

Esta é uma advertência

Minha esposa comprou um cartão de aniversário no qual estavam impressas estas palavras parafraseadas: "...o Senhor se alegrava em vós outros, em fazer-vos bem..." (DEUTERONÔMIO 28:63). Foi um pensamento tão bonito que ela procurou a passagem na Bíblia, a fim de ler mais adiante.

E descobriu que as palavras impressas no cartão eram apenas uma parte do versículo em que Deus advertia Seu povo sobre o que aconteceria se eles se afastassem dele e desobedecessem os Seus mandamentos. O versículo diz: "Assim como o Senhor se alegrava em vós outros, em fazer-vos bem e multiplicar-vos, da mesma sorte o Senhor se alegrará em vos fazer perecer e vos destruir; sereis desarraigados da terra à qual passais para possuí-la" (DEUTERONÔMIO 28:63). Bem, essa seria uma saudação de aniversário estranha!

> LEITURA:
> **Dt 28:58-63**
>
> **Assim como o Senhor se alegrava em vós outros, em fazer-vos bem e multiplicar-vos...** v.63

A experiência lembrou-me de como é fácil selecionar frases agradáveis da Bíblia e ignorar o seu contexto e significado. A passagem de hoje é uma advertência de Deus para o Seu povo. Vale a pena refletir no que ela diz — uma expressão de certeza tão firme no reino espiritual como as leis da gravidade no mundo físico.

A Bíblia contém palavras de encorajamento e de admoestação. É importante dar valor a ambas, pois são instruções em nossa caminhada com Cristo. 🌿   *DCM*

- *Ao ler a Bíblia você aceita o encorajamento e as admoestações?*

Quanto mais meditarmos nas Escrituras, mais próximos caminharemos com o Salvador.

17 DE MARÇO

A BÍBLIA em UM ANO:
Deuteronômio 30–31, Marcos 15:1-25

Rios de água viva

Um pouco abaixo do pico de uma montanha, uma nascente gelada subterrânea brota do lado de um penhasco. Meu irmão, que morou próximo dali, diz que as pessoas se concentravam nesse local para encher suas jarras com o líquido refrescante.

A água mata nossa sede e sustenta a nossa vida. Nas Escrituras, ela serve como figura de linguagem para a suficiência do Espírito Santo. Nos dias de Jesus, durante a festa dos tabernáculos, um coro cantava enquanto um sacerdote enchia uma jarra de ouro com água e a derramava em seguida. Aquilo lembrava, a todos os presentes da água que saiu da rocha durante as caminhadas pelo deserto (NÚMEROS 20:8-11).

> **LEITURA:**
> **João 7:37-44**
>
> **Quem crer em mim, como diz a Escritura, do seu interior fluirão rios de água viva.** v.38

Naqueles dias, quando ocorria este ritual, Jesus parou e disse em voz alta: "Quem crer em mim, como diz a Escritura, do seu interior fluirão rios de água viva" (JOÃO 7:38). Esta fonte é o Espírito Santo, que é como um poço de satisfação (7:39). Anteriormente, Jesus havia feito a emocionante afirmação de que o cristão teria uma fonte contínua de refrigério (4:14).

Você está sedento hoje? Confesse o seu pecado e Cristo o encherá com o Espírito. Ao dar lugar à Sua vontade, Ele o encherá graciosamente com água viva, a jorrar para a vida eterna. HDF

- *Você permite que o Espírito Santo seja o seu Consolador?*

Somente Cristo – a água viva – pode satisfazer nossa sede espiritual.

18 DE MARÇO

A Bíblia em um ano:
Deuteronômio 32–34, Marcos 15:26-47

Religião ou Cristo?

Maria trabalha muito porque quer que seu chefe reconheça o que ela faz e a recompense com uma promoção e um salário melhor. Márcia gosta de seu trabalho e do produto que é vendido pela sua companhia — e, por ser leal, trabalha muito para melhorar esse mesmo produto.

Maria é como aquela pessoa que espera que as boas obras ou a religião um dia sejam recompensadas por Deus. Tais pessoas contam com suas boas obras para chegar ao céu.

> LEITURA:
> **Efésios 2:1-10**
> Porque pela graça sois salvos, mediante a fé; e isto não vem de vós; é dom de Deus. v.8

Márcia é um exemplo dos que confiam em Deus para a sua salvação. Tais pessoas fazem as boas obras motivadas tão somente pela gratidão e amor ao Senhor.

Pessoas religiosas podem crer em Deus, ir à igreja, fazer orações, ser bondosas e vistas como boas pessoas. Elas têm muitas boas qualidades, mas a religião não substitui a fé pessoal em Jesus Cristo, como Salvador.

Os que creem em Jesus, depositam sua confiança nele para receber o perdão dos seus pecados. Elas têm a certeza de que entrarão no céu, e procuram tornar-se mais semelhantes a Jesus todos os dias. O apóstolo Paulo afirmou que o caminho da salvação é pela graça, mediante a fé. Não é pelas obras, é dom de Deus (EFÉSIOS 2:8,9). O único caminho para chegar ao Pai celestial é pela fé em Jesus Cristo (JOÃO 14:6).

Você escolherá a religião ou Cristo? 🌱

AMC

- *Você está disposto a anunciar esta verdade bíblica? —Jesus é o Único caminho para o Pai.*

Somos salvos não pelo que fazemos, mas porque confiamos no que Cristo fez.

19 DE MARÇO

A BÍBLIA em UM ANO:
Josué 1–3, Marcos 16

Amor pelos outros

Quando os jovens de minha igreja saíram para uma apresentação em praça pública, na cidade de Montego Bay, Jamaica, o maior problema que temíamos eram as queimaduras de sol.

O coral tinha ido até lá, para encorajar os cristãos e anunciar o evangelho por meio da música. Tinham esperado com entusiasmo por aquele evento. Na metade da apresentação, uma mulher bastante irada, que não gostou da mensagem da música, começou a gritar contra o coral. Aparentemente, ela não conseguiu suportar os hinos que honravam a Deus. Após alguns minutos de tensão, um espectador tentou acalmá-la. Seguiu-se uma briga e nós tivemos receio pela segurança dos jovens. Por fim, ela saiu correndo e o coral terminou o concerto.

> **LEITURA:**
> **2 Coríntios 11:22-30**
>
> **Ninguém tem maior amor do que este: de dar alguém a própria vida em favor dos seus amigos.** João 15:13

Mais tarde, eu disse a uma das jovens: "Bem, não faremos isso de novo", indicando que nossa prioridade era proteger os jovens que participavam do coral. Ela respondeu: "Se uma pessoa chegou a conhecer a Jesus, valeu a pena, apesar do perigo."

Que resposta! Isso se assemelha à situação de Paulo, que estava disposto a sofrer a fim de que outros viessem a conhecer a Jesus (2 CORÍNTIOS 11:22-30). Aquela jovem estava preocupada com pessoas que ela nem conhecia. Isso é amor verdadeiro por Jesus — preocupar-se com pessoas e colocar as necessidades pessoais em segundo plano. *JDB*

- *Você é destemido quando compartilha a Palavra de Deus?*

O amor de Deus em nossos corações nos dá amor pelos perdidos.

20 DE MARÇO

A BÍBLIA em UM ANO:
Josué 4–6, Lucas 1:1-20

Palavra dos sábios

Tiago, uma das "colunas da igreja primitiva" (GÁLATAS 2:9), reconheceu o grande poder destrutivo e perigoso de uma língua descontrolada. Ele não foi o único. Homens e mulheres em muitas culturas nos admoestaram sobre a necessidade de cuidarmos do nosso falar. Estes versos, de um autor desconhecido, retratam bem isso:

"*A língua, sem um osso, tão pequena e fraca, pode esmagar e matar*", declaravam os gregos.

> LEITURA:
> **Tiago 3:1-12**
>
> **O que guarda a boca e a língua guarda a sua alma das angústias.**
> Provérbios 21:23

O provérbio persa dizia, com sabedoria: "*Uma língua comprida, uma morte prematura.*"

Algumas vezes, porém, assume esta forma: "*Não deixe que a sua língua venha a decepar sua cabeça.*"

E os sábios árabes nos dizem assim: "*O grande abastecedor da língua é o coração.*"

Da inteligência hebraica, surgiu o provérbio: "*Os pés até podem, mas a língua não deve escorregar.*"

Um versículo das Escrituras coroa todos estes pensamentos: "*O que guarda a boca conserva a sua alma…*" (PROVÉRBIOS 13:3).

É de se admirar que Tiago comparou a língua a uma simples fagulha que incendeia um grande bosque, ou um pequeno leme que dirige os navios em meio a grandes ventos (TIAGO 3:4-6).

Senhor, ajuda-nos a aprender uma lição dos sábios. Ajuda-nos a refrear nossa língua e não deixá-la escorregar.

HWR

● *Você já pediu por sabedoria que vem do alto para o seu falar?*

Sábia é a pessoa que sabe o que e quando dizer.

21 DE MARÇO

A BÍBLIA em UM ANO:
Josué 7–9, Lucas 1:21-38

Testemunho de um ateu

Sabendo que amar a Deus e ao próximo é um ensinamento central das Escrituras, fiz minha tese de doutorado baseado na seguinte proposição: "O conceito de amor na psicologia de Sigmund Freud". Sabia que esse pensador influente, apesar de não confiar em Deus, enfatizava a suprema importância do amor.

Freud escreveu, por exemplo, que a melhor maneira de "escapar das preocupações da vida" e "esquecer o verdadeiro sofrimento" é seguir o caminho "que espera que toda a satisfação venha de amar e ser amado". Neste ponto, Freud estava de acordo com a Bíblia, que dá ênfase ao amor.

> **LEITURA:**
> **1 João 3:11-18**
>
> ...Amarás o Senhor, teu Deus, de todo o teu coração, de toda a tua alma e de todo o teu entendimento.
>
> Mateus 22:37

As Escrituras ensinam que Deus é amor (1 JOÃO 4:8). Ensinam também a importância da fé que se demonstra pelo amor (GÁLATAS 5:6). Assim, o grande problema que enfrentamos é como livrar-nos do amor próprio pecaminoso, enquanto amamos sinceramente a Deus e ao nosso próximo (MATEUS 32:37-39; 1 JOÃO 3:14). O evangelho, com sua mensagem do amor de Cristo, que transforma vidas, traz a única resposta a este problema. Paulo declarou na carta aos Romanos 5:5: "...o amor de Deus é derramado em nosso coração pelo Espírito Santo, que nos foi outorgado".

Você já experimentou a plenitude do amor de Deus em seu coração? Somente quando confiar em Jesus como Salvador, o Espírito Santo, de amor, começará a fluir em e através de você. 🌿 *VCG*

- *É possível reconhecer o amor de Deus em suas atitudes?*

Deus derrama Seu amor em nossos corações para que flua em outros.

22 DE MARÇO

A BÍBLIA em UM ANO:
Josué 10–12, Lucas 1:39-56

Aparelho da dor

O **Dr. Paul Brand**, missionário e médico que trabalhou na Índia, falou dos leprosos que apresentavam terríveis desfigurações porque as extremidades de seus nervos não conseguiam sentir dor. Quando pisavam no fogo nada sentiam, nem quando cortavam os dedos com uma faca, e por isso não tratavam das feridas. Aquilo provocava infecções e deformações.

O Dr. Brand inventou um aparelho que emitia sons quando entrava em contato com fogo ou objetos afiados. Na ausência da dor, ele avisava do perigo dos ferimentos. Logo, esses aparatos foram atados aos pés dos pacientes. Tudo deu certo até eles decidirem jogar basquetebol. Tiravam os aparelhos e constantemente se machucavam de novo, sem perceber.

> **LEITURA:**
> **Efésios 4:31,32**
>
> ...me esforço por ter sempre consciência pura diante de Deus e dos homens. Atos 24:16

À semelhança da dor física, nossa consciência nos alerta sobre as lesões espirituais. Mas o pecado habitual, do qual não nos arrependemos, pode dessensibilizar a consciência (1 TIMÓTEO 4:1-3). Para manter-se alerta, precisamos reagir à dor da culpa legítima por meio da confissão (1 JOÃO 1:9), arrependimento (ATOS 26:20) e restituição aos outros (LUCAS 19:8).

Paulo podia dizer com confiança: "Por isso, também me esforço por ter sempre consciência pura diante de Deus e dos homens" (ATOS 24:16). Como ele, não deveríamos nos tornar insensíveis ao lembrete da dor do pecado que Deus nos dá — mas permitir que esta dor produza em nós um caráter piedoso.

HDF

- *É possível evitar que o pecado cauterize nossa consciência?*

A consciência limpa é um travesseiro macio.

23 DE MARÇO

A BÍBLIA em UM ANO:
Josué 13–15, Lucas 1:57-80

Siga adiante!

"**Continue a viagem.** Siga adiante..." cantavam os adolescentes de um coral. Tinham apenas cantado as primeiras palavras daquela música, no domingo à noite, quando tudo ficou às escuras. Acabara-se a energia.

Bem, nem toda a energia. A verdadeira força não tinha acabado. Os estudantes continuaram a cantar. Foram trazidas algumas lanternas para iluminar o coral, que seguiu cantando todo o seu repertório, sem acompanhamento.

> **LEITURA:**
> **Salmo 66:1-10**
>
> **Prostra-se toda a terra perante ti, canta salmos a ti; salmodia o teu nome.** v.4

Na metade da apresentação, a regente — minha filha Lisa — pediu à congregação que todos cantassem junto com eles. Foi um momento emocionante, em que o nome de Deus foi exaltado naquela igreja escura. O "Aleluia" nunca pareceu tão celestial.

Antes da apresentação, todos haviam trabalhado duramente para garantir que o equipamento elétrico funcionasse. Mas a melhor coisa que aconteceu foi a queda de energia. Como resultado, o poder de Deus se destacou. A luz de Deus — não a luz elétrica — brilhou na escuridão. Jesus foi louvado.

Algumas vezes, nossos planos não funcionam e nossos esforços não são suficientes. Quando as coisas acontecem, e não conseguimos controlar, precisamos "continuar a viagem" e lembrar-nos de onde vem a verdadeira força para uma vida piedosa e para o verdadeiro louvor. Quando nossos esforços fraquejam, precisamos continuar louvando e exaltando a Jesus. Afinal, tudo acontece por causa dele. 🌱

JDB

- *Você reconhece que a palavra final que vem do Senhor é sempre boa?*

O grande poder de Deus merece o nosso louvor de gratidão.

24 DE MARÇO

A BÍBLIA em UM ANO:
Josué 16–18, Lucas 2:1-24

Para ela

Quando fez uma cirurgia odontológica, minha esposa não pôde fazer as tarefas rotineiras no final de semana. Enquanto ela estava se recuperando, tive a difícil tarefa de cuidar dela e dos filhos. Cozinhei, lavei louça, fui diversas vezes ao supermercado e dei banho nas crianças. Quando vi tudo o que tinha feito, pensei comigo mesmo: *mereço um crédito extra e o mesmo tratamento quando ela melhorar*. Todavia, antes de dar palmadinhas nas minhas costas, o Espírito Santo lembrou-me de que isso que eu estava fazendo era o privilégio e obrigação de um marido cristão.

> LEITURA:
> **Efésios 5:22-33**
>
> **Maridos, amai vossa mulher, como também Cristo amou a igreja e a si mesmo se entregou por ela.**
> v.25

No tempo do apóstolo Paulo, muitos criam que as necessidades dos maridos eram mais importantes numa casa, e a esposa existia para supri-las e servir o homem. Mas o ponto de vista cristão era bem diferente. As mulheres foram vistas como pessoas de mesmo valor. A esposa foi transformada de acessório à pessoa de valor intrínseco, tornando-se a preocupação de seu marido. Em vez de exigir que ela vivesse para ele, ele é que devia servi-la!

A carta aos Efésios 5:25 retrata Cristo como aquele que amou a igreja e deu-se a si mesmo por ela. E o versículo 29 indica que Jesus a alimenta e cuida dela. Como esposos que buscam a semelhança de Cristo, eles têm o privilégio e a obrigação de se sacrificar, prover o necessário e cuidar de suas esposas. ❦ MLW

● *Enumere outros privilégios dos cônjuges cristãos.*

Se você acha possível amar sua esposa demais, provavelmente ainda não a amou o suficiente.

25 DE MARÇO

A BÍBLIA em UM ANO:
Josué 19–21, Lucas 2:25-52

Mesmo sermão

Conta-se a história de um homem que pregou um sermão impressionante, almejando ser o pastor de uma nova igreja. Todos gostaram da mensagem e votaram para que ele se tornasse o novo pastor. Todavia, ficaram um pouco surpresos quando ele fez a mesma pregação no primeiro domingo — e ficaram ainda mais surpresos quando a pregou na semana seguinte.

Após ministrar o mesmo sermão por três semanas seguidas, os líderes se reuniram com ele para saber o que estava acontecendo. O pastor lhes assegurou: "Sei o que estou fazendo. Quando vocês começarem a praticar este sermão, vou pregar o seguinte."

> LEITURA:
> **Mateus 4:12-17**
>
> Daí por diante, passou Jesus a pregar e a dizer: Arrependei-vos, porque está próximo o reino dos céus. v.17

Os sermões de Jesus tinham um tema notável que se repetia. Não é de se admirar que o Rei dos reis quisesse estar seguro de que as pessoas o entendiam, e o que era exigido delas para fazerem parte de Seu reino. Ele veio anunciar uma ordem totalmente nova, completamente diferente do modo como as pessoas viviam. Temas como o perdão, serviço aos outros, misericórdia e graça incondicionais estavam constantemente em Seus lábios.

Dois mil anos mais tarde, temos a necessidade de ouvir a mesma mensagem. Quando nos arrependermos e vivermos sob a autoridade, o domínio e o governo de Jesus, nosso Rei, experimentaremos benefícios em nossa vida. O nome de Jesus será glorificado e outros serão abençoados. ❦

JMS

- *Você pratica as verdades bíblicas que Deus lhe mostra em Sua Palavra?*

Um sermão não está completo até ser colocado em prática.

26 DE MARÇO

A BÍBLIA em UM ANO:
Josué 22–24, Lucas 3

Teologia do Bisonho

Como um cristão lida com a brevidade e os fardos da vida sem ceder ao que Michael Easley, do Instituto Bíblico Moody, chama de "Teologia Bisonho"? Bisonho é amigo do Urso Pooh, um burrinho triste que sempre caminha devagar e cabisbaixo. Ele vê o lado negativo de tudo. Um cristão Bisonho pode fazer afirmações como estas: "O pecado está crescendo em todo lugar — até mesmo na igreja." "O mundo se encontra numa situação tão má, como nunca esteve." "Deus está prestes a julgar-nos por causa da nossa maldade."

> LEITURA:
> **Salmo 90**
>
> Seja sobre nós a graça do Senhor, nosso Deus; confirma sobre nós as obras das nossas mãos... v.17

Quando Moisés escreveu o Salmo 90, estava, melancólico, e meditava na diferença entre a majestade eterna de Deus e a fragilidade humana. Nós lutamos, sofremos, pecamos, tememos a Deus e morremos (v.7-10). Isso é depressivo, não é verdade? Mas Moisés não terminou este Salmo com o mesmo humor.

Como este grande profeta teria reagido à teologia do Bisonho? Ele escreveu: "Sacia-nos de manhã com a tua benignidade, para que cantemos de júbilo e nos alegremos todos os nossos dias" (v.14). Quando vemos o valor de cada momento e vivemos na glória da nossa redenção e na alegria das bênçãos em Cristo, mostramos nosso prazer em Deus aos que nos cercam (v.16,17).

Senhor, guarda-nos para não sermos como Bisonho, e ajuda-nos a deixar um legado de contentamento, esperança e paz.

DCE

- O seu legado inclui a alegria, contentamento e paz? _____

Você não será um filho do desespero se lembrar-se dos cuidados de seu Pai celestial.

27 DE MARÇO

A BÍBLIA em UM ANO:
Juízes 1–3, Lucas 4:1-30

Heróis? Onde?

O livro de Juízes é uma descrição do povo de Deus, que estava escorregando para uma indiferença e rebelião espiritual. Depois da morte de Josué e de seus companheiros, os israelitas da geração seguinte: "Deixaram o SENHOR, Deus de seus pais [...] foram-se após outros deuses [...] e os adoraram..." (JUÍZES 2:12).

> **LEITURA:**
> **Juízes 2:7-19**
>
> Suscitou o SENHOR juízes, que os livraram da mão dos que os pilharam. v.16

Este triste registro da falta de lealdade não parece ser a passagem bíblica onde podemos encontrar heróis espirituais. Porém quatro pessoas do livro de Juízes — Gideão, Baraque, Sansão e Jefté (CAPÍTULOS 4–16) — são mencionados na carta aos Hebreus, do Novo Testamento (11:32). Noé, Abraão, Moisés e outras pessoas também notáveis são elogiadas por sua fé.

Entretanto, o livro de Juízes apresenta esses homens como pessoas que, apesar de terem falhas, responderam ao chamado de Deus durante uma época de escuridão espiritual em sua cultura. A Bíblia honra esses homens pela fé que tiveram— e não por sua perfeição. Foram receptores da graça de Deus, assim como nós também o somos.

Em cada geração, Deus levanta pessoas que são leais a Ele e à Sua palavra. Somos falhos, mas temos a presença do perdão gracioso de Deus e a fé para obedecer ao Seu chamado. Todos os vencedores em Deus são heróis diferentes. 🌿

DCM

- *Você é leal a Deus e à Sua Palavra?*

A fé em Cristo pode transformar pessoas comuns em heróis extraordinários.

28 DE MARÇO

A BÍBLIA em UM ANO:
Juízes 4–6, Lucas 4:31-44

Amanhecer

Numa viagem às terras bíblicas, nosso grupo de estudos acabara de passar uma noite no hotel, em Tiberíades, Israel. Quando acordei, fui para a janela e contemplei a beleza do nascer do sol sobre o mar da Galileia. Quando pensei nos lugares que iríamos visitar naquele dia — os mesmos pelos quais Jesus caminhou há dois mil anos — fiquei entusiasmado pelas oportunidades daquela manhã que havia começado sob aquele esplendoroso nascer do sol.

> LEITURA:
> **Lamentações 3:19-32**
>
> ...as suas misericórdias [do SENHOR] não têm fim; renovam-se cada manhã. Grande é a tua fidelidade. v.22,23

Não precisamos estar em Israel para ficarmos deslumbrados pelo que Deus nos dá diariamente. Cada manhã de vida nos oferece novos desafios e ricas bênçãos, ao caminharmos com Cristo. Apesar dos erros que talvez tenhamos cometido em dias anteriores, escolhas das quais nos arrependemos e dores que suportamos, vemos que Deus é misericordioso conosco. O nascer do sol nos lembra da Sua fidelidade e do novo começo que renasce em cada dia.

Quem sabe foi a simples alegria de um bonito amanhecer que estimulou Jeremias a escrever: "As misericórdias do SENHOR são a causa de não sermos consumidos, porque as suas misericórdias não têm fim; renovam-se cada manhã. Grande é a tua fidelidade" (LAMENTAÇÕES 3:22,23).

Cada dia que o Senhor nos dá — seja em Israel ou em nossa casa — é uma demonstração da Sua fidelidade e uma oportunidade de vivermos para Ele. 🌿

WEC

● *Você traz à sua memória, o que lhe traz esperança?*

A fidelidade de Deus é o melhor motivo para termos esperança.

29 DE MARÇO

A BÍBLIA em UM ANO:
Juízes 7–8, Lucas 5:1-16

Meio-dia

Nosso escritório é um lugar de muita atividade e, às vezes, parece que tudo acontece em velocidade muito rápida. Temos habitualmente uma reunião após outra, conferências nos corredores e uma avalanche de *emails*.

Em meio a esse ritmo tão acelerado, há momentos que sinto necessidade de escapar, baixar o volume de estresse. Minha reação? Criar um lugar de silêncio. Nos dias em que não tenho reuniões na hora do almoço, vou me refugiar em meu carro, para ter um pouco de silêncio. Pego um lanche e fico lá, onde posso ler, ouvir música, pensar, orar — e receber refrigério.

> **LEITURA:**
> **Salmo 23**
>
> **Ele me faz repousar em pastos verdejantes. Leva-me para junto das águas de descanso.** v.2

Penso que esta é a essência do que o pastor e salmista mostra no Salmo 23:2. Ele vê o Bom Pastor conduzindo-o para "águas tranquilas" — isto é, águas de descanso. Temos aqui o retrato de um lugar calmo. Significa afastar-se das pressões da vida e descansar na presença do Pastor de seu coração e ser fortalecido para o que está à frente. Até Jesus procurou um lugar deserto a fim de orar e ter comunhão com o Seu Pai (MARCOS 1:35).

Todos nós precisamos de tempos de retiro e descanso, não somente por causa da sobrecarga da vida — mas pela dependência dos recursos do Mestre. Em nossos dias apressados é essencial encontrar um lugar de tranquilidade, "um lugar de descanso tranquilo, próximo do coração de Deus". Onde é o seu lugar de silêncio?

WEC

● *Você procura criar "lugares de descanso" para se aproximar de Deus?*

Quando nos aproximamos de Deus, nossas mentes são renovadas e nossas forças revigoradas!

30 DE MARÇO

A BÍBLIA em UM ANO:
Juízes 9–10, Lucas 5:17-39

Anoitecer

O anoitecer é um dos meus momentos favoritos do dia. É o momento de olhar para trás, fazer um balanço e refletir sobre os acontecimentos — tanto os bons como os ruins. Se as condições do tempo permitem, minha esposa e eu saímos para caminhar, ou simplesmente tomamos uma xícara de café e conversamos sobre o nosso dia e o que fizemos. É um momento para fazer uma avaliação e refletir, para agradecer e orar.

> LEITURA:
> **Efésios 5:6-17**
>
> ... subiu ao monte, a fim de orar sozinho. Em caindo a tarde, lá estava ele, só.
> Mateus 14:23

Jesus tinha um hábito semelhante ao nosso durante o Seu ministério terreno. No final de um dia cansativo e atarefado, Ele subia sozinho a um monte para ter momentos de reflexão e oração na presença de Seu Pai (MATEUS 14:23).

O valor da presença silenciosa de Seu Pai celestial e o exame diligente de como nos envolvemos na vida num dia que passou têm grande significado. Quem sabe este foi o objetivo do desafio do apóstolo Paulo para nós, quando disse "remindo o tempo..." (EFÉSIOS 5:16); isto é, ele queria assegurar-nos de que estamos fazendo o melhor uso do tempo que Deus nos dá para viver e servir.

Quando começar a anoitecer, reserve alguns momentos para uma reflexão silenciosa. Na serenidade desse momento, podemos — na presença de Deus — obter uma perspectiva mais precisa da vida e de como a estamos vivendo. 🌿

WEC

- *Você já se habituou a refletir e agradecer a Deus pelo seu dia?*

Se nossa reflexão centrar-se em Jesus, aprenderemos diretamente dele.

31 DE MARÇO

A BÍBLIA em UM ANO:
Juízes 11–12, Lucas 6:1-26

Como estou vivendo?

Algumas pessoas envelhecem graciosamente, enquanto outras se tornam mal-humoradas e reclamam bastante. É importante saber como estamos vivendo, porque envelhecemos cada dia que passa.

As pessoas não se tornam irritadiças e mal-humoradas simplesmente porque estão envelhecendo. A velhice não precisa nos tornar hipercríticos e raivosos. Não. O mais provável é que nos tornemos aquilo que estamos desenvolvendo durante a nossa vida.

> **LEITURA:**
> **Gálatas 6:7-10**
>
> **...pois aquilo que o homem semear, isso também ceifará.** v.7

Paulo escreveu: "Porque o que semeia para a sua própria carne da carne colherá corrupção; mas o que semeia para o Espírito do Espírito colherá vida eterna" (GÁLATAS 6:8). Aqueles que buscam o interesse próprio e pensam somente em si mesmos estão plantando as sementes que produzirão uma colheita de sofrimentos para si e para os outros. Por outro lado, aqueles que amam a Deus e se preocupam com o próximo estão semeando sementes que, em seu tempo, trarão uma colheita de alegria.

O autor, C S. Lewis colocou desta maneira: "Toda vez que você faz uma escolha está transformando a parte central do seu eu, a parte de você que faz escolhas, em algo um pouco diferente do que era antes." Podemos escolher submeter as nossas vontades a Deus diariamente, pedindo-lhe que nos dê forças para vivermos para Ele e para os outros. À medida que Ele trabalha em nós, precisamos perguntar: Como estou vivendo? 🌾 DHR

- *Você submete as suas escolhas ao Senhor?*

As sementes que semeamos hoje determinam o tipo de fruto que colheremos amanhã.

1.º DE ABRIL

A BÍBLIA em UM ANO:
Juízes 13–15, Lucas 6:27-49

Supremacia de Cristo

Jamais exageraremos ao falar da grandeza de Cristo. Como a pessoa preeminente na história, Ele é digno do nosso amor e louvor.

Em seu clássico livro *À procura de Deus* (Ed. Betânia, 1985), A. W. Tozer prestou homenagem a Frederick Faber, o britânico que escreveu o hino "A fé dos nossos pais". Tozer disse: "O amor pela pessoa de Cristo foi tão intenso que ameaçava consumi-lo; ardia dentro dele e fluía de seus lábios como ouro derretido." Em um de seus sermões, afirmou: "Para onde quer que olhemos na igreja de Deus, ali está Jesus. Ele é o início, meio e fim de tudo para nós [...]. Não há nada de bom, nada de santo, nada de bonito, nada de alegre que Ele não o seja para os seus servos [...]. Ninguém precisa ficar abatido, pois Jesus é a alegria do céu, e é a Sua alegria que deve entrar nos corações aflitos. Podemos exagerar com relação a muitas coisas, mas nunca conseguiremos fazer isso em relação as nossas obrigações com Jesus, ou com a abundância do amor compassivo dele por nós. Podemos falar de Jesus durante toda a nossa vida e, ainda assim, nunca chegar ao final das palavras doces que podemos dizer sobre Ele."

À medida que nos aproximamos da Páscoa entoemos hosanas alegres de louvor ao Rei dos reis. Jesus merece a nossa adoração. Ele realmente tem a supremacia!

RWD

> **LEITURA:**
> **Mateus 21:1-11**
>
> **Ele é antes de todas as coisas. Nele, tudo subsiste...**
> Colossenses 1:17,18

- *O que flui dos seus lábios?*

Quando nos submetemos ao senhorio de Jesus, lhe damos a nossa adoração.

2 DE ABRIL

A BÍBLIA em UM ANO:
Juízes 16–18, Lucas 7:1-30

Amor de Deus

Marta, na época com 26 anos, tinha esclerose lateral amiotrófica e precisava de ajuda. Quando algumas mulheres souberam dessa situação, entraram em ação. Começaram a cuidar dela 24 horas por dia. Davam-lhe banho, alimentavam-na, oravam e testemunhavam para ela. Marta, que não havia recebido a Cristo como seu Salvador não podia entender como um Deus amoroso permitia que ela tivesse aquela doença. Ela viu o amor de Deus por meio dessas mulheres e finalmente se tornou cristã. Hoje ela mora com o Senhor, porque 16 mulheres, seguindo o exemplo de Jesus, lhe personificaram o amor de Deus.

> LEITURA:
> **João 13:1-17**
>
> ...eu vos dei o exemplo, para que, como eu vos fiz, façais vós também. v.15

Seu amor foi demonstrado visivelmente em Jesus quando Ele esteve aqui na terra. Ao inclinar-se para lavar os pés dos discípulos, Jesus repetiu o passo de submissão dado ao deixar o céu e tornar-se homem. Ele curou os enfermos e suportou o amargo ódio como recompensa. Morreu como criminoso, numa cruz romana. Sua resistência e Seus atos de bondade refletiram o amor de Deus — Jesus afirmou: "...Quem me vê a mim vê o Pai..." (JOÃO 14:9).

Jesus já não está conosco em Seu corpo físico — agora Ele está assentado à direita de Deus, nos céus. Assim, hoje, o amor de Deus se torna visível por meio dos cristãos. Você está cumprindo a sua parte?

HVL

● *Como posso tornar visível o Seu amor?* _____

___

A minha vida ajuda a retratar a imagem de Deus para o meu próximo.

3 DE ABRIL

A BÍBLIA em UM ANO:
Juízes 19–21, Lucas 7:31-50

Em busca da imortalidade

Pelo menos **12 multimilionários** deixaram dinheiro para si próprios, na esperança de serem trazidos de volta à vida.

Estes candidatos à imortalidade providenciaram para que fossem criogenicamente congelados depois de mortos. Eles também colocaram suas fortunas em "fundos pessoais de reavivamento", pois acreditavam que o dinheiro estaria esperando por eles no futuro, quando os cientistas os ressuscitassem, conforme publicado num renomado jornal americano.

> LEITURA:
> **2 Coríntios 5:1-8**
>
> ...gememos aspirando por sermos revestidos da nossa habitação celestial. v.2

Mesmo que a ressurreição fosse possível, buscar a vida eterna sem o Único que é imortal significa perseguir um sonho ilusório.

O apóstolo Paulo afirma que somente o Senhor é a fonte da imortalidade (1 TIMÓTEO 6:16). Ele é eterno em Seu caráter e ações. Para os seres humanos, todavia, a morte é universal, inevitável, e por fim conduz ao julgamento (HEBREUS 9:27). Tudo isto é resultado de nosso pecado e somente pode ser neutralizado pela redenção, por intermédio de Jesus Cristo (JOÃO 3:15,16). Com Sua ressurreição, Jesus quebrou o poder da morte e mostrou para a humanidade o caminho para a imortalidade (2 TIMÓTEO 1:10).

A nossa atitude com a nossa mortalidade não deveria ser a de preservar nosso corpo físico utilizando-nos da criogenia, e, sim, de estarmos prontos para a própria morte por receber o dom da vida eterna em Jesus. 🌿

MLW

- *Você tem a certeza da vida eterna em Jesus?* _____

Onde você passará a sua eternidade?

4 DE ABRIL

A BÍBLIA em UM ANO:
Rute 1–4, Lucas 8:1-25

Escrito em sangue

Nos destroços da colisão de um trem metropolitano, os bombeiros encontraram uma mensagem que lhes provocou lágrimas. Um sobrevivente, pensando estar morrendo, usou seu sangue para escrever no assento da frente do trem que amava a sua esposa e filhos.

Na maioria das vezes, usamos as palavras "escritas com sangue" de forma menos literal. Geralmente, para exprimir a disposição de cumprirmos nossas palavras, por meio da nossa vida.

> **LEITURA:**
> **Gálatas 6:11-18**
>
> Mas longe esteja de mim gloriar-me, senão na cruz de [...] Jesus Cristo... v.14

Quando o apóstolo Paulo terminou a carta aos Gálatas, ele estava — no sentido figurado — escrevendo sua história com sangue. Escreveu uma mensagem de amor e graça que suscitaria a ira de outros líderes religiosos. Ele sabia que seria odiado por honrar a morte de Cristo acima do ritual e das leis morais de Israel. Seria punido por ensinar que a morte e a ressurreição de Cristo eram mais importantes do que a lei da circuncisão, que representava o estilo de vida mosaica. O sofrimento de Paulo por amor a Cristo incluiria literalmente o derramamento de seu sangue (2 CORÍNTIOS 11:23-25).

Paulo estava disposto a arriscar-se. Ele sabia que a crucificação de Jesus era a página central da história. Arriscando a própria vida, Paulo proclamou o coração inexprimível de Deus, que deu Seu Filho para expressar as maiores palavras de amor, escritas com sangue na cruz.

MRD

● *O que posso arriscar pelo Senhor hoje?*

Para mostrar Seu amor, Jesus morreu por mim; para mostrar o meu amor, vivo para Ele!

5 DE ABRIL

A BÍBLIA em UM ANO:
1 Samuel 1–3, Lucas 8:26-56

Isto é melhor

Pessoas em todo o mundo buscam o melhor produto, seja ao comprarem uma fruta no supermercado ou ao escolherem um lugar para viver. Examinamos, ponderamos, comparamos e finalmente fazemos uma escolha baseados no que cremos ser o certo. Não posso imaginar que alguém diga: "Estou convencido de que este é o pior, e por isso vou comprá-lo."

LEITURA:
Provérbios 16:16-32

...melhor é adquirir a sabedoria do que o ouro! E mais excelente, adquirir a prudência do que a prata! v.16

O livro de Provérbios está cheio de comparações que indicam o caminho certo na vida. O propósito do livro é dar ao leitor conhecimento e sabedoria alicerçados no temor do Senhor (PROVÉRBIOS 1:2,7), e não é de se admirar que encontremos afirmações que dizem: "Isto é melhor do que aquilo."

Lemos, que é melhor obter sabedoria do que o ouro ou a prata (16:16); que é melhor ter espírito humilde entre os oprimidos do que partilhar despojos com os orgulhosos (v.19); e de que é melhor controlar o seu espírito do que conquistar uma cidade (v.32). Algumas pessoas têm a habilidade de ser ambas as coisas, sábias e ricas. Mas quando temos que fazer uma escolha entre essas duas, o livro de Provérbios ressalta que a sabedoria é a melhor alternativa.

Ao lermos a Bíblia, olharemos para aqueles sinais que dizem: "Isto é melhor!" Quando a Palavra de Deus moldar o nosso pensar e dirigir as nossas escolhas, descobriremos que o caminho do Senhor é sempre excelente. 🌿

DCM

● *A Palavra de Deus é luz para o seu caminho?* _____

Um pouco de sabedoria é melhor do que muita riqueza.

6 DE ABRIL

A BÍBLIA em UM ANO:
1 Samuel 4–6, Lucas 9:1-17

Fale alto!

Se você for como a maioria, talvez pense que quando Deus faz algo importante Ele usa pessoas extraordinárias — como Billy Graham, John Stott ou Joni Eareckson Tada. E que o restante de nós apenas preenche os espaços, até a volta de Jesus. Mas isso não é verdade.

Nas Escrituras, Deus usa pessoas comuns para realizar certas tarefas. Veja os improváveis profetas do Antigo Testamento, e os discípulos do Novo Testamento.

> LEITURA:
> **2 Reis 5:1-3,9-14**
>
> ...Tomara o meu senhor estivesse diante do profeta [...]; ele o restauraria... v.3

A menina da narrativa do livro de 2 Reis 5 era apenas uma serva. Contudo, ela sugeriu corajosamente que Naamã fosse até o profeta de Israel para ser curado. O que parece ter sido uma simples observação foi, na verdade, uma sugestão audaciosa. Para Naamã, ir para Israel significava dar as costas aos deuses pagãos locais e suscitar críticas de seus conterrâneos por colocar o poder militar da nação em risco.

Essa serva anônima poderia ter pago um alto preço por dar uma sugestão ousada como essa — mas ela sabia onde estava a verdadeira fonte de cura. Por causa de sua profunda preocupação pelo bem-estar de Naamã, ela arriscou-se corajosamente a fim de conduzi-lo a essa fonte — ao único Deus vivo.

Assim como essa jovem serva, vamos nos dispor a sermos usados por Deus para guiar a nossa família e os nossos amigos à verdadeira fonte de esperança e cura. 🌿

JMS

● *De que maneira posso entregar o meu viver a Cristo no dia de hoje?*

Deus está procurando pessoas comuns para fazer uma obra extraordinária.

7 DE ABRIL

A BÍBLIA em UM ANO:
1 Samuel 7–9, Lucas 9:18-36

Oração de menino

Ricardo, de 5 anos, queria uma carruagem de brinquedo para o Natal, e sua mãe, achou justamente a que queria. Tinha quase 15 cm, rodas bonitas e cavalos de plástico marrom escuro que a puxavam. Ele implorou: "Mãe, por favor, quero esta!" Como crianças pequenas, geralmente fazem, ele fez um berreiro, insistindo que queria a carruagem para o Natal. Sua mãe lhe disse: "Vamos ver", e o levou para casa.

Ricardo estava certo de que receberia o que pediu. Na manhã do Natal, ele abriu o pacote confiante. Como pensava, era a carruagem pela qual implorou. E ficou tão satisfeito. Mas depois seu irmão mais velho disse: "Você realmente fez uma coisa boba, insistindo em receber esta carruagem. Mamãe tinha comprado para você uma outra, bem maior, mas quando você implorou por esta pequena, ela a trocou!" Repentinamente, o pequeno brinquedo já não parecia mais tão atraente.

> **LEITURA:**
> **João 15:7-14**
>
> E tudo quanto pedirdes em meu nome, isso farei, a fim de que o Pai seja glorificado no Filho.
> João 14:13

Algumas vezes somos assim com Deus. Oramos por uma necessidade específica e lhe dizemos de que forma Ele deve nos responder. Imploramos e suplicamos — e Deus pode até nos dar exatamente o que pedimos. Mas talvez tivesse algo melhor em mente.

Phillips Brooks disse certa vez: "Ore a maior das orações. Você não pode imaginar uma oração tão grande que, ao respondê-la, Deus não desejasse que ela tivesse sido ainda maior." AMC

- *Permito que Deus cumpra o propósito que Ele tem para mim?*

Grandes petições resultam em grandes recebimentos.

8 DE ABRIL

A BÍBLIA em UM ANO:
1 Samuel 10–12, Lucas 9:37-62

Seguidor inconstante

Se você é fã de esportes, sabe que os torcedores podem mudar de humor rapidamente. O jogador que é a estrela de um time pode ouvir 70 mil aclamações, se jogar bem — ou 70 mil vaias, se falhar.

As figuras do esporte facilmente são esquecidas porque os fãs são inconstantes — são pessoas ávidas em seguir quem os faz se sentir bem, mas dispostas a rejeitar essa mesma pessoa, se fracassarem.

> **LEITURA:**
> **Mateus 27:15-23**
>
> E as multidões [...] clamavam: Hosana ao Filho de Davi...
> Mateus 21:9

As Escrituras mostram um exemplo de inconstância muito mais sério. Em Jerusalém, uma grande multidão, louvava, honrava e aplaudia Jesus no domingo em que Ele entrou na cidade montado num jumento (MATEUS 21:6-11). Porém, apenas alguns dias depois, a maioria dessas mesmas pessoas tinham se infiltrado entre a multidão que pedia a crucificação de Jesus (27:20-23). No domingo eles o adoraram, mas na sexta-feira seguinte não queriam mais que Ele permanecesse em seu meio.

Em nosso relacionamento com o Senhor não vacilemos! Às vezes, adoramos Jesus de todo o coração no domingo, mas no dia seguinte vivemos como se a Sua presença fosse uma intromissão. Às vezes, dizemos que o amamos no domingo — mas falhamos em obedecer-lhe durante o restante da semana.

Não seja um seguidor inconstante do Senhor Jesus. Adore-o todos os dias — e não apenas no domingo. *JDB*

● *A minha adoração diária é o que Senhor espera de mim?*

Adorar a Deus deve ser uma experiência de tempo integral.

9 DE ABRIL

A BÍBLIA em UM ANO:
1 Samuel 13-14, Lucas 10:1-24

Endividado

O filme *O resgate do soldado Ryan* conta a história de um esquadrão de resgate enviado, na Segunda Guerra Mundial, para salvar um soldado em situação perigosa. Um após o outro, os membros do pelotão foram sacrificados por causa do soldado.

Mortalmente ferido e próximo da morte, o líder do pelotão chama o jovem Ryan e lhe diz: "Seja merecedor." Alguns homens deram a vida para resgatá-lo. Ele precisava ser grato por tal sacrifício, pois devia a vida aos que o resgataram.

O apóstolo Paulo também sentiu-se endividado. Cristo sacrificou-se a si mesmo para pagar os pecados dele e livrá-lo do julgamento e morte. A reação de Paulo?

> LEITURA:
> **Romanos 1:8-17**
>
> **Pois sou devedor tanto a gregos como a bárbaros, tanto a sábios como a ignorantes.** v.14

"Pois sou devedor tanto a gregos como a bárbaros, tanto a sábios como a ignorantes" (ROMANOS 1:14). Por que o apóstolo estaria endividado com eles? Os gregos e bárbaros não haviam morrido por ele, nem os sábios e os ignorantes. Mas Cristo havia morrido, sim. O sacrifício do Filho de Deus a seu favor fora tão impressionante que Paulo sentiu dever a todos, e tinha de assegurar que todos ouvissem sobre o amor redentor de Deus. Seu sentimento de dívida com Cristo o tornou devedor com todos os que necessitavam do Salvador.

Nada que façamos nos torna merecedores da dádiva do amor de Deus, mas temos a obrigação de compartilhá-lo com os que necessitam dele. WEC

- Com quem posso compartilhar o amor de Cristo hoje? _____

Cristo sacrificou tudo por nós, logo sacrificar-se por Ele nunca será demais.

10 DE ABRIL

A BÍBLIA em UM ANO:
1 Samuel 15–16, Lucas 10:25-42

Competir ou convergir

Ao caminhar pelo pátio, o professor de um seminário deparou-se com o vigia que lia a Bíblia na hora do almoço. O professor perguntou-lhe o que lia. "Apocalipse", disse o vigia. "Tenho certeza de que você não entende esse livro", afirmou o professor. "Na verdade, entendo. Significa que Jesus vence", respondeu o guarda.

Frente aos desafios da vida, é importante lembrar-se de que, no fim, Deus sempre vence! Como Seus planos sempre são vitoriosos, é muito mais sábio convergir para Sua vontade ao invés de competir com ela.

> **LEITURA:**
> **Rute 4:13-22**
>
> ...e o SENHOR lhe concedeu que concebesse, e teve um filho... v.13

Na história de Rute, Deus estabeleceu o cenário para que Boaz resgatasse Rute e Noemi de uma vida de pobreza e vergonha, por não terem um herdeiro. Rute podia ter se tornado amargurada, como jovem viúva, e Boaz talvez pensasse que, por ser estrangeira, ela não seria uma esposa ideal. Mas ambos reconheceram a mão de Deus nas circunstâncias e convergiram com os planos dele para suprir as necessidades de Rute. A melhor parte da história é que esta não terminou ali. A salvação para o mundo ainda estava por vir por meio dos seus descendentes — primeiro Davi e depois Jesus (MATEUS 1:5-16).

Podemos competir com os planos de Deus e ir atrás de nossos objetivos. Ou podemos convergir e aceitar o plano de Deus e nos juntarmos ao time vencedor. A escolha é nossa. 🌱 *JMS*

- *Qual será a minha escolha?*

Os planos de Deus sempre conduzem à vitória.

11 DE ABRIL

A BÍBLIA em UM ANO:
1 Samuel 17–18, Lucas 11:1-28

"Morto é morto"

Você alguma vez pensou em sua inevitável morte? Ou você é como o influente magnata Bernard Jacobs, que disse: "De todas as coisas no mundo, o que menos penso é no que acontecerá depois que alguém morre. Morto é morto."

Será que é isso o que acontece quando damos nosso último suspiro e as células do nosso cérebro param de funcionar? Quando a vida chegar ao fim seremos totalmente extinguidos, como a chama de uma vela mergulhada em água? Esta é uma crença comum. Mas não é isso o que a Bíblia ensina. A carta aos Hebreus 9:27 declara que "...aos homens está ordenado morrerem uma só vez, vindo, depois disto, o juízo".

> LEITURA:
> **Hebreus 9:24-28**
>
> **Onde está, ó morte, a tua vitória?...**
> 1 Coríntios 15:55

Se já recebemos Jesus como Salvador dos nossos pecados, não precisamos ter medo de enfrentá-lo. Teremos uma comunhão abençoada com Deus por toda a eternidade, "...preferindo deixar o corpo e habitar com o Senhor" (2 CORÍNTIOS 5:8).

Jesus ensinou aos Seus discípulos: "...Eu sou a ressurreição e a vida. Quem crê em mim, ainda que morra, viverá; e todo o que vive e crê em mim não morrerá, eternamente" (JOÃO 11:25,26).

A mensagem de Jesus na Palavra de Deus traz esperança quando enfrentamos nossa própria morte ou a morte de alguém que amamos. Ele promete que vamos entrar em nosso lar celestial e estar com Ele para sempre se crermos nele. Podemos contar com a Sua Palavra.

VCG

- *Qual é a minha esperança?*

A ressurreição de Jesus decretou a vitória sobre a morte.

12 DE ABRIL

A BÍBLIA em UM ANO:
1 Samuel 19–21, Lucas 11:29-54

Deus, responda-me!

Débora deixou para Viviane uma mensagem falando de grandes novidades. Viviane convenceu-se de que a amiga havia recebido Jesus como Salvador. Afinal, há 30 anos ela orava por isso. Qual novidade poderia ser melhor?

Dias depois, Débora revelou sua "grande novidade". Um novo namorado e estava indo morar com ele. Viviane clamou em desespero: "Deus, por que me fez pensar que o Senhor responderia a minha oração?" E ficou deprimida pela aparente relutância de Deus em responder-lhe.

> LEITURA:
> **Salmo 6**
>
> ...porque o SENHOR ouviu a voz do meu lamento. v.8

Algumas de nossas lutas mais difíceis são os profundos desejos que permanecem sem se realizar — quando não vem qualquer resposta do céu, por um tempo, parece uma eternidade. O salmista Davi também passou por isso. Ele clamou: "Tem compaixão de mim, Senhor, porque eu me sinto debilitado [...] porque os meus ossos estão abalados [...] Senhor, até quando? Volta-te, Senhor, e livra a minha alma..." (SALMO 6:2-4). No entanto, mais tarde, lemos que Deus ouviu a oração de Davi (v.9).

Um mês depois das "grandes novidades" de Débora, ela telefonou e deixou outra mensagem: "Tenho notícias maravilhosas! Confiei em Jesus para ser meu Salvador! Não sei por que não fiz isso há mais tempo". Agora, Débora está orando para que Viviane cresça no Senhor e busque agradá-lo.

Continue orando. Em Seu tempo Deus responderá a sua oração. 🌿

AMC

● *Por que demorei tanto para confiar plenamente no Senhor?*

O atraso não significa uma recusa. Por isso, continue orando.

13 DE ABRIL

A BÍBLIA em UM ANO:
1 Samuel 22–24, Lucas 12:1-31

Celebre

Após receber o seu segundo Oscar, o ator Denzel Washington falou à sua família: "Eu disse a vocês que se eu perdesse nesta noite, iríamos para casa celebrar. E se ganhasse, faríamos o mesmo." O ator, que é cristão, confiou em Deus tanto nas bênçãos quanto nas decepções.

Um casal cristão que conheço se inspirou nele e seguiu o seu exemplo. A mulher estava se candidatando para um "emprego dos sonhos", que acabara de surgir na empresa onde ela trabalhava. A entrevista fora boa, mas ela sabia que talvez não conseguisse aquela promoção. O seu marido sugeriu: "Vamos fazer reservas em nosso restaurante favorito, nesta sexta-feira, para festejar — qualquer que seja o resultado."

> LEITURA:
> **Salmo 30**
>
> Converteste o meu pranto em folguedos; tiraste o meu pano de saco e me cingiste de alegria. v.11

Pouco depois, receberam a notícia de que a vaga fora dada para outra pessoa. Mas, na sexta-feira, o casal desapontado celebrou mesmo assim. Enquanto desfrutavam de uma deliciosa comida, puderam contar as bênçãos e renovar a sua fé no Deus que tem em Suas mãos as oportunidades do amanhã.

Quando o salmista contou as suas bênçãos, foi reerguido do seu desespero e louvou a Deus, dizendo: "Converteste o meu pranto em folguedos..." (SALMO 30:11).

Você está enfrentando alguma situação na qual poderia ser desapontado? Por que não programar uma celebração para contar as suas bênçãos, qualquer que seja o resultado? HDF

- *Quais bênçãos agradecerei hoje?*

A dor do desapontamento é amenizada por um coração agradecido.

14 DE ABRIL

A BÍBLIA em UM ANO:
1 Samuel 25–26, Lucas 12:32-59

Lugar de decisão

Ao morrer na cruz, Jesus pagou pelos pecados da raça humana. Todavia, somente aqueles que creem nele podem receber a Sua amorosa provisão. O sacrifício de Cristo é suficiente para todos, mas só é efetivo para aqueles que depositam sua confiança nele.

Quando Jesus estava pendurado na cruz, dois ladrões, um de cada lado, foram crucificados também. Um desses homens está agora no lugar dos que não creem — sua condenação está selada para sempre. O outro está com Cristo — seu lugar no céu está assegurado por toda a eternidade. As posturas opostas dos criminosos para com o Homem na cruz do meio fizeram toda a diferença.

> LEITURA:
> **Lucas 23:33-43**
>
> Quando chegaram ao lugar chamado Calvário, ali o crucificaram... v.33

Um dos criminosos não creu no Senhor. O outro gritou em fé: "...Jesus, lembra-te de mim quando vieres no teu reino" (LUCAS 23:42). Jesus disse-lhe: "...Em verdade te digo que hoje estarás comigo no paraíso" (v.43).

Todos nós somos representados por um destes dois homens — ou cremos em Cristo ou o rejeitamos. Nosso destino eterno depende de nossa decisão. Jesus afirmou sobre si: "Quem nele crê não é julgado; o que não crê já está julgado, porquanto não crê no nome do unigênito Filho de Deus" (JOÃO 3:18).

Nesta Sexta-feira Santa, agradeçamos a Jesus por pagar o preço por nossos pecados. Se você ainda não confia nele, faça-o hoje! Ao morrer na cruz, Ele se tornou o grande "divisor de águas". *RWH*

● *Senhor, de que maneira posso servi-lo hoje?*

Na cruz do Calvário está a encruzilhada, que conduz para o céu ou condenação.

15 DE ABRIL

A BÍBLIA em UM ANO:
1 Samuel 27-29, Lucas 13:1-22

Uma questão antiga

Quando Lucas tinha 17 anos, lutou com a pergunta que os teólogos enfrentam há séculos. Para ele, o problema era prático. Ele queria entender por que sua mãe precisou submeter-se a uma cirurgia no cérebro. E perguntou: "Mãe, por que as pessoas boas sofrem?"

Ela lhe disse: "O sofrimento faz parte da vida, neste mundo amaldiçoado por pecado, e as pessoas boas sofrem, como todas as outras. Fico contente por conhecermos Jesus. Se eu morrer, vou para um lugar melhor, e esperarei pelo dia em que os verei de novo." Ela disse que podia entender a frustração do rapaz, mas que ele não deveria culpar Deus por isso.

> **LEITURA:**
> **Jó 2:1-10**
>
> ...temos recebido o bem de Deus e não receberíamos também o mal?...v.10

Se estamos confusos com o sofrimento de pessoas boas, podemos colocar essa questão abertamente diante de Deus, argumentar com Ele, se necessário, e lutar com as nossas dúvidas. Mas não vamos culpá-lo.

Deus não explicou a Jó o que estava fazendo, mas disse que o seu servo podia confiar no que Ele fazia, pois era o certo (JÓ 38-42). Deus nos assegura em Sua Palavra de que Jesus sofreu em nosso lugar, ressuscitou dos mortos e agora está preparando um lugar livre de sofrimento para nós.

Estas podem não ser as respostas que queremos, mas são as respostas que necessitamos para nos ajudar a conviver com esta velha — e muitas vezes indecifrável — questão do sofrimento. 🌿   DJD

- Por que o bondoso Deus permite o sofrimento? _____

Deus não é obrigado a nos dar respostas — mas nos promete a Sua graça.

16 DE ABRIL

A BÍBLIA em UM ANO:
1 Samuel 30–31, Lucas 13:23-35

Fé que vence a morte

O **impacto da ressurreição** foi adiado pela incredulidade daqueles mais próximos a Jesus. Pelo menos por três ocasiões, eles não creram que Jesus estava vivo. Não creram no testemunho de Maria Madalena, dos discípulos de Emaús e quando Ele mesmo se apresentou aos 11 apóstolos.

A incredulidade às vezes toma conta de nós. Sempre teremos a fé menor do que um grão de mostarda e Deus sempre nos surpreenderá com as Suas maravilhas, mas isso deve nos alertar para reduzirmos o nosso ceticismo e mantermos a chama da fé acesa em nosso coração. Quem pode fazer isso senão o Espírito Santo de Deus?

> **LEITURA:**
> **1 Coríntios 15:12-28**
>
> Se [...] Cristo foi ressuscitado, como [...] vocês dizem que os mortos não vão ressuscitar? v.12 NTLH

Paulo mostra aos coríntios o poder e a realidade da ressurreição e, entre seus argumentos, um se destaca: "O último inimigo que será destruído é a morte." Somente o poder do Espírito Santo pode vencer a morte e todas as suas expressões.

Há muitas formas de morte que nos rodeiam: desde a oposição a valores morais, até a exploração dos pobres. A Igreja do Senhor precisa se insurgir contra toda expressão de pecado e de injustiça.

Somente o poder do Espírito Santo pode nos levar a afirmar a vida (ressurreição) em meio a todas as expressões de morte e incredulidade. Saiba que o poder de Cristo está disponível por onde quer que você for, pois foi Ele mesmo quem afirmou que o Espírito Santo estaria ao nosso lado em todos os momentos.

MU

● *Onde está, ó morte, a tua vitória?...* (1 Coríntios 15:55)

Porque Ele vive, posso crer no amanhã.

17 DE ABRIL

A BÍBLIA em UM ANO:
2 Samuel 1–2, Lucas 14:1-24

Instinto de rebanho

Perto de uma vila, no lado oriental da Turquia, enquanto os pastores de ovelhas tomavam o seu café da manhã, uma das ovelhas pulou de um penhasco de uns 13 metros, e morreu. Então, enquanto os pastores, abalados, olhavam o que acontecia, o restante do rebanho fez o mesmo. Ao todo, 1.500 ovelhas, descuidadas, despencaram penhasco abaixo. A única boa-nova foi que a queda de pelo menos mil foi amortecida pela pilha crescente de lã daquelas que pularam primeiro. Segundo um jornal local, morreram 450 ovelhas.

A Bíblia refere-se muitas vezes aos seres humanos como ovelhas (SALMO 100:3; ISAÍAS 53:6; MATEUS 9:36). Facilmente distraídos e suscetíveis às influências de grupos, acabamos seguindo mais a multidão do que a sabedoria do Bom Pastor.

> LEITURA:
> **João 10:14-30**
>
> **As minhas ovelhas ouvem a minha voz; eu as conheço, e elas me seguem.** v.27

Fico contente em saber que a Bíblia também descreva as ovelhas de forma positiva. Jesus disse: "Eu sou o bom pastor [...]. As minhas ovelhas ouvem a minha voz; eu as conheço, e elas me seguem" (JOÃO 10:14,27).

A grande pergunta para nós então é a seguinte: A quem estamos seguindo? Uns aos outros? A pastores egoístas? Ou a voz e a direção do Bom Pastor?

Nosso desafio é não cometer o erro das ovelhas que seguiram cegamente umas às outras, precipício abaixo. Nosso propósito diário deve ser perguntar a nós mesmos: estou ouvindo a voz do Bom Pastor? Sigo-o?

MRD

● *Já conheço a voz do meu Pastor?*

Siga o Senhor Jesus Cristo, e não a multidão.

18 DE ABRIL

A BÍBLIA em UM ANO:
2 Samuel 3–5, Lucas 14:25-35

Mudando o mundo

Tentar mudar as pessoas pode ocupar todo o nosso tempo. Como o mundo seria perfeito — se as outras pessoas fizessem o que queremos!

Um quadro na nossa sala de visitas pode mostrar a chave para o segredo da mudança. As palavras estão escritas em holandês, mas traduzidas, dizem o seguinte: Mude o mundo — Comece com você.

Não é o que a maioria de nós quer ouvir! Jesus contou uma parábola sobre o problema de não enxergarmos nossas próprias falhas. Ele disse: "Como poderás dizer a teu irmão: Deixa, irmão, que eu tire o argueiro do teu olho, não vendo tu mesmo a trave que está no teu? Hipócrita, tira primeiro a trave do teu olho..." (LUCAS 6:42).

> **LEITURA:**
> **Lucas 6:41-45**
>
> ...Hipócrita, tira primeiro a trave do teu olho e, então, verás claramente para tirar o argueiro que está no olho de teu irmão. **v.42**

Ver com facilidade as falhas de outras pessoas sem nunca perceber as nossas não é somente uma indicação de hipocrisia. Pode ser um chamado para despertar e ver que nós podemos ser o problema num relacionamento problemático. Quem sabe é a nossa atitude que precisa mudar. Ou somos aqueles que precisam pedir desculpas. Talvez as pessoas que precisam de um espírito humilde sejamos nós.

É uma lição que sempre precisamos aprender de novo. Não podemos mudar os outros, mas com a ajuda de Deus podemos mudar o nosso próprio comportamento. E quando mudamos nossas atitudes, pode nos parecer que os outros também mudaram.

CHK

● *Qual atitude devo mudar ainda hoje?* _____

Quando Deus faz a Sua obra em nós, Ele pode mudar os outros por meio de nós.

19 DE ABRIL

A BÍBLIA em UM ANO:
2 Samuel 6–8, Lucas 15:1-10

Paz mental

Em seu livro *Mais que passarinhos* (Ed. Vida, 1994), Mary Welch relata sobre o debate com um grupo de adolescentes a respeito da preocupação. Embora fossem cristãos, eles estavam tão preocupados quanto os não-cristãos em relação às coisas comuns da vida. Ao ouvi-los, amorosamente, ela teve uma ideia incomum: era um jogo que poderiam fazer, e consistia no seguinte: Em vez de dizer: "Estou preocupado," pare e diga: "O Senhor é o meu pastor." E em seguida acrescente: "E por isso estou mortalmente preocupado!" Os estudantes riram da ideia absurda, mas todos prometeram jogar aquele novo jogo da "paz mental".

> **LEITURA:**
> **Salmo 23**
>
> O SENHOR é o meu pastor; nada me faltará. v.1

Mais tarde, Mary recebeu um telefonema de uma jovem que estava paralisada pela preocupação devido a uma prova que temia fazer. Ela lhe disse: "Preciso dizer a você o quanto o jogo me ajudou a confiar em Deus. Enquanto estava paralisada pela preocupação, lembrei-me de dizer: 'O Senhor é meu pastor!' Repentinamente, senti a paz mental mais estranha da minha vida. Ri para mim mesma, e então fiz a prova — e passei!"

Dizer: "O Senhor é o meu pastor, e por isso estou mortalmente preocupado" é mais do que um jogo mental, que mostra o absurdo da preocupação. Deus pode usar essa contradição para nos conduzir à completa confiança nele.

JEY

- *Qual a minha maior preocupação?*

A preocupação é a taxa de juros que você paga por problemas emprestados.

A BÍBLIA em UM ANO:
2 Samuel 9–11, Lucas 15:11-32

Paciência necessária

Nosso voo para a Singapura estava atrasado por causa de problemas mecânicos. Os 15 minutos de atraso se transformaram em 30, em seguida em 60 — e então em três horas. Os atendentes procuravam acalmar os passageiros cansados e irritados. À medida que a noite se prolongava, as pessoas se uniram num grupo enfurecido — gritando com linguagem grosseira. Até o piloto veio para encorajá-los, mas também o insultaram.

> **LEITURA:**
> **1 Coríntios 13**
>
> O amor é paciente, é benigno; [...] não se ufana, não se ensoberbece. v.4

Enquanto observava a cena, um homem de Singapura, ao meu lado, disse-me baixinho: "A paciência será uma virtude necessária hoje à noite."

A vida pode ser frustrante, até irritante. Ainda assim, muitas vezes a impaciência é apenas um reflexo do nosso egocentrismo, em resposta às decepções da vida. O verdadeiro amor é retratado na Bíblia como autossacrifício (JOÃO 15:13), e uma demonstração desse amor é a paciência com os outros. "O amor é paciente, é benigno [...] não se conduz inconvenientemente, não procura os seus interesses, não se exaspera, não se ressente do mal" (1 CORÍNTIOS 13:4,5). Ele coloca de lado a nossa agenda pessoal e procura seguir o modelo de Cristo.

Isto parece impossível? Será, se tentarmos fazê-lo com nossas próprias forças. Mas quando oramos e pedimos ajuda, Deus nos provê a paciência, que reflete o Seu amor — mesmo durante as circunstâncias frustrantes.

WEC

- *E se eu orar incessantemente?* _____

Ao sentir-se sem paciência, lembre-se da paciência de Deus com você.

21 DE ABRIL

A BÍBLIA em UM ANO:
2 Samuel 12–13, Lucas 16

Viver no presente

A peça musical *Sunset Boulevard* conta a história de Norma Desmond, uma ex-estrela do cinema mudo. Quando começaram os filmes falados, ela perdeu o seu público. Ao atingir certa idade, ela anelava a glória do passado. Em sua mente, apenas as expressões faciais silenciosas, não o diálogo, produziam um bom filme. Na peça, a personagem canta estes versos:

Com um olhar posso quebrantar seu coração,
Com um olhar interpreto todos os papéis,
Com um olhar acendo uma chama,
Vou retornar aos meus dias de glória.

> LEITURA:
> **Deuteronômio 34**
>
> ...não se lhe escureceram os olhos, nem se lhe abateu o vigor. v.7

Como Norma vivia no passado, a vida dessa estrela decadente acabou em tragédia.

Diz-se que toda vida é como um livro, e vivemos um capítulo por vez. Se você pensar que seus melhores anos já passaram, lembre-se de que, neste momento, você está escrevendo um novo capítulo. Aprenda a viver cada dia com contentamento, no presente.

No final da vida de Moisés, Deus mostrou-lhe a Terra Prometida. Evidentemente, ele havia realizado a sua missão, mas não ansiava pelos milagres dos seus "dias de glória". Em vez disso, Moisés estava contente em obedecer a Deus naquele momento. Em seus dias de pôr de sol, preparou Josué para ser seu sucessor (DEUTERONÔMIO 31:1-8).

Viver com contentamento no momento presente é o modo de sermos produtivos por toda a vida — para a glória de Deus. HDF

- *Como posso demonstrar o meu contentamento hoje?* _____

Viver no passado paralisa o presente e arruína o futuro.

22 DE ABRIL

A BÍBLIA em UM ANO:
2 Samuel 14–15, Lucas 17:1-19

Irmandade da cruz

Na obra fictícia de J. R. Tolkien, *O senhor dos anéis*, um simples *hobbit* de bom coração chamado Frodo Bolseiro recebe uma missão perigosa. Com o grupo denominado "A Irmandade do anel", ele deve devolver um anel mágico de ouro ao fogo do Monte da Perdição — onde havia sido forjado — para derrotar as forças do mal.

Durante a jornada, o mal o segue. As batalhas são perdidas. Os amigos morrem. Ao refletir sobre as tragédias, Frodo confidencia ao seu amigo, o sábio Gandalf: "Queria que o anel nunca tivesse chegado a mim." Gandalf responde: "Isso acontece com todos os que vivem até esse ponto. Mas não lhe compete julgar. Tudo o que você precisa é decidir sobre como usar o tempo que lhe é dado."

> **LEITURA:**
> **2 Coríntios 1:3-11**
>
> ...tivemos a sentença de morte, para que não confiemos em nós, e sim no Deus que ressuscita os mortos. v.9

Na "irmandade da cruz", um servo de Cristo também é testado. Assim como Paulo, podemos nos sentir esmagados pelo peso das circunstâncias (2 CORÍNTIOS 1:3-11). O caminho parece excessivamente íngreme para ser escalado, e nos perguntamos se haverá um amanhecer, além da escuridão.

Mesmo que não escolhamos as circunstâncias, devemos decidir confiar em Deus (2 CORÍNTIOS 1:9). Por meio da comunhão com o Filho e a capacitação do Espírito Santo, podemos cumprir nossa missão para Deus (1 CORÍNTIOS 1:9; JOÃO 16:13).

Confie nele para guiá-lo ao longo do caminho. Ele lhe oferece sábios conselhos. 🌱

MRD

- *Pertenço a irmandade da cruz?*

Você pode confiar em Deus tanto na escuridão, como na luz.

23 DE ABRIL

A BÍBLIA em UM ANO:
2 Samuel 16–18, Lucas 17:20-37

Amor em ações

No término da linha de trens, em que Leonardo trabalhava, havia uma companhia de carvão. Todos os dias alguns trens de carga passavam por ali. Leonardo observou, que, muitas vezes, o dono da companhia, que era cristão, jogava pedaços de carvão por sobre a cerca, em vários lugares, ao longo da ferrovia. Certo dia, ele lhe perguntou pelo motivo daquilo.

> LEITURA:
> **Rute 2**
>
> ...Bendito seja ele do SENHOR, que ainda não tem deixado a sua benevolência...
> v.20

O homem lhe respondeu: "Sei que uma senhora de idade vive do outro lado da ferrovia e a aposentadoria dela não basta para comprar todo o carvão de que precisa. Após os trens passarem, ela caminha ao longo dos trilhos e ajunta os pedaços que pensa terem caído do vagão atrás da cabine do condutor. Mal sabe que as locomotivas a diesel já substituíram as de carvão. E como não quero decepcioná-la, simplesmente jogo alguns pedaços por cima da cerca."

Isto é cristianismo em ação! O livro de Rute mostra de forma vívida este princípio de doação. Quando Boaz viu como Rute ajuntava espigas, em seu campo, atrás dos ceifeiros, ordenou que deixassem cair algumas espigas dos feixes para ela. Ela recebeu isso como uma bênção do Senhor.

De alguma maneira, as pessoas cuja vida influenciamos precisam experimentar o amor de Deus por meio de nossa compaixão e generosidade. Por isso deveríamos pedir a Deus que nos mostre as oportunidades para demonstrarmos bondade. HGB

● *De que maneira posso demonstrar a bondade hoje?*

A bondade é o óleo que tira a fricção da vida.

24 DE ABRIL

A BÍBLIA UM ANO:
2 Samuel 19–20, Lucas 18:1-23

Guarde o coração

Meu sogro comprou o topo de um monte rochoso e árido, transformou-o num terreno apropriado e construiu uma casa com um belo gramado. Após remover milhares de pedras, colocou uma camada de terra, plantou árvores e grama e manteve-os sempre úmidos. Desde a sua morte, o lugar não recebe mais o mesmo cuidado. Hoje, quando visito e trabalho ao redor da casa, luto com os espinhos e as ervas daninhas, e penso em meu próprio coração.

> **LEITURA:**
> **Provérbios 24:30-34**
>
> Tendo-o visto, considerei; vi e recebi a instrução... v.32

Será que sou como esse jardim mal cuidado, ou quem sabe como a lavoura e a vinha descritas no livro de Provérbios 24 — coberta de espinheiros, urtigas e o muro de pedras em ruínas? (v.31). O dono é preguiçoso e sem juízo (v.30), e talvez não faça as tarefas hoje adiando-as para um tempo mais conveniente.

Com a instrução prática sobre a diligência no trabalho, encontro uma aplicação para o cuidado do meu coração. Os espinhos do interesse próprio crescem naturalmente dentro de mim, enquanto os frutos que agradam a Deus exigem constante cuidado e irrigação por meio da oração, confissão e obediência ao Senhor. Sem isso, o solo do meu coração vai sufocar com os espinhos das buscas triviais e da avareza.

Salomão escreveu: "Sobre tudo o que se deve guardar, guarda o coração, porque dele procedem as fontes da vida" (PROVÉRBIOS 4:23). Isto exige cuidado constante.

DCM

- *Sinto-me livre ou sufocado?*

O jardim do nosso coração necessita de constante cuidado e atenção.

25 DE ABRIL

A BÍBLIA em UM ANO:
2 Samuel 21–22, Lucas 18:24-43

A moeda em seu bolso

Algumas coisas são irresistíveis, como uma máquina de chicletes. Dificilmente resisto ao ver uma daquelas bolas de chiclete coloridas rolar pelo túnel, até poder colocá-la em minha boca. Mas, sem a moeda, aquelas bolas de mascar ficam trancadas dentro da máquina. Você pode ter a certeza de que, se eu tiver a moeda certa, não deixarei passar a oportunidade de desfrutar dessa guloseima.

> LEITURA:
> **Tiago 5:13-18**
>
> ...Muito pode, por sua eficácia, a súplica do justo. v.16

A oração é como a moeda em seu bolso quando se trata de liberar os vastos recursos do caráter e das bênçãos de Deus em sua vida. O "muitíssimo ou os vastos" de Deus contrastam com a pobreza de nossa alma e, sem oração, não podemos começar a usufruir do reservatório de tudo o que Ele está esperando para nos conceder. Quando ansiamos pelo sabor gratificante de Seus recursos, a oração é essencial.

Em sua carta, Tiago deixa claro que a nossa oração precisa ser poderosa e eficaz (5:16). Deus não está num ritual — mas na verdade. Ele quer que evitemos orações pré-fabricadas, em troca de uma paixão persistente. Somos apresentados ao Seu trono da graça, com a consciência aguçada por nossa necessidade dele.

Como Tiago afirmou anteriormente: "...Nada tendes, porque não pedis" (4:2). Quanto mais oramos, mais recebemos, e em breve nossa vida demonstrará a transformação que advém do "muitíssimo" de Deus. ✿

JMS

- Confio plenamente na providência do Senhor? _____
_____
_____

Muita oração, muito poder; pouca oração, pouco poder; nenhuma oração, nenhum poder!

26 DE ABRIL

A BÍBLIA em UM ANO:
2 Samuel 23–24, Lucas 19:1-27

O dinheiro não compra

O dinheiro é uma **parte necessária** à existência. Sem ele, não poderíamos suprir as necessidades ou adquirir os confortos da vida. Mas há coisas que o dinheiro não pode comprar. Como disse W. A. Criswell, pastor de uma grande igreja americana: "O dinheiro pode comprar luxo, mas não pode comprar o poder espiritual. Dinheiro pode comprar progresso e ascensão, mas não comprará o reconhecimento de Deus. O dinheiro pode comprar favor e elogios, mas não comprará o respeito pela alma."

> **LEITURA:**
> **Isaías 55:1-7**
>
> **Buscai o Senhor enquanto se pode achar, invocai-o enquanto está perto.** v.6

O bem maior — é tão grande, que nem mesmo pode ser comprado. Se a raça humana desejasse exaurir todos os recursos, num esforço para comprar o perdão dos pecados e a vida eterna com Jesus, esses recursos seriam infinitamente insuficientes. A riqueza do mundo inteiro não pode comprar a bênção suprema do perdão e do céu.

Jamais acumularemos riquezas suficientes para comprar um lugar no paraíso de Deus. Mas há boas notícias! Segundo o livro de Isaías 55:1, podemos obter a salvação sem dinheiro e sem custo.

Você já confiou em Jesus como seu Salvador? Você precisa somente ter fé no Senhor (JOÃO 1:12). Clame por Ele e confesse o seu pecado, "...porque [Deus] é rico em perdoar" (ISAÍAS 55:7). *VCG*

- *Por que Deus é rico em perdoar?*

O toque mais fraco da fé escancara a porta do perdão.

27 DE ABRIL

A BÍBLIA em UM ANO:
1 Reis 1–2, Lucas 19:28-48

Fogo a ser aceso

O **livro de Atos,** capítulo 17 narra a ida de Paulo ao Areópago para declarar a verdade da ressurreição. Os ouvintes ali não buscavam ajuda espiritual. Lucas, suposto autor do livro de Atos, registra que eles passavam seus dias discutindo as últimas novidades, sem interesse em praticar o que aprendiam (v.21).

As informações em excesso podem ser perigosas; as ideias podem se mesclar e tornar-se incoerentes, sem causar mudanças.

Séculos atrás, o historiador grego, Plutarco, advertiu sobre o perigo de apenas informar-se. E disse sabiamente: "A mente é um fogo a ser aceso, não um vaso a preencher."

> LEITURA:
> **Lucas 24:13-32**
>
> ...não nos ardia o coração, quando ele, pelo caminho, nos falava, quando nos expunha as Escrituras? v.32

Os seguidores de Cristo, no caminho para Emaús, concordariam com isso (LUCAS 24). Eles estavam enlutados pela morte de Jesus, e o próprio Cristo ressurreto uniu-se a eles — sem contudo, identificar-se. Começou a instruí-los sobre as antigas profecias que relacionavam-se à Sua morte e ressurreição registrados no Antigo Testamento. Mais tarde, naquele mesmo dia, eles o reconheceram, e em seguida, Jesus desapareceu da presença deles (v.31).

Depois que Jesus os deixou, eles ficaram maravilhados com o que ouviram. O que o Senhor tinha lhes ensinado não eram fatos inúteis, mas um fogo que incendiou seus corações com devoção por Ele. Que nós também confiemos no Pastor de nossa alma, para que o nosso coração se acenda ao crescermos em Sua Palavra. 🌿 *WEC*

● *O que posso fazer para compreender melhor a Palavra de Deus?* _____

Você não pode acender o fogo no coração de outra pessoa antes de acendê-lo no seu.

28 DE ABRIL

A BÍBLIA em UM ANO:
1 Reis 3–5, Lucas 20:1-26

Confusão

Ao **comparecer** à entrevista de trabalho numa rádio, um homem foi confundido, com a autoridade aguardada para a entrevista que iria ao ar dali uns minutos. O produtor desse programa, preocupado com o horário, apressadamente, conduziu o candidato à vaga, desnorteado, ao estúdio de notícias, fixando o microfone na roupa dele.

Quando entrou "no ar", o entrevistador não percebeu o pânico no rosto do entrevistado, e este desajeitadamente, tentou responder as perguntas que lhe eram feitas. Ele não estava fingindo ser uma autoridade — o produtor é que o tinha confundido. O equívoco se tornou notícia, e a emissora desculpou-se pelo erro.

> **LEITURA:**
> **1 Reis 22:1-8**
>
> **...Consulta primeiro a palavra do Senhor.** v.5

Em contrapartida, Acabe, rei de Israel, optou por ignorar a verdade, ao buscar respostas em falsos profetas. Acabe não quis consultar o Senhor por meio do profeta Micaías, "...porque nunca profetiza de mim o que é bom, mas somente o que é mau..." (1 REIS 22:8). O rei tinha aversão à verdade.

Às vezes, preferimos a mentira em vez de palavras verdadeiras. Mas precisamos buscar orientações de conselheiros que creem que "Toda a Escritura é [...] útil para o ensino, para a repreensão, para a correção, para a educação na justiça" (2 TIMÓTEO 3:16). Que os nossos desejos não nos levem a trocar a verdade de Deus por mentira.

MRD

- *E eu, prefiro o quê?* _____

É melhor ouvir uma verdade dura do que a mentira agradável.

29 DE ABRIL

A BÍBLIA em UM ANO:
1 Reis 6–7, Lucas 20:27-47

Lixo espacial

Existe um acúmulo de detritos espaciais movendo-se na órbita do nosso planeta por mais de 7 quilômetros por segundo. Esses resíduos, descartados em voos espaciais, representam perigo no ar. A alta velocidade permite que o menor desses objetos tenha o mesmo impacto do disparo de uma bala de revólver. Durante a viagem de um ônibus espacial, um fragmento de tinta fez uma trinca de alguns milímetros em uma das janelas da espaçonave.

> **LEITURA:**
> **2 Samuel 12:1-13**
>
> **...pois aquilo que o homem semear, isso também ceifará.** Gálatas 6:7

Um estudo revelou que há 110 mil objetos maiores do que 1 cm em órbita, cujo peso totaliza quase duas toneladas! Para evitar um desastre, a NASA monitora esses fragmentos.

As escolhas pecaminosas também criam o seu próprio tipo de lixo: consequências inconvenientes. Para Acã, o roubar e o esconder despojos de guerra, custou-lhe a vida (JOSUÉ 7). Depois que o rei Davi cometeu adultério e homicídio, instaurou-se a discórdia em sua família (2 SAMUEL 15-18).

Você tem algum "lixo" em sua vida? As consequências do pecado tendem a acumular-se. Quando confessamos os nossos pecados a Deus, Ele promete nos perdoar e purificar (1 JOÃO 1:9). Quando ferimos os outros, podemos buscar formas de reparar os nossos erros (LUCAS 19:1-8). O Deus da graça nos dará sabedoria ao lidarmos com nossas más decisões do passado e nos ajudará a fazer boas escolhas no futuro. *HDF*

● *Como posso reparar os meus erros?* _____

A lei da semeadura e da colheita jamais foi revogada.

30 DE ABRIL

A BÍBLIA em UM ANO:
1 Reis 8–9, Lucas 21:1-19

Chegando tarde

Eduardo, declarava-se ateu e durante 50 anos de sua vida negou a existência de Deus. Ao contrair uma doença debilitante, sua saúde deteriorou-se. Enquanto estava numa casa de repouso, aguardando a morte, Eduardo recebia a visita de alguns amigos cristãos, de sua época de colégio. Eles sempre lhe falavam sobre o amor de Cristo. Mas quanto mais se aproximava da morte, mais ele parecia não se interessar por Deus.

> LEITURA:
> **Mateus 20:1-16**
>
> **Assim, os últimos serão primeiros, e os primeiros serão últimos...** v.16

Entretanto, num certo domingo, um pastor foi visitá-lo. Para surpresa de todos, Eduardo orou com ele e pediu perdão a Jesus, e foi salvo. Algumas semanas mais tarde, faleceu.

Eduardo negou a Cristo por 50 anos e investiu apenas duas semanas de sua vida amando e confiando no Senhor. Mas por causa de sua fé, ele experimentará para sempre a presença, a glória, o amor, a majestade e a perfeição de Deus. Alguns podem argumentar que isto não é justo. Mas, segundo a parábola no evangelho de Mateus 20, não é uma questão de justiça. Trata-se da bondade e graça de Deus (VV.11-15).

Você esperou tanto tempo assim para confiar em Jesus e receber a salvação? Você considera tarde demais para conhecê-lo agora? Considere o ladrão na cruz, que confiou em Jesus pouco antes de morrer (LUCAS 23:39-43). Confie em Jesus agora, e receba o Seu dom da vida eterna. Hoje, não é tarde demais! JDB

- *Jesus, o que devo fazer para receber o perdão de meus pecados?*

É uma ousadia perigosa dizer "amanhã", quando Deus diz "hoje!"

1.º DE MAIO

A BÍBLIA em UM ANO:
1 Reis 10–11, Lucas 21:20-38

Sabedoria e internet

Brewster Kahle tem uma visão para a internet, ele sonha com o acesso universal a todo conhecimento humano. Como bibliotecário digital, diretor e cofundador do *site archive. org*, Kahle acredita que apenas começamos a tocar no vasto potencial da internet para mudar e melhorar o nosso mundo.

Ele diz: "Meu interesse é construir a grande biblioteca. Agora já é tecnicamente possível que se cumpra o sonho da Biblioteca de Alexandria." Ele se refere à enorme coleção de manuscritos, no antigo Egito, nos quais se dizia conter o conhecimento do mundo inteiro.

> LEITURA:
> **Provérbios 4:5-13**
>
> ...a sabedoria é mais proveitosa do que a estultícia...
> Eclesiastes 2:13

No entanto, o conhecimento não é a mesma coisa que a sabedoria. O rei Salomão foi um homem de vastos conhecimentos (1 REIS 4:29-34). Em seus melhores momentos, usou a capacidade que Deus lhe deu para coletar informações e discernimento sobre as situações da vida. Todavia, nos momentos de descuido, ele mostrou que todos os conhecimentos deste mundo não nos ajudam a encontrar o propósito da vida (ECLESIASTES 1:16-18). Apesar de todo o seu conhecimento, Salomão casou com muitas mulheres e, quando idoso, construiu altares aos deuses delas (1 REIS 11:1-11). Sua insensatez por fim lhe causou a queda.

Sabedoria é a aplicação do conhecimento. Não se torne uma presa da teia do conhecimento sem a verdadeira sabedoria que vem do temor do Senhor (PROVÉRBIOS 1:7; 9:10). 🌿

MRD

● *A quem devo pedir sabedoria?* _____
_____
_____

A sabedoria dá asas ao conhecimento.

2 DE MAIO

A BÍBLIA em UM ANO:
1 Reis 12–13, Lucas 22:1-20

Incentivo à coragem

Quando meu filho José ainda era criança, eu o levei a uma academia para ter aulas de natação. Eu quase vislumbrava uma medalha olímpica de ouro ao redor do pescoço dele. Para minha decepção, José não se entusiasmou com a aula. Em vez disso, olhou de relance para a água, depois para o instrutor e começou a chorar.

E eu pensei: Oh, não, meu filho é um covarde! Para piorar as coisas, o instrutor me deu um sinal para levar José de volta ao vestiário. Em meio aos seus soluços e pedidos para ir para casa, eu procurei animá-lo: "Você vai conseguir, José! Virei com você em todas as aulas, e vamos combinar o seguinte: quando ficar com medo, você olha para mim e, quando eu erguer o polegar você saberá que vai dar certo, porque estou aqui para aplaudir você." Finalmente José concordou, e hoje ele nada muito melhor do que eu.

> LEITURA:
> **Hebreus 12:1-13**
>
> ...olhando firmemente para o Autor e Consumador da fé, Jesus... v.2

Quantas vezes nós também enfrentamos situações que parecem nos esmagar e são quase impossíveis de suportar. São nesses momentos que precisamos encontrar a nossa confiança em Jesus. Nosso primeiro impulso pode ser retroceder, com medo. Mas é exatamente nesse momento que precisamos olhar para Jesus, o "Autor e Consumador da fé" (HEBREUS 12:2), o qual levantará a Sua mão, com as marcas dos pregos, e dirá: "Permaneça firme. Não desista da corrida. Eu a fiz antes de você e, com o Meu poder, você vencerá. Você vai conseguir!"

JMS

● *Já olhei para Jesus hoje?* _____

A vitória de Cristo traz coragem para o presente e esperança para o futuro.

3 DE MAIO

A BÍBLIA em UM ANO:
1 Reis 14–15, Lucas 22:21-46

Audaciosa persistência

Em 1953, uma empresa nova, com uma equipe de três pessoas, propôs-se a criar uma linha de solventes contra a ferrugem e produtos desengraxantes para a indústria aeroespacial. Foram necessárias 40 tentativas para aperfeiçoar a fórmula secreta desse óleo, que é bem conhecido e ainda está em uso. Que história de persistência!

O evangelho de Mateus registra uma outra história de audaciosa persistência. Uma mulher cananeia tinha uma filha possessa por um demônio. Não havia esperança para essa filha — até que a mãe dela soube que Jesus estava na região.

> **LEITURA:**
> **Mateus 15:21-28**
> ...grande é a tua fé! Faça-se contigo como queres... v.28

Essa mãe desesperada veio a Jesus com sua necessidade, porque cria que Ele poderia ajudá-la. Ela rogou por Sua ajuda, mesmo que tudo e todos parecessem estar contra ela — raça, religião, gênero, os discípulos, Satanás e, aparentemente, até mesmo Jesus (MATEUS 15:22-27). Apesar de todos esses obstáculos, ela não desistiu. Com audaciosa persistência, ela abriu caminho pelos corredores escuros da dificuldade, da necessidade desesperadora e da rejeição. Qual foi o resultado? Jesus a elogiou por sua fé e curou a sua filha (v.28).

Nós também somos convidados a nos aproximar de Jesus com audaciosa persistência. Se continuarmos pedindo e buscando, encontraremos graça e misericórdia no tempo de necessidade. 🌾

MLW

● *A minha persistência é digna de elogios?*

A persistência na oração agrada a Deus.

4 DE MAIO

A BÍBLIA em UM ANO:
1 Reis 16–18, Lucas 22:47-71

Todas as coisas contribuem...

Quando criança, a história de José do Egito era uma de minhas favoritas. Este permanece como um dos relatos mais queridos por muitas pessoas e é uma das melhores ilustrações do real significado de Romanos 8:28.

Com a vida de José aprendemos que nem todas as coisas que nos acontecem são boas em si. A vida inclui dores e sofrimentos. A Bíblia não ensina que nos tornamos invulneráveis diante das dificuldades. José foi odiado por seus irmãos, quase morto por eles, que o venderam como escravo, depois preso injustamente e esquecido na prisão por alguém a quem ajudara. Jesus nos advertiu que muitas aflições adviriam, e mais ainda depois da decisão de segui-lo.

> **LEITURA:**
> **Gênesis 45:1-8; 50:20**
>
> E sabemos que todas as coisas contribuem juntamente para o bem daqueles que amam a Deus...
> Romanos 8:28 ARC

O propósito de Deus se mantém acima de todas as coisas. Os irmãos de José planejaram o mal, mas o Senhor planejou o bem, e este prevaleceu. À exceção de nossa própria desobediência, nada pode impedir os planos de Deus para nossa vida.

Por último, com a vida de José aprendemos que o conjunto da obra é que revela o sentido geral. Entendemos que há coisas que, isoladamente, são negativas, mas que no conjunto elas têm significado. As peças colocadas lado a lado é que formam o quadro.

"Todas as coisas contribuem juntamente para o bem daqueles que amam a Deus". Por isso, podemos viver com esperança e segurança. Por mais difíceis que sejam as dores. 🌱   *NSL*

● *Pai, ajuda-me a confiar na Tua vontade perfeita para mim. Mesmo em meio às dores.*

É a percepção da presença de Deus conosco que nos dá o ânimo que não temos.

5 DE MAIO

A BÍBLIA em UM ANO:
1 Reis 19–20, Lucas 23:1-25

Busca de talentos

O **show de televisão** "Ídolos" tornou-se fenômeno em todo o mundo. Milhões de pessoas esperavam ansiosamente para ver quem seria o próximo cantor eliminado na busca por talentos musicais.

Quando estreou, alguns chamavam o programa de "um novo conceito de entretenimento", mas não se trata de uma ideia nova. Lembro-me de um programa de calouros que eu assistia quando menino. Depois veio o "Show do Gongo", nos anos 70, e *Star Search* (Busca por estrelas) nos anos 80. Na televisão, existe uma busca contínua por pessoas desconhecidas que possam se destacar e se tornar famosas.

> **LEITURA:**
> **Isaías 6:1-8**
>
> ...ouvi a voz do SENHOR, que dizia: A quem enviarei, e quem há de ir por nós? v.8

No entanto, os sonhos de fama e fortuna não estão incluídos na busca do que realmente dura para sempre. Deus busca corações que estejam disponíveis para fazer a Sua obra no mundo. No livro de Isaías, o Senhor pergunta: "...A quem enviarei, e quem há de ir por nós?...". E então lemos a resposta imediata de Isaías: "...eis-me aqui, envia-me a mim" (6:8).

Deus não está buscando os mais qualificados ou talentosos, mas está à procura de corações que se rendam a Ele. O Senhor está buscando aqueles que se colocam à disposição, dependentes e dispostos a ser usados. Na vida dessas pessoas, Deus vai mostrar-se forte e será glorificado. Você está disponível? 🌎 WEC

● *Estou disponível para Deus?*

A sua vida é um presente de Deus a você — torne-a um presente para Deus.

Fonte de alegria

Paul Gerhardt, um pastor na Alemanha do século 17, tinha todas as razões para estar descontente. A sua esposa e seus quatro filhos tinham morrido; a Guerra dos Trinta Anos havia deixado morte e devastação por toda a Alemanha. Os conflitos das igrejas e a interferências políticas tinham enchido a sua vida de sofrimento. Mas, apesar da grande angústia pessoal, ele escreveu mais de 130 hinos, muitos deles caracterizados por alegria e devoção a Jesus Cristo.

> LEITURA:
> **2 Coríntios 6:3-10**
>
> ...entristecidos, mas sempre alegres; pobres, mas enriquecendo a muitos; nada tendo, mas possuindo tudo.
> v.10

Existe alguma situação na qual não possamos experimentar a alegria que Deus nos dá, sendo que o Seu amor superabundante foi derramado em nossos corações pelo Espírito Santo? (ROMANOS 5:5).

Durante um tempo de grande sofrimento pessoal, o apóstolo Paulo descreveu a sua experiência como estando "...entristecidos, mas sempre alegres; pobres, mas enriquecendo a muitos; nada tendo, mas possuindo tudo" (2 CORÍNTIOS 6:10). Dor e tristeza são fatos inevitáveis da vida, mas o Espírito Santo é a nossa fonte de contentamento.

DCM

- *O Espírito Santo é a Fonte de contentamento em minha caminhada?*

A felicidade depende dos acontecimentos — mas a alegria depende de Jesus.

7 DE MAIO

A BÍBLIA em UM ANO:
2 Reis 1-3, Lucas 24:1-35

Oração MEFE

Uma amiga enviou-me um *email* que terminava com uma lista de pedidos de oração. Ela disse: "Estou mentalmente preocupada. Ore para que eu tenha paz. Espiritualmente, estou confusa, por isso ore para que eu tenha discernimento. Fisicamente, estou cansada, então ore para que eu tenha descanso. Emocionalmente, estou muito fraca. Ore por renovação de minhas forças.

Quando vi minha amiga, mais tarde, disse-lhe: "Fiz a oração MEFE por você". Ela me olhou confusa, e então lhe contei que estava orando pelo bem-estar dela: mental, espiritual, físico e emocional. As Escrituras ilustram o cuidado de Deus em cada uma dessas áreas.

Mental: Deus promete percepção e sabedoria para aqueles que clamam a Ele (PROVÉRBIOS 2:3-6; TIAGO 1:5-7). Por meio da oração e da leitura da Palavra, podemos encontrar a paz divina.

> LEITURA:
> **Efésios 3:14-21**
>
> ...me ponho de joelhos diante do Pai [...] para que [...] vos conceda que sejais fortalecidos com poder, mediante o seu Espírito... vv.14,16

Espiritual: Jesus orou pelos Seus discípulos: "Santifica-os na verdade..." (JOÃO 17:17). A verdade leva ao discernimento espiritual, eliminando a confusão.

Física: Pedro tinha uma necessidade física — ser liberto da prisão. Seus amigos oraram — e ele saiu (ATOS 12:1-11). No cuidado de Deus, encontramos a segurança e o descanso (SALMO 16:9).

Emocional: Os salmistas pediam muitas vezes a Deus por alívio da aflição (4:1; 18:6; 107:6,7). Deus nos concede a esperança.

Você está enfrentando lutas? Peça a Deus por assistência mental, espiritual, física e emocional. 🌿

JDB

● *Aceito a ajuda de Deus?*

Transforme as suas preocupações em orações.

8 DE MAIO

A BÍBLIA em UM ANO:
2 Reis 4–6, Lucas 24:36-53

Aventura

Quando tinha aproximadamente 7 anos, eu estava no carro com minha mãe e duas irmãs, quando ela parou o veículo no acostamento para estudar um mapa. Eu estava preocupada e perguntei: "Mamãe, nós estamos perdidas?"

Ela respondeu alegremente, dobrando rapidamente o mapa: "Não, nós estamos numa aventura." Minhas irmãs e eu trocamos olhares duvidosos, quando uma delas sussurrou: "Nós estamos perdidas."

> LEITURA:
> **Ester 4:13-17**
>
> ...e quem sabe se para conjuntura como esta é que foste elevada a rainha? v.14

As aventuras podem ser divertidas — e assustadoras. Geralmente envolvem um pouco do desconhecido. Ao caminharmos em comunhão com Deus, é provável que experimentemos muitas aventuras inusitadas, e oportunidades para servi-lo. Se formos relutantes ou ficarmos com medo, não aproveitaremos as oportunidades, mas as perderemos. Será que Deus ainda realizará o trabalho? É claro. Mas outra pessoa receberá a bênção.

No livro de Ester, capítulo 4, Mordecai encorajou a jovem rainha Ester a ajudar na salvação do povo judeu. Ele advertiu: "Porque, se de todo te calares agora, de outra parte se levantará para os judeus socorro e livramento, mas tu e a casa de teu pai perecereis; e quem sabe se para conjuntura como esta é que foste elevada a rainha?" (v.14).

Ester naturalmente ficou com medo de assumir aquela tarefa. Mas Deus usou sua coragem e fé para libertar o povo. Confie em Deus para que Ele lhe mostre o caminho. Há aventuras à frente!

CHK

● *A minha fé e coragem são úteis para Deus?*

A coragem é o medo que você já venceu por suas orações.

9 DE MAIO

A BÍBLIA em UM ANO:
2 Reis 7–9, João 1:1-28

Verdade sobre o pecado

Os **escritores enfrentam o desafio** de serem honestos quanto ao mal, e quando escrevo, gostaria que as pessoas boas sempre fossem corretas. Mas até as melhores pessoas têm falhas. Para terem credibilidade, os escritores devem ser honestos sobre o mal que atinge as pessoas que são boas.

Uma das razões pelas quais creio que a Bíblia seja verdadeira é o fato de os autores de seus livros não terem encoberto as falhas de povo escolhido de Deus. O Senhor foi honesto em relação aos fracassos dos que escolheu "a dedo" para posições de liderança. Deus não desculpou os seus maus comportamentos, não minimizou suas falhas ou olhou para o outro lado. Ele os registrou, julgou, mostrou-lhes as consequências e os perdoou.

> **LEITURA:**
> **1 Reis 15:1-5,11**
>
> ...Davi fez o que era reto perante o SENHOR... v.5

O exemplo mais proeminente nas Escrituras é o do rei Davi. Ele não somente tomou a mulher de outro homem, mas também tirou a vida dele para encobrir seu adultério. Mas, apesar de seus atos desprezíveis, ao ser confrontado, Davi se arrependeu. Ele se tornou o padrão pelo qual os futuros reis de Israel seriam julgados, porque o seu coração era consagrado ao Senhor (1 REIS 15:3,11).

Deus conhece o coração de cada um e não faz acepção de pessoas. Embora a verdade sobre o pecado seja dolorosa, quando confessado e perdoado, o pecado pode ser usado para voltar nossos corações para Deus. 🌿

JAL

● *O meu coração está consagrado ao Senhor?*

Você não pode livrar-se dos seus pecados se não estiver disposto a enfrentá-los.

Apenas para aparecer

Cada vez mais os livros antigos são adquiridos por suas capas de couro e não pelo conteúdo. Os *designers* de interior os compram para criar uma atmosfera antiga e acolhedora nos lares de clientes ricos. Para eles, é importante que os livros combinem com a decoração do ambiente. Um rico homem de negócios comprou 13 mil livros antigos que nunca lerá, apenas para dar um novo "ar de biblioteca" na casa que reformou. Aqueles livros são apenas para serem exibidos.

> LEITURA:
> **Mateus 23:1-12**
>
> Praticam, porém, todas as suas obras com o fim de serem vistos dos homens. v.5

Concentrar-se nas aparências pode ser uma forma agradável de decorar uma casa, mas é uma maneira perigosa de viver. Jesus, em Seus dias, censurou muitos líderes religiosos por não praticarem o que pregavam. Eram viciados em receber elogios e em se sentirem importantes. Em vez de apresentar o reino dos céus para as pessoas, faziam o contrário. Jesus falou a respeito deles: "Praticam, porém, todas as suas obras com o fim de serem vistos dos homens…" (MATEUS 23:5).

O Senhor nos chama para sermos pessoas de conteúdo interior e não apenas de aparência exterior. Devemos demonstrar a presença de Deus em nós, por meio da humildade. "Mas o maior dentre vós será vosso servo" (v.11).

Ao vivermos para Jesus, o nosso conteúdo interior é muito mais importante do que a aparência externa. Estamos aqui para mais do que apenas sermos vistos. 🌿

DCM

● A beleza de Cristo pode ser vista em mim? _____

___

Se Deus controlar o seu interior, você será genuíno em sua aparência exterior.

11 DE MAIO

A BÍBLIA em UM ANO:
2 Reis 13–14, João 2

Desalojado

Davi fugiu de Jerusalém, expulso por seu filho Absalão, que havia reunido um exército de seguidores. Enquanto escapava, Davi instruiu a Zadoque, seu sacerdote, a levar a arca de Deus de volta para Jerusalém e lá conduzir o povo em adoração. O rei disse a Zadoque: "...Torna a levar a arca de Deus à cidade. Se achar eu graça aos olhos do Senhor, ele me fará voltar para lá e me deixará ver assim a arca como a sua habitação. Se ele, porém, disser: Não tenho prazer em ti, eis-me aqui; faça de mim como melhor lhe parecer" (2 SAMUEL 15:25,26).

> LEITURA:
> **2 Samuel 15:13-26**
>
> **...Deus é a fortaleza do meu coração e a minha herança para sempre.** Salmo 73:26

Quem sabe, você também tenha perdido o poder da autodeterminação. Alguém assumiu o controle sobre a sua vida, ou lhe parece que isso aconteceu?

Talvez você tema que as circunstâncias e os caprichos humanos destruam os seus planos. Mas nada pode impedir a intenção amorosa de Deus. Tertuliano (150–220 D.C.) escreveu: "[Não lamente] algo que lhe foi tirado [...] pelo Senhor Deus [...] pois sem Ele não cairá uma única folha de árvore, nem um pardal no valor de um centavo por terra."

Nosso Pai celestial sabe como cuidar de Seus filhos e permitirá acontecer somente o que julgar ser o melhor. Podemos descansar em Sua infinita sabedoria e bondade. Desta forma, podemos falar as mesmas palavras de Davi: "...eis-me aqui; faça de mim como melhor lhe parecer". 🌾

DHR

● *Permito que Deus faça comigo o que melhor lhe parecer?*

Podemos deixar nossas preocupações com Deus, porque Ele se preocupa conosco.

A BÍBLIA em UM ANO:
2 Reis 15–16, João 3:1-18

Sem pânico

Fiz uma viagem de navio, em que tínhamos estudos bíblicos, e foi-nos dado instruções de segurança. As precauções eram vitais, caso o navio tivesse que ser evacuado.

As instruções dos tripulantes do navio foram concluídas com uma simples, mas significativa explanação. Haveria uma combinação específica de toques de buzinas para avisar sobre a realização de um treinamento, que seria muito diferente do sinal para indicar uma verdadeira emergência. Fazer a distinção entre os sinais, seria extremamente necessário. O treinamento não exigia que abandonássemos o navio. Se os passageiros entrassem em pânico durante o exercício de treinamento, poderia haver um caos.

> **LEITURA:**
> **1 Pedro 4:12-19**
> ...não estranheis o fogo ardente que surge no meio de vós, destinado a provar-vos... v.12

Quando não compreendemos as circunstâncias que nos cercam é fácil sermos abalados pelos alarmes da vida. A geração de Pedro experimentou o mesmo, e ele os admoestou: "Amados, não estranheis o fogo ardente que surge no meio de vós, destinado a provar-vos" (1 PEDRO 4:12).

As provações e pesares da vida podem soar como um alarme de incêndio — para sairmos correndo ou reagirmos de maneira desalentadora e destrutiva. Mas faríamos bem em ouvir o Senhor mais de perto. A provação pode ser apenas um lembrete de que devemos confiar em Deus, e não em pessoas. Podemos confiar no Senhor nos momentos em que os alarmes começam a soar.

WEC

● *As minhas provações me aproximam de Cristo?*

Os desafios da vida foram planejados para que nos voltemos a Deus.

13 DE MAIO

A BÍBLIA em UM ANO:
2 Reis 17–18, João 3:19-36

Picada do escorpião

Nas *Fábulas de Esopo* consta a antiga história de um menino que caçava gafanhotos. O rapaz já havia caçado alguns, quando viu um escorpião. Achando que era mais um gafanhoto, esticou sua mão para alcançá-lo. O escorpião mostrou seu ferrão e disse: "Se você tivesse encostado em mim, meu amigo, você teria me perdido, e também todos os seus gafanhotos!"

Há algumas coisas que você não pode abraçar sem perder o que já tem. O rei Salomão usou uma figura de linguagem, do fogo em lugar do escorpião, ao advertir seu filho dos perigos do pecado sexual (PROVÉRBIOS 6:27-29). Como um pai sábio, ele queria que seu filho soubesse que, neste mundo maravilhoso e perigoso não existem somente flores e cantos de pássaros; há também escorpiões e fogo.

> LEITURA:
> **Provérbios 6:20-35**
>
> **Tomará alguém fogo no seio, sem que as suas vestes se incendeiem?** v.27

As admoestações de Salomão em seus provérbios não se limitavam apenas à imoralidade sexual. Com outras passagens da Bíblia, tais discernimentos nos ajudam a compreender a sabedoria do Deus eterno, que nos ama muito mais do que as nossas próprias mães e pais. A Sua palavra também nos indica aquele que pode nos ajudar, mesmo se "tocarmos num escorpião" ou "acendermos fogo em nosso colo".

A vida nos oferece escolhas. Cristo nos oferece graciosamente o perdão pelo que já passou, e sabedoria para o que ainda está adiante de nós.

MRD

● *Jesus, as minhas escolhas elevam o Seu nome?*

Aprendemos melhor as lições da vida quando permitimos que Cristo seja o nosso Mestre.

14 DE MAIO

A BÍBLIA em UM ANO:
2 Reis 19–21, 4:1-30

Mães tementes a Deus

Muitos foram ricamente abençoados com o que aprenderam com suas mães, inclusive, John e Charles Wesley. Seus nomes provavelmente nunca teriam iluminado as páginas da história se não fosse pela mãe deles. Ela era temente a Deus, e lhes ensinou que a lei do amor e do testemunho cristão deveria guiá-los.

> LEITURA:
> **Pv. 31:10,25-31**
> **Levantam-se seus filhos e lhe chamam ditosa; seu marido a louva...** v.28

Susana Wesley investia uma hora, todos os dias, em oração pelos seus 17 filhos. Além disso, chamava cada um deles à parte, por aproximadamente uma hora em cada semana, para compartilhar questões espirituais com eles. Não é de admirar que John e Charles foram usados por Deus para trazer bênçãos ao mundo inteiro.

Eis algumas normas que ela seguiu ao treinar seus filhos: domine a vontade própria da criança com a ajuda de Deus. Ensine-a a orar logo que aprender a falar. Não lhe dê nada pelo qual grita e chora. Dê-lhe somente o que é bom, se ela pedir de forma educada. Para evitar a mentira, não castigue nenhuma falta que a criança confessar espontaneamente. Jamais permita que um ato pecaminoso de rebeldia fique impune. Elogie e recompense o bom comportamento. Cumpra rigorosamente todas as promessas que você fizer ao seu filho ou filha.

Hoje, vamos honrar nossas mães tementes a Deus, com palavras de louvor e com vidas que reflitam o impacto de sua santa influência.

HGB

- *Os outros podem observar que sou temente a Deus?*

As virtudes das mães se refletem em seus filhos. —DICKENS

15 DE MAIO

A BÍBLIA em UM ANO:
2 Reis 22–23, João 4:31-54

Dança das abelhas

Como as abelhas chegam ao néctar? Os cientistas dizem que tudo é questão da dança da "sacudida". A teoria foi considerada com ceticismo quando apresentada pela primeira vez, por meio do zoólogo e ganhador do Prêmio Nobel, Karl von Frisch, nos anos de 1960. Mas agora, os pesquisadores britânicos usaram pequeninos refletores de radar, colados nas abelhas operárias, para confirmar a teoria de Frisch. Eles confirmaram que a abelha orienta o seu corpo na direção da fonte de comida e usa a intensidade da sua dança para sinalizar a distância às outras abelhas.

> **LEITURA:**
> **João 4:27-36**
> Vinde comigo e vede um homem que me disse tudo quanto tenho feito... v. 29

A mulher que encontrou Jesus no poço de Jacó também descobriu uma maneira de guiar o restante de sua comunidade para aquilo que ela tinha encontrado — a água viva (JOÃO 4:10). As pessoas foram atraídas a também descobrirem essa fonte porque aquela mulher, com cinco ex-maridos e um atual, estava dizendo: "Vinde comigo e vede um homem que me disse tudo quanto tenho feito..." (v.29).

Quando a multidão se aproximava, aquele que em outras ocasiões chamou a si mesmo de "o pão da vida" (6:48) estava dizendo aos Seus discípulos que a Sua comida era fazer a vontade de Deus (4:32,34).

Jesus é a água viva e o alimento para a nossa alma. Unir-se a Ele para fazer a vontade de Deus e terminar a Sua obra é a melhor fonte de nutrição.

MRD

● *Permito que Jesus seja o meu sustento?*

Se você já encontrou o alimento para a sua alma, conduza outros a mesma Fonte.

16 DE MAIO

A BÍBLIA em UM ANO:
2 Reis 24–25, João 5:1-24

Pelas crianças

Enquanto deixavam para trás um orfanato na Jamaica, muitos adolescentes choravam. Depois daquela breve visita, uma jovem nos disse: "Isso não é justo. Temos tanto e eles nada." Nas duas horas que estivemos lá, distribuindo brinquedos e brincando com as crianças, ela havia segurado em seus braços uma menininha triste que nunca sorria. Soubemos que antes de ter sido resgatada, ela tinha sofrido maus-tratos de seus pais.

> LEITURA:
> Sl 68:5; Mc 10:13-16
>
> **Deixai vir a mim os pequeninos, [...] porque dos tais é o reino de Deus.**
> Marcos 10:14

Agora multiplique a situação dolorosa daquela menina por milhões, e será fácil sentir-se consternado. Meus amigos adolescentes estavam certos. Não é justo. O abuso, a pobreza e a negligência transformaram a vida de milhões de crianças num pesadelo.

Como isso deve entristecer o coração de Deus! Jesus, disse "...Deixai vir a mim os pequeninos, não os embaraceis..." (MARCOS 10:14), e certamente Ele está entristecido pela maneira como muitas crianças são tratadas.

O que podemos fazer? Em nome de Jesus, podemos apoiar financeiramente os bons orfanatos. Quando possível, podemos ajudar pessoalmente. Se nos sentirmos guiados por Deus, poderemos procurar novos lares para essas preciosas crianças. E podemos orar — suplicando a Deus que ajude os que sofrem tantas injustiças.

Vamos mostrar às crianças o amor de Deus por meio de nossos corações e com nossas mãos.

JDB

- *O que eu posso fazer?*

Compartilhe, hoje, o amor de Jesus com uma criança.

17 DE MAIO

A BÍBLIA em UM ANO:
1 Crônicas 1–3, João 5:25-47

Confiança equivocada

Um **bem-sucedido homem de negócios** afirmou: "Quase toda religião fala da vinda de um salvador. Quando você olha no espelho pela manhã, você está olhando para o seu salvador. Ninguém vai salvá-lo, a não ser você mesmo."

Como cristãos, nós não concordamos com essa afirmação, porque contradiz diretamente o evangelho. A Bíblia ensina exatamente o oposto. O apóstolo Pedro referindo-se a Jesus, falou: "E não há salvação em nenhum outro; porque abaixo do céu não existe nenhum outro nome, dado entre os homens, pelo qual importa que sejamos salvos" (ATOS 4:12).

> LEITURA:
> **Romanos 4:4-8**
>
> ...fostes resgatados [...] pelo precioso sangue, [...] o **sangue de Cristo.**
> 1 Pedro 1:18,19

Na carta aos Romanos 4, temos o ensinamento claro de que é pela fé, e não ações, que podemos estabelecer um relacionamento com Deus: "Mas, ao que não trabalha, porém crê naquele que justifica o ímpio, a sua fé lhe é atribuída como justiça" (v.5). "Concluímos, pois, que o homem é justificado pela fé, independentemente das obras da lei (3:28)." De nenhuma forma podemos assegurar — seja com dinheiro ou com boas obras — a aceitação de nossos seres pecaminosos diante de Deus.

Não podemos nos salvar a nós mesmos. Podemos ser salvos somente pelo Filho de Deus, Jesus, que viveu uma vida sem pecado, morreu como sacrifício perfeito pelos nossos pecados e ressuscitou dos mortos. 🌺

VCG

● *Jesus, o que seria de mim se eu não o conhecesse?*

Jesus deu-se a si mesmo para nos conceder a salvação.

18 DE MAIO

A BÍBLIA em UM ANO:
1 Crônicas 4–6, João 6:1-21

Resposta certa

Quando Jesus fazia uma pergunta, não era porque Ele não sabia a resposta. Pode ter certeza de que Ele queria esclarecer algo.

Jesus e Seus discípulos estavam em Cesareia de Filipe, longe de sua terra. Era um lugar de idolatria e opressão, um lugar ameaçador; política e espiritualmente. Naquele ambiente, Jesus apresentou duas perguntas importantes para a compreensão de Sua identidade. Ele não estava interessado em Seu índice de popularidade, mas queria que os Seus seguidores soubessem quem era aquele que estavam seguindo.

> LEITURA:
> **Mateus; 16:13-17**
> ...Tu és o Cristo, o Filho do Deus vivo. v.16

Hoje, a nossa cultura é tão hostil e contrária a Jesus como na época em que Ele perguntou pela primeira vez: "...Quem diz o povo ser o Filho do Homem?" (MATEUS 16:13). Como nos dias de Jesus, as pessoas dão uma longa lista de ideias inadequadas e incorretas sobre o nosso Salvador, que se estendem de: "apenas um bom mestre" até a "um separatista" e "intolerante".

A verdadeira pergunta foi e continua sendo: "Mas vós [...] quem dizeis que eu sou?" (16:15). Pedro declarou corajosamente: "Tu és o Cristo, o Filho do Deus vivo" (v.16). Jesus disse que a confissão correta de Pedro foi uma percepção dada por Deus e que Pedro era bem-aventurado por causa de sua declaração (v.17).

Como Pedro, confesse que Jesus é o seu Salvador. Você receberá encorajamento e será abençoado. *JMS*

● *Sou menos hostil do que as pessoas daquela época?*

Todo aquele que crê que Jesus é o Cristo é nascido de Deus... —1 JOÃO 5:1

19 DE MAIO

A BÍBLIA em UM ANO:
1 Crônicas 7–9, João 6:22-44

Dê graças!

O **Salmo 92** é um cântico "para o dia de sábado", um lugar de descanso para aqueles que estão atribulados.

O cântico começa com uma declaração de louvor: "Bom é render graças ao S<small>ENHOR</small>...". É bom deixar os nossos pensamentos de preocupação e ansiedade e "anunciar de manhã a [Sua] misericórdia e, durante as noites, a [Sua] fidelidade" (v.2). Deus nos ama e é sempre fiel! Ele nos alegra (v.4).

> LEITURA:
> **Salmo 92**
>
> **Bom é render graças ao S<small>ENHOR</small> e cantar louvores ao teu nome, ó Altíssimo.** v.1

O louvor não nos deixa apenas contentes, mas também nos torna sábios. Começamos a entender algo da grandeza de Deus e de Seu plano criativo em tudo o que Ele faz (vv.5-9). Obtemos a sabedoria que está oculta àqueles que não conhecem a Deus. Os ímpios podem "florescer" e "brotar como a erva" por um momento (v.7), mas no final eles serão destruídos.

Todavia, o justo se une ao que é "exaltado para sempre". Os justos florescerão "como a palmeira" e como o "cedro do Líbano" (v.12), símbolos de beleza graciosa e de forças poderosas. Pois eles foram "plantados na Casa do S<small>ENHOR</small>" (v.13). Suas raízes chegam ao solo da fidelidade divina; eles são sustentados pelo amor inextinguível de Deus.

Dê graças e louvor ao Senhor hoje!

DHR

- *A alegria do Senhor é a minha força?*

Um coração afinado com Deus canta louvores ao Seu nome.

20 DE MAIO

A BÍBLIA em UM ANO:
1 Crônicas 10–12, João 6:45-71

Ele deseja mais

magine esta situação: Você sempre senta-se na fileira de bancos da igreja em frente ao Samuel. Ao entrar, sorri e o cumprimenta com um "Bom dia". Ao sair sempre lhe diz: "Vemo-nos no próximo domingo." Mas certo domingo, você alonga a pequena conversa e lhe pergunta: "Samuel, você poderia me dar duzentos reais?"

Infelizmente, algumas pessoas tratam o Senhor dessa maneira, e relacionam-se com Deus apenas no domingo, até o momento em que precisem de algo. Mas Deus quer muito mais.

Cristo quer que o conheçamos como nosso Salvador. "E a vida eterna é esta: que te conheçam a ti, o único Deus verdadeiro, e a Jesus Cristo, a quem enviaste" (JOÃO 17:3).

> **LEITURA:**
> **João 17:1-8**
> E a vida eterna é esta: que te conheçam a ti, o único Deus verdadeiro, e a Jesus Cristo, a quem enviaste. v.3

Após nos tornarmos Seus filhos (1:12), Deus deseja um diálogo contínuo conosco e um crescente conhecimento de quem Ele é e do que podemos ser com a Sua ajuda. Ele não quer ser apenas um conhecido "aos domingos" ou alguém a quem clamamos somente em desespero. Deus quer que tenhamos um relacionamento pessoal com Ele, e que cresçamos no desejo de agradá-lo, obedecendo-o. "Ora, sabemos que o temos conhecido por isto: se guardamos os seus mandamentos" (1 JOÃO 2:3).

Deus o ama e quer que você o conheça. Ele responde as suas orações em desespero. Mas antes de começar a pedir, assegure-se de que você o conhece pessoalmente. ❦

CHK

● *Senhor, antes, eu apenas o conhecia, mas agora* _____

**Saber a respeito de Deus pode nos interessar,
conhecê-lo nos transformará.**

21 DE MAIO

A BÍBLIA em UM ANO:
1 Crônicas 13–15, João 7:1-27

Com propósito

O livro *Uma vida com propósitos* (Ed. Vida, 2003) de Rick Warren teve um incrível sucesso. Lembra-nos de que todos, os cristãos e não-cristãos, têm um profundo anseio pelo claro sentimento de propósito na vida. Queremos nos envolver com algo que valha a pena. Sem um sentimento forte de chamado ou propósito, a vida nada mais é do que apenas rotina.

Sermos seguidores de Jesus nos dá uma vantagem distinta quando se trata de termos um propósito. *O Catecismo Maior de Westminster* (texto clássico da Reforma) resume isso ao afirmar que: a "finalidade principal do homem" é "glorificar a Deus e desfrutar dele para sempre".

LEITURA:
2 Coríntios 3:11-18

...somos transformados, de glória em glória, na sua própria imagem, como pelo Senhor, o Espírito. v.18

Glorificar a Deus significa colocar o caráter, vontade e maneira divina de ser em ação em tudo o que fizermos. O apóstolo Paulo lembra-nos de que: "...somos transformados, de glória em glória, na sua própria imagem, como pelo Senhor, o Espírito" (2 CORÍNTIOS 3:18). O propósito de nossas vidas é deixar que outros vejam como Deus é, ao observarem e experimentarem o Seu amor por meio do nosso testemunho.

Que grande privilégio é refletir o amor de Deus, Sua misericórdia, graça e justiça a um mundo cujo coração está "encoberto" para a verdade divina! (4:3,4). Nosso propósito é mostrar aos outros, menos de nós e mais de Deus. Isso significa viver intencionalmente com propósitos!

JMS

● Senhor, que os Seus propósitos se cumpram em

O propósito do cristão é promover o plano de Deus.

22 DE MAIO

A BÍBLIA em **UM ANO:**
1 Crônicas 16–18, João 7:28-53

Urso medroso

Um gato marrom e branco, de uns seis quilos, levou a sério sua tarefa de cuidar do quintal de seus donos. Muitas vezes ele assustava pequenos animais intrusos, mas os donos ficaram surpresos quando certo dia o encontraram sentado debaixo de uma árvore grande, olhando para cima, para um enorme urso preto.

O gato ronronou para o urso quando este entrou no quintal, vindo de uma floresta vizinha. O urso assustado subiu rapidamente na árvore. Como pode um urso preto enorme ter medo de um gatinho? Que absurdo!

LEITURA:
Mateus 6:25-34

...não andeis ansiosos... v.25

Mais absurdos ainda são os nossos pensamentos de preocupação e medo, se considerarmos que temos um Deus poderoso e bom que cuida de nós. Jesus disse aos Seus discípulos: "...não andeis ansiosos..." (MATEUS 6:25,31,34). Ele disse que não precisamos ter medo ou nos preocuparmos, porque o nosso Pai celestial conhece as nossas necessidades e temos grande valor para Ele (vv.26,32). O Senhor está totalmente pronto e é capaz de suprir as nossas necessidades.

Quando algo nos preocupa, qual é a nossa perspectiva? Não é o que vemos, mas como o vemos, que revela a nossa atitude. Se olharmos para a vida pelas lentes de nosso Deus, poderoso e bom, confiaremos nele em vez de nos preocuparmos e termos medo. Quando nossa perspectiva está correta, podemos enxergar Deus e Sua fiel provisão.

AMC

● *Senhor, quero hoje lhe agradecer por* _____

A preocupação é um fardo que Deus não quer que carreguemos.

23 DE MAIO

A BÍBLIA em UM ANO:
1 Crônicas 19–21, João 8:1-27

Mãos vazias

Quando as primeiras espigas verdes de cevada se formavam na primavera, em Israel, os trabalhadores amarravam uma fita em cada haste que florescia, para separá-las das não maduras. Quando a haste estava madura, era colhida e levada ao templo, em Jerusalém. Deus havia ordenado que ao virem para a festa não deveriam apresentar-se de mãos vazias (DEUTERONÔMIO 16:16).

> LEITURA:
> **Levítico 23:16-22**
>
> **...porém não aparecerá de mãos vazias perante o SENHOR.**
> Deuteronômio. 16:16

Nessa época, os judeus comemoram o Dia das Primícias. E, embora a maioria dos cristãos não se lembre deste feriado judaico, ele é bom para nos perguntarmos: "O que tenho para dar ao Senhor?" Afligimo-nos ao pensar no que devemos fazer para agradar ao Senhor, e não nos apresentarmos de mãos vazias. Estamos tão ocupados fazendo coisas para agradar o Senhor que nos esquecemos de descansar no que Cristo já realizou por nós.

Paulo se refere ao Messias ressuscitado como "as primícias" (1 CORÍNTIOS 15:20). Isto significa que Jesus foi adiante de nós e está na presença de Deus, para satisfazer a oferta que é exigida de nós.

Os cristãos também são chamados de primícias: "Pois, segundo o seu querer, ele nos gerou pela palavra da verdade, para que fôssemos como que primícias das suas criaturas" (TIAGO 1:18).

Como Jesus é a nossa "primícia", temos um valor infinito e nunca nos apresentaremos diante dele de mãos vazias. ❧ KMW

● *Jesus, o que queres que eu faça?*

Quando você se entrega a Deus, todas as suas outras doações se tornam algo natural.

24 DE MAIO

A BÍBLIA em UM ANO:
1 Crônicas 22–24, João 8:28-59

Olhe para frente

Durante o período em que o **General Colin Powell** foi Secretário de Estado dos EUA, descobriu-se que um discurso que ele havia feito nas Nações Unidas baseava-se, parcialmente, em informações incorretas. Em sua carreira, esse foi um de seus pontos fracos. Powell declarou: "Estou decepcionado. Sinto muito que isso tenha acontecido e desejaria que os que, naquela época, sabiam mais do que eu, tivessem dito algo naquela ocasião, mas não há mais nada que eu possa dizer ou fazer sobre isso."

> LEITURA:
> **Provérbios 24:13-20**
> **Porque sete vezes cairá o justo e se levantará...** v.16

Em vez de aprisionar-se no passado, Powell diz que escolheu "concentrar-se no para-brisas da frente, e não no espelho retrovisor" da vida.

Todos nós temos algo em nosso passado de que nos arrependemos. Pode ter sido um erro honesto, um fracasso moral ou uma decisão insensata. Desejamos que nunca tivesse acontecido, mas isso permanece em nossas mentes e, às vezes, nos puxa para baixo.

Lemos em Provérbios 24:13,14: "...o favo, [...] é doce ao teu paladar. Então, sabe que assim é a sabedoria para a tua alma; se a achares, haverá bom futuro, e não será frustrada a tua esperança".

Embora o passado continue a fazer parte de nossa vida, ele não precisa determinar o nosso futuro. Com a sabedoria de Deus e o perdão que Ele oferece (SALMO 130:3,4; ATOS 13:38,39), podemos olhar o futuro com esperança.

DCM

● *O Senhor Deus é a minha única esperança de* _____

___

É melhor olhar para frente e estar preparado do que olhar para trás e desesperar-se.

25 DE MAIO

A BÍBLIA em UM ANO:
1 Crônicas 25–27, João 9:1-23

O cão-guia

Stephen Kuusisto cresceu com o estigma de ser oficialmente cego. Para ele, a visão consistia num caleidoscópio de formas, cores e sombras. Quando estava sozinho, ele colocava o rosto bem próximo das páginas de um catálogo de endereços e decorava nomes de ruas, tentando dar a impressão de que podia enxergar melhor do que era capaz.

Aos 39 anos, Kuusisto comprou Corky, um cão-guia treinado; amoroso e cuidadoso, e sua vida mudou a partir disso. À medida que aprendia a deixar-se guiar pelo animal, Kuusisto observava como a confiança entre eles crescia: "A fé se move da crença para a convicção, e depois à certeza. Somos uma usina de força!" Quando Kuusisto admitiu que precisava da ajuda de um companheiro que enxergava, um mundo novo de liberdade e mobilidade se abriu para ele.

LEITURA:
João 16:1-16

...visto que andamos por fé e não pelo que vemos. 2 Coríntios 5:7

Muitos cristãos tropeçam cegamente em seu caminho pela vida cristã, usando apenas as suas próprias forças. Não estão conscientes de que Deus lhes proveu um guia sobrenatural para conduzi-los. Jesus disse que nos enviaria "o Espírito da verdade", que nos guiaria a toda a verdade (JOÃO 16:13). Quando confessamos os nossos pecados e passamos a depender da direção do Espírito Santo para nos guiar (GÁLATAS 5:16,18), nos tornamos uma usina de força para Deus! "Porque vivemos por fé, e não pelo que vemos" (2 CORÍNTIOS 5:7).

HDF

● *Confiar no Senhor significa que preciso viver pela fé*

Se Deus guia, Ele provê.

26 DE MAIO

A BÍBLIA em UM ANO:
1 Crônicas 28–29, João 9:24-41

Ascensão

Hoje é o dia da Ascensão — um dia que muitas vezes é negligenciado. A data marca a ocasião em que o Cristo ressurreto subiu ao Pai, em glória, 40 dias depois da Páscoa.

W. H. Griffith Thomas escreveu numa enciclopédia bíblica: "A ascensão não é somente um grande fato do Novo Testamento, mas um grande acontecimento na vida de Cristo e dos cristãos, e não haverá uma visão completa de Jesus Cristo a não ser que a ascensão e suas consequências sejam incluídas."

> **LEITURA:**
> **Hebreus 4:9-16**
>
> Tendo, pois, a Jesus, o Filho de Deus, como grande sumo sacerdote que penetrou os céus... v.14

Thomas resumiu o que significa a ascensão para os cristãos. Ela fala de uma redenção que se cumpriu (HEBREUS 8:1), a obra de sumo sacerdote do Salvador (HEBREUS 4:14), seu senhorio sobre a igreja (EFÉSIOS 1:22), sua intercessão por nós junto ao Pai celestial (1 TIMÓTEO 2:5), a vinda do Espírito Santo no Dia de Pentecostes (ATOS 2:33), a presença do Senhor junto a nós hoje (MATEUS 28:20) e a expectativa de Sua volta a esta terra (1 TESSALONICENSES 4:16).

Pense nisso! Jesus não somente morreu, mas ressuscitou dos mortos, voltou para o Pai e está intercedendo por nós agora mesmo. E Ele voltará novamente.

Que este dia da Ascensão seja um tempo de regozijo especial e de gratidão a Deus. 🌿

RWD

● *Querido Deus, quando Jesus voltar quero* _____

Jesus, que morreu para nos salvar, agora vive para nos guardar.

27 DE MAIO

A BÍBLIA em UM ANO:
2 Crônicas 1–3, João 10:1-23

A dor da queda

Ali estava eu, deslizando com meus patins, e minha esposa estava ao meu lado. Repentinamente, as rodas do pé esquerdo começaram a balançar e, um segundo depois, eu estava com o rosto no asfalto. Além disso, tinha um dedo quebrado e cortes horríveis no rosto.

Isso aconteceu há alguns anos, mas os resultados daquela queda ainda são vívidos em minha mente. Ainda lembro da dor do tombo, e isso me torna mais cauteloso com os meus patins. Depois de ter caído uma vez, tomo toda precaução para evitar que aconteça o mesmo novamente.

> **LEITURA:**
> **1 Coríntios 10:1-12**
>
> **Aquele, pois, que pensa estar em pé veja que não caia.** v.12

Cair não é algo bom. Mas, qualquer um que já tropeçou na vida pode obter resultados positivos da experiência — se a queda produzir mais cautela.

O apóstolo Paulo advertiu: "Aquele, pois, que pensa estar em pé veja que não caia" (1 CORÍNTIOS 10:12). Os cristãos também caem. Mas quando isso acontece, nosso alvo deve ser aprender com o erro e evitar a segunda queda.

Se você já tropeçou ao longo da jornada da vida, ainda há esperança. Primeiro, peça a Deus orientação, pois: "O SENHOR sustém os que vacilam..." (SALMO 145:14). Depois, leia a Palavra de Deus e comece a seguir os Seus princípios — "...transformai-vos pela renovação da vossa mente..." (ROMANOS 12:2).

Você caiu? Peça ajuda a Deus para levantar-se e não cair novamente.

JDB

● *Hoje quero pedir a ajuda de Deus para* _____

Ao caminharmos na luz, não tropeçaremos na escuridão.

28 DE MAIO

A BÍBLIA em UM ANO:
2 Crônicas 4–6, João 10:24-42

O arquivo celeste

Minha esposa tem uma pasta que ela chama de "arquivo celeste", a qual contém artigos, obituários, fotos, cartões de recordação dos funerais de familiares e amigos. Ela os guarda, não como um triste lembrete de pessoas que amamos e já perdemos, mas como uma alegre expectativa de união com eles, no céu.

Paulo falou dessa maravilhosa expectativa aos cristãos de Tessalônica, para que não ficassem tristes como as pessoas que não têm esperança, pois quando: "...ouvida a voz do arcanjo, e ressoada a trombeta de Deus [...] os mortos em Cristo ressuscitarão primeiro; depois, nós, os vivos, os que ficarmos, seremos arrebatados juntamente com eles, entre nuvens, para o encontro do Senhor nos ares, e, assim, estaremos para sempre com o Senhor. Consolai-vos, pois, uns aos outros com estas palavras" (1 TESSALONICENSES 4:16-18).

> **LEITURA:**
> **1 Ts 4:13-18**
>
> ...seremos arrebatados [...] entre nuvens, para o encontro do Senhor nos ares, e, assim, estaremos para sempre com o Senhor.
> v.17

Essa passagem fala da alegria futura que teremos juntos, na presença de Jesus Cristo, nosso Salvador. Agora, aqui na terra, temos comunhão com o Senhor e experimentamos o que o escritor de hinos, Samuel J. Stone, chamou de "doce comunhão mística com aqueles que já estão no descanso".

O futuro continua sendo um mistério, mas podemos aguardar ansiosamente para estar na presença de Cristo, com todos os santos que já partiram antes de nós. 🌱

DCM

● *Senhor, agradeço pela alegria que terei no céu ao encontrar*

Os filhos de Deus jamais dizem adeus para sempre.

29 DE MAIO

A BÍBLIA em UM ANO:
2 Crônicas 7–9, João 11:1-29

Joia rara

Quando Betty Goldstein entrou no hospital, seu esposo Ronaldo guardou o anel de diamantes dela, de 3,5 quilates, num guardanapo. Mas num momento de descuido, o Sr. Goldstein jogou o guardanapo no lixo.

Quando ele percebeu seu erro, correu para fora, mas só conseguiu ver o caminhão do lixo se distanciando pela estrada. Telefonou rapidamente para o departamento de coleta e obteve a permissão para acompanhar o caminhão até uma estação de reciclagem. Os trabalhadores começaram a separar o lixo, e em meio a centenas de pacote, recuperaram o anel uma hora mais tarde.

> **LEITURA:**
> **Provérbios 2:1-21**
>
> **Feliz o homem que acha sabedoria [...] e adquire conhecimento...**
> Provérbios 3:13

O escritor do livro de Provérbios nos incentiva a buscar com diligência por algo muito mais precioso — a sabedoria. No capítulo 2, um pai encoraja o filho a fazer o que for necessário para conseguir discernimento e sabedoria. Esta busca árdua por sabedoria é, na verdade, a busca pelo próprio Deus (2:3-5).

Na realidade, a felicidade interior surge quando o homem encontra essa sabedoria (3:13). Ele encoraja o seu filho a procurar diligentemente por esta joia preciosa, porque a sabedoria geralmente não é encontrada por um observador casual. A sabedoria é descoberta e desfrutada somente por aqueles que são diligentes, devotos e determinados a buscá-la.

Esforcemo-nos, totalmente, para buscar esta rara joia — sabedoria.

MLW

● *A sabedoria que vem do alto é mais preciosa do que* _____

De tudo que você buscar, busque a sabedoria. —SALOMÃO

30 DE MAIO

A BÍBLIA em UM ANO:
2 Crônicas 10–12, João 11:30-57

Até quando?

Um casal de amigos meus compreende o que significa esperar por respostas — respostas que parecem nunca vir. Quando um filho deles e a futura nora foram assassinados, em agosto de 2004, empreendeu-se uma caçada em todo o país, para encontrar o assassino e trazê-lo à justiça. Após dois anos de orações e buscas, ainda não havia respostas tangíveis às dolorosas perguntas com as quais as duas famílias lutavam. Havia somente o silêncio.

> LEITURA:
> **Salmo 13**
>
> Até quando, SENHOR? Esquecer-te-ás de mim para sempre? Até quando ocultarás de mim o rosto? v.1

Em momentos como esse, somos vulneráveis às suposições e conclusões erradas sobre a vida, sobre Deus e sobre a oração. No Salmo 13, Davi lutava com as orações ainda não respondidas. Ele questionava por que o mundo era tão perigoso e rogou que Deus lhe desse as respostas.

Davi entoou um salmo difícil e parecia um canto de frustração. Entretanto, ao final, suas dúvidas e temores se transformaram em confiança. Por quê? Porque as circunstâncias das nossas lutas não diminuem o caráter de Deus e o cuidado dele por Seus filhos. Mas Davi dá um passo adiante. Ele ora de todo o seu coração: "No tocante a mim, confio na tua graça; regozije-se o meu coração na tua salvação" (13:5).

Na dor e na luta por viver sem respostas, podemos sempre encontrar conforto em nosso Pai celestial. 🌿

WEC

● *De que maneira posso agradecer a Deus pelo constante conforto?*

Quando oramos, Deus nos envolve em Seus braços amorosos.

31 DE MAIO

A BÍBLIA em UM ANO:
2 Crônicas 13–14, João 12:1-26

O evangelho de Judas

A **recente descoberta** do "*O evangelho de Judas*" alega que Jesus pediu que Judas o traísse. Supostamente, Jesus queria que a morte o libertasse deste mundo material, para que pudesse novamente tornar-se um espírito puro.

O problema nisso é que Judas não podia ter escrito esse manuscrito que traz o seu nome, já que ele foi escrito muito depois do tempo de Jesus. Mas como *O evangelho de Judas* foi descoberto, ele representa uma novidade para os que gostam de especulações.

> **LEITURA:**
> **2 Timóteo 4:1-5**
>
> ...e se recusarão a dar ouvidos à verdade...
> v.4

Propor uma história falsa para substituir o registro do Novo Testamento não é fato novo. O apóstolo Paulo escreveu: "Pois haverá tempo em que não suportarão a sã doutrina; pelo contrário, cercar-se-ão de mestres segundo as suas próprias cobiças, como que sentindo coceira nos ouvidos; e se recusarão a dar ouvidos à verdade, entregando-se às fábulas" (2 TIMÓTEO 4:3,4).

Há uma tendência, hoje, de olhar às novas teorias para minar a importância e veracidade da Bíblia. Mas Paulo nos diz: "...julgai todas as coisas, retende o que é bom" (1 TESSALONICENSES 5:21). Baseados no conteúdo e na autoridade duvidosa de *O evangelho de Judas*, sabemos que se trata de uma fábula. O verdadeiro evangelho, as boas-novas, está com os apóstolos, que caminharam com Jesus e escreveram a mensagem transformadora de vidas, descrita no Novo Testamento.

HDF

● Senhor, a certeza que tenho de que a Bíblia é a verdade me inspira a

Confiar em Deus significa confiar em Sua santa Palavra.

1.º DE JUNHO

A BÍBLIA em UM ANO:
2 Crônicas 15–16, João 12:27-50

Qual é a razão?

Antigamente, os cientistas pensavam que os vertebrados com a menor expectativa de vida eram os peixes *'killifish'* de cor turquesa. Esses pequeninos animais aquáticos vivem em lagos onde chove periodicamente, na África equatorial, e precisam completar seu ciclo de vida em 12 semanas, antes que os lagos desapareçam.

Mas pesquisadores de uma universidade da Austrália descobriram recentemente que os peixes *Pygmy Goby* têm um período de vida ainda menor. Vivem por pouco tempo e morrem jovens, em recifes de corais em média com 56 dias. Seu ciclo rápido de reprodução contribui para evitar a sua extinção.

> **LEITURA:**
> **Eclesiastes 12:6-14**
> ...Teme a Deus e guarda os seus mandamentos... v.13

Qual é a razão de uma vida que passa tão rapidamente e termina tão depressa? É uma pergunta feita por um dos homens mais sábios que viveu nesta terra. Quando já era idoso, Salomão, o terceiro rei de Israel, se afastou de Deus. Tornou-se espiritualmente desorientado e perdeu seu senso de direção e propósito. Olhou para todas as coisas que tinha realizado e achou que tinham sido inúteis. Até lembrar-se de seu Deus (12:13,14), ele esqueceu-se de que não vivemos simplesmente para nós mesmos — mas para a honra daquele que nos criou para adorá-lo e desfrutar dele para sempre.

O significado da vida não se encontra no número de nossos dias — mas no que o nosso Deus eterno diz sobre como devemos usá-los.

MRD

● *Como usamos os dias que Deus nos concedeu?*

A vida é curta. Viva para Deus.

2 DE JUNHO

A BÍBLIA em UM ANO:
2 Crônicas 17–18, João 13:1-20

Ele não quis entrar

Alguns teólogos dividem as transgressões em "pecados da carne e pecados do espírito". Isso significa que alguns pecados têm sua origem em nossas paixões físicas; outros em nosso "coração" ou disposição. Na parábola do filho pródigo, a atitude do filho mais velho nos dá um exemplo da segunda questão.

> LEITURA:
> **Lucas 15:25-32**
>
> Ele [o filho mais velho] se indignou e não queria entrar... v.28

Tendemos a caracterizar o filho pródigo como sendo pior do que o seu irmão. Mas vale a pena notar que ao término da história, ele é restaurado, perdoado e renova a sua alegria, enquanto o irmão mais velho permanece do lado de fora e nega-se a entrar.

Vemos no filho que permaneceu em casa mais do que um cenário de pano de fundo. Ele nos faz pensar no estado do nosso coração, pois o mau humor cria uma miséria incontável.

Descontentamento, inveja, amargura, ressentimento, atitudes defensivas, irritação e ingratidão são as inclinações que arruínam os nossos casamentos, prejudicam os nossos filhos, fazem nossos amigos se afastarem de nós e tornam a vida amargurada.

É fácil defender nosso mau humor e mergulhar em decepção e hipocrisia. Mas precisamos vigiar os nossos corações contra tais atitudes destrutivas. Quando surgirem, precisamos confessar, abandoná-las e experimentar o perdão de Deus.

Não deixe que sua má atitude o deixe do lado de fora e que apenas os outros se alegrem e queiram entrar.

DHR

● *Quais atitudes precisamos vigiar diariamente?*

O contentamento virá ao olharmos para Deus.

3 DE JUNHO

A BÍBLIA em UM ANO:
2 Crônicas 19–20, João 13:21-38

Curiosidade

Você já observou pessoas num lugar turístico? Em locais como o Coliseu, em Roma, as Torres de Petrona na capital da Malásia ou o *Grand Canyon*, no Arizona, EUA, os visitantes esticam o pescoço na tentativa de ter uma visão melhor. Alguns dizem que isso significa "observar com curiosidade".

A Bíblia revela que tal fascinação também acontece nos lugares celestiais. O apóstolo Pedro abre a cortina do céu para nos deixar ver anjos olhando atentamente para o plano de redenção de Deus — "...coisas essas que anjos anelam perscrutar" (1 PEDRO 1:12). A palavra grega traduzida para "anelam perscrutar" significa "inclinar-se e olhar atentamente com curiosidade".

> **LEITURA:**
> **1 Pedro 1:3-12**
>
> ...ministravam as coisas [...] coisas essas que anjos anelam perscrutar. v.12

Mas por que os anjos ficam tão fascinados com a salvação do homem? A explicação mais provável é que se maravilham pela maneira surpreendente como Deus resolveu o problema do pecado (EFÉSIOS 3:8-12). A cruz foi o meio pelo qual Deus permitiu que Seu Filho fosse o substituto justo para pagar o castigo do pecado, enquanto sustentava Seus santos padrões (ROMANOS 3:19-31). Agora Deus provê a redenção para qualquer ser humano que se arrepende, crê e o recebe em seu coração.

Você está grato por sua salvação? Os anjos estão! Eles se regozijam toda vez que um pecador se arrepende e deposita a sua fé em Cristo (LUCAS 15:10).

HDF

● *Deus o surpreende com o Seu poder?*

A cruz de Cristo é a ponte entre Deus e o homem.

4 DE JUNHO

A BÍBLIA em UM ANO:
2 Crônicas 21–22, João 14

O rei que voltará

Nós admiramos todos os que "dão a volta por cima" depois de um fracasso e derrota. Em 2001, uma revista de esportes apresentou um artigo sobre as maiores "voltas por cima" de todos os tempos. É surpreendente! Eles selecionaram a ressurreição de Jesus como o número um de tais eventos. A afirmação dizia o seguinte: "Jesus Cristo — 33 d.C., — desafia e deixa os romanos atônitos com a Sua ressurreição."

> LEITURA:
> **João 14:1-6**
>
> **...vós, porém, me vereis; porque eu vivo, vós também vivereis.** v.19

Que compreensão! Em qualquer uma das listas de "voltas por cima" na história, a vitória de Jesus sobre a morte merece o primeiro lugar. Sua ressurreição está acima de qualquer outro acontecimento.

Em última instância, a morte triunfa sobre a vida. Quando uma pessoa morre, não há a possibilidade de uma nova existência — pelo menos não neste mundo. Mas esse não foi o caso de Jesus. Ele havia prometido aos Seus discípulos que depois de ser crucificado por Seus inimigos, voltaria a viver — triunfando sobre a morte. Mateus registra isso em seu evangelho: "...começou Jesus Cristo a mostrar a seus discípulos que lhe era necessário seguir para Jerusalém e sofrer muitas coisas [...] ser morto e ressuscitado no terceiro dia" (16:21). E foi isso o que aconteceu com o nosso Salvador.

O retorno de Jesus nos assegura de que nós também, pela fé nele, voltaremos quando ressuscitarmos (JOÃO 11:25,26). *VCG*

● *A ressurreição de Jesus ocupa o primeiro lugar em sua vida?*

O túmulo vazio é o fundamento da nossa fé.

5 DE JUNHO

A BÍBLIA em UM ANO:
2 Crônicas 23–24, João 15

Algo para a alma

Repletos de histórias inspiradoras, o livro *Canja de galinha para a alma* (Ediouro, 1995) logo se tornou o mais vendido. Não me admira. Um título que inclui uma "canja de galinha" traz lembranças da infância, nariz entupido e garganta irritada — quando somente um cobertor quente e a canja fumegante de galinha e arroz traziam algum alívio.

Hoje, as evidências científicas indicam que as mães foram bem inteligentes. A canja é benéfica para lutar contra resfriados. Também é uma das comidas que as pessoas descrevem como "comida leve".

> **LEITURA:**
> **Salmo 119:9-16**
>
> Guardo no coração as tuas palavras, para não pecar contra ti.
> v.11

Quando não é o meu corpo, mas o coração que está doendo, anseio pelo conforto da Palavra de Deus, que traz alívio — "...lançando sobre ele toda a vossa ansiedade, porque ele tem cuidado de vós" (1 PEDRO 5:7); palavras que nos asseguram que "...nem qualquer outra criatura poderá separar-nos do amor de Deus, que está em Cristo Jesus, nosso Senhor" (ROMANOS 8:39).

A Bíblia — o livro mais vendido de todos os tempos — está repleta de promessas, lembretes, desafios e conhecimento de Deus. Quando você sentir-se desencorajado, procure nutrir-se de uma boa porção da Palavra de Deus. Ter a Bíblia ao seu alcance (ou melhor, tê-la guardada em seu coração) é melhor, sem dúvida, do que um prato de canja de galinha preparado pela mamãe. A Bíblia vai aquecer e curar o seu coração. *CHK*

- *Qual o melhor remédio para as dores de sua alma?*

Ao encher o coração com a Palavra, Deus trará saúde espiritual à sua alma.

6 DE JUNHO

A BÍBLIA em UM ANO:
2 Crônicas 25–27, João 16

Seguro para sempre

Isabela estava caminhando pela vizinhança para dar um passeio com o seu cachorro, quando viu um jovem correndo em direção a um beco próximo. Logo um carro seguiu atrás dele. O jovem ajuntou um pedaço grande de madeira de um lixo e começou a golpear o carro. Isabela gelou, pois estava em meio a uma luta de gangues.

Repentinamente, o jovem motorista do carro tentou fugir, acelerando e dando ré. Ele acabou batendo em Isabela, que por sua vez, parou no bagageiro do carro e depois foi lançada à rua. Surpreendentemente, ela não se feriu com gravidade.

LEITURA:
Salmo 34:8-22

...mas tende bom ânimo; eu [Jesus] venci o mundo.
João 16:33

Mais tarde, ela tentou encontrar um sentido para a sua experiência e procurou ver o lado positivo disso. E chegou a essa conclusão: "Coisas ruins acontecem — coisas trágicas e horríveis. Coisas boas acontecem — coisas maravilhosas e milagrosas. E tudo isso nos acontece aleatoriamente. Mas tudo isso não é mero acaso para Deus, que segura os nossos corações em Suas mãos. Ele sabe que — o sofrimento virá. Mas Deus é [...] maior do que os acontecimentos que parecem contradizer a Sua bondade."

Nós vamos experimentar enfermidades, acidentes, tristeza e morte. Mas não estamos só. Deus está no controle. "Muitas são as aflições do justo, mas o Senhor de todas o livra" (SALMO 34:19). Podemos confiar de que um dia estaremos seguros com Ele para sempre.

AMC

● *Quem está no controle do seu dia a dia?*

Deus está sempre no controle, mesmo quando não o vemos.

7 DE JUNHO

A BÍBLIA em **UM ANO:**
2 Crônicas 28–29, João 17

Atos falam mais alto

Irritado com um jovem atleta que teve pouco rendimento, mas se gabava de sua habilidade, um comentarista de TV disse: "Não me diga o que vai fazer — diga-me o que fez." Os atos falam mais alto do que as palavras.

Vemos tal princípio na vida de Jesus, quando lhe trouxeram um paralítico. Qual foi a resposta dele? "...estão perdoados os teus pecados". Quando os líderes religiosos fizeram objeções, Jesus suscitou a pergunta do momento: "Pois qual é mais fácil? Dizer: Estão perdoados os teus pecados, ou: Levanta-te e anda?" (MATEUS 9,5).

> LEITURA:
> **Mateus 9:1-8**
>
> **...não amemos de palavra, nem de língua, mas de fato e de verdade.** 1 João 3:18

A resposta é óbvia. Dizer que Jesus perdoou os pecados do homem era simples porque não podia ser provado ou refutado. Mas dizer: "Levante-se, pegue a sua maca e vá para casa" era diferente. Era algo comprovado instantaneamente. Por isso, para provar a Sua autoridade de perdoar pecados, Jesus disse aquilo ao paralítico (v.6). E este assim o fez!

Os atos de Jesus sustentavam as Suas palavras, e assim também deveria ser conosco. João escreveu: "Filhinhos, não amemos de palavra, nem de língua, mas de fato e de verdade (1 JOÃO 3:18). O que dizemos é de grande significado para quem nos observa somente se for coerente com o que fazemos. Ao falarmos às pessoas do amor de Cristo, tais palavras terão um forte impacto se seguidas por atos de amor e bondade. WEC

● *Os meus atos sustentam as minhas palavras?*

Nossos atos e palavras deveriam dizer a mesma coisa.

8 DE JUNHO

A BÍBLIA em UM ANO:
2 Crônicas 30–31, João 18:1-18

Sempre agradecidos

O bonito hino: "Nós aramos os campos" muitas vezes é cantado durante as comemorações do Dia de Ação de Graças, em novembro. Para mim, ele evoca imagens de famílias que compartilham uma ceia tradicional durante a época da colheita.

Mas fiquei surpreso quando ouvi esse hino sendo cantado durante o mês de junho, totalmente fora do contexto tradicional. Aquilo me lembrou de que, para o Seu povo, dar graças a Deus por Sua bondade e provisão significa uma celebração contínua.

> **LEITURA:**
> **1 Cr.16:8-13, 23–36**
>
> **Rendei graças ao SENHOR, porque ele é bom; porque a sua misericórdia dura para sempre.** v.34.

Numa ocasião especial de celebração nacional, o rei Davi escreveu um cântico para guiar seu povo no louvor a Deus: "Rendei graças ao SENHOR, invocai o seu nome, fazei conhecidos, entre os povos, os seus feitos. Cantai-lhe, cantai-lhe salmos; narrai todas as suas maravilhas. Gloriai-vos no seu santo nome; alegre-se o coração dos que buscam o SENHOR" (1 CRÔNICAS 16:8,10). Mas o cântico permaneceu como uma parte do livro de cânticos de Israel, num louvor contínuo: "Buscai o SENHOR e o seu poder; buscai perpetuamente a sua presença" (SALMO 105:4-15).

Temos tanto para agradecer-lhe todos os dias. Deus supre continuamente todas as nossas necessidades. Por isso, celebremos com ações de graça todos os dias do ano. 🌿

DCM

● *Em que situações você é grato ao Senhor Deus?* _____
_____
_____

Para os cristãos, o Dia de Ação de Graças não é só mais um dia – é estilo de vida.

9 DE JUNHO

A BÍBLIA em UM ANO:
2 Crônicas 32–33, João 18:19-40

Entre no jogo

Gosto de assistir a um jogo de futebol sentado nas arquibancadas, comendo um cachorro-quente e torcendo pelo meu time!

Infelizmente, a prática do cristianismo se tornou muito parecida com a dos esportes profissionais. Como o meu amigo observou: há onze camaradas no campo de futebol fazendo todo o trabalho, e milhares nas arquibancadas, simplesmente assistindo. E como você provavelmente sabe, este não é o plano de jogo de Deus para o Seu povo. Ele quer que saiamos das arquibancadas, entremos em campo e nos unamos ao time.

> LEITURA:
> **Colossenses 1:24-29**
>
> **...esforçando-me o mais possível, segundo a sua eficácia que opera eficientemente em mim.** v.29

Se você está se perguntando o que pode fazer de bom no campo, não se questione mais. E o que dizer dos seus recursos financeiros? Jesus pode aproveitar sua "prata e ouro" e usá-los para realizar grandes coisas para a Sua glória.

Mas mais do que preencher um talão de cheques, você tem talentos com os quais pode contribuir. Deus deu para cada um de nós dons espirituais que podem contribuir para que o Seu Reino cresça. Seja no ensino, no encorajamento, no serviço em Seu nome, demonstrando hospitalidade ou misericórdia. Cada habilidade pode produzir grandes dividendos. Sigamos o exemplo de Paulo, que serviu incansavelmente na seara de Deus, por causa da alegria de ser usado por Ele (COLOSSENSES 1:28,29). Acredite: é muito mais gratificante estar no campo do que assistir sentado na arquibancada. 🌾

JMS

● *Você reconhece os talentos que recebeu do Senhor?*

Não faça da sua vida um cemitério, enterrando os seus talentos.

10 DE JUNHO

A BÍBLIA em UM ANO:
2 Crônicas 34–36, João 19:1-22

Chamado dos pássaros

Os **pássaros negros** Chapim têm um nível surpreendente de complexidade nos ruídos que fazem quando enfrentam situações alarmantes. Os pesquisadores descobriram que eles usam uma frequência alta de alerta para os outros pássaros avisando sobre a comida ou que os predadores estão próximos.

LEITURA:
1 Ts. 5:12-24

Não apagueis o Espírito. v.19

Os estudos também descobriram que esses pássaros negros não percebem o perigo de grandes predadores, tais como a grande coruja com chifres, porque eles geralmente não caçam pássaros pequenos assim. Mas as corujas menores, mais semelhantes ao tamanho dos pássaros negros, significam maior ameaça, pois estimulam os pássaros em sentinela a repetir o som do alarme de seu chamado — a nota distinta "dee".

Para nós, também pode ser útil ter conscientização semelhante. Na primeira carta do apóstolo Paulo aos tessalonicenses, ele não apenas condenou a maldade deste mundo, mas focou a sua atenção nas questões do coração, que podem fazer mal para nós sem que percebamos. "Evitai que alguém retribua a outrem mal por mal; pelo contrário, segui sempre o bem entre vós e para com todos [...] Não apagueis o Espírito [...] julgai todas as coisas..." (1 TESSALONICENSES 5:15,19,21).

Com a ajuda do Espírito Santo, mantenhamos a sintonia com cada advertência da Palavra de Deus a respeito de nosso coração. 🌿

MRD

● *Quais advertências da Palavra de Deus precisam merecer a sua atenção?*

Deus fala aos que estão dispostos a ouvir.

11 DE JUNHO

A BÍBLIA em UM ANO:
Esdras 1-2, João 19:23-42

Pequena preocupação

Sei que não devo me preocupar, mas fico ansioso a respeito de tudo, até com uma nova situação em nossa família. Quando olho ao redor, não consigo deixar de sentir um pouco de ansiedade. Veja, minha esposa e eu soubemos recentemente que seremos avós, o que me levou a refletir sobre o tipo de mundo em que nosso neto irá crescer.

Ele ou ela se formará no Ensino Médio em 2032. Quanto será o custo anual de uma boa universidade? Se ainda existir petróleo, quanto será o custo unitário de cada litro? Será que os padrões morais e éticos estarão fora de moda? E será que a igreja ainda terá algum impacto no mundo?

> LEITURA:
> **Salmo 91:9-16**
>
> **...De maneira alguma te deixarei, nunca jamais te abandonarei.**
> Hebreus 13:5

O futuro pode ser assustador. O desconhecido pode nos devastar, especialmente quando lutamos com o que já conhecemos. É por isso que precisamos confiar no que Deus prometeu.

Qualquer que seja a situação que nossos netos enfrentarão, eles poderão depender das promessas de Deus e pedir ajuda — independentemente dos problemas que existirão no mundo. Deus disse: "...De maneira alguma te deixarei, nunca jamais te abandonarei" (HEBREUS 13:5). E Jesus disse: "E eis que estou convosco todos os dias até à consumação do século" (MATEUS 28:20).

Essas são grandes promessas com as quais podemos contar quando começarmos a nos preocupar sobre o futuro, seja ele o nosso ou das próximas gerações. *JDB*

● *Louvo ao Senhor, pois mesmo que as circunstâncias mudem, Ele é o mesmo sempre.*

Não sabemos o que o futuro trará, mas confiamos em quem o tem em Suas mãos.

12 DE JUNHO

A BÍBLIA em UM ANO:
Esdras 3–5, João 20

Meus imitadores

Andrew Marton lembra-se de quando, em 1977, viu pela primeira vez o seu futuro cunhado, Peter Jennings, um grande jornalista e correspondente estrangeiro. Ele disse que estava tão nervoso que agia como um "fã tenso na presença de um herói, cuja energia poderia iluminar uma enorme cidade".

Andrew admirava Jennings, e tentou imitá-lo. Ele também se tornou jornalista e lidava com seus compromissos da mesma maneira que ele o fazia — "se esforçou e trabalhou mais do que qualquer outra pessoa". Marton tentou caminhar como o jornalista, vestir-se como ele e ter a mesma "aura".

> **LEITURA:**
> **1 Coríntios 4:9-17**
>
> **Sede meus imitadores, como também eu sou de Cristo.** 1 Coríntios 11:1

Todos nós temos a tendência de seguir os padrões de outras pessoas. Os cristãos de Corinto também, mas eles desviaram o foco de Cristo e se concentraram em líderes individuais. Em vez de imitarem as qualidades desses líderes à semelhança de Cristo, deixaram que sua lealdade os conduzisse a várias divisões e contendas na igreja (1 CORÍNTIOS 1:10-13). O apóstolo Paulo reconheceu o erro deles e por isso enviou Timóteo, para lembrá-los dos seus ensinamentos e da importância de caminhar em obediência ao Senhor (4:16,17).

Nós devemos imitar a Cristo (1 PEDRO 1:15,16). Os nossos mentores que o imitam também podem ser de grande ajuda. Podemos imitar os que caminham com Cristo, mas o nosso maior exemplo é o próprio Jesus. AMC

● *Quem é o seu maior exemplo? Jesus?*

Imitem aqueles que imitam a Cristo.

13 DE JUNHO

A BÍBLIA em UM ANO:
Esdras 6–8, João 21

Com todo o meu coração

"**Por que plantar flores,** se não é possível comê-las?", disse meu sogro ao me ver enchendo os potes com tesouros cheios de fragrância, comprados na floricultura. Ele é engenheiro — uma pessoa prática, que consegue fazer qualquer coisa funcionar, mas fazer algo ficar bonito não é sua prioridade.

Deus nos criou com dons diferentes. Os engenheiros que trabalham para a glória de Deus projetam máquinas que facilitam a vida. O Senhor também criou artistas, que tornam a vida mais agradável, com espetáculos bonitos para a glória de Deus e prazer dos outros.

> **LEITURA:**
> **Êxodo 35:30-35**
> ...e o Espírito de Deus o encheu [...] para elaborar desenhos e trabalhar... vv.31,32

Ao pensarmos em arte na adoração, normalmente pensamos em música e louvor. Mas há muito tempo outras formas têm o papel importante na exaltação a Deus. O chamado de Bezalel demonstra a consideração de Deus pelas belas-artes (ÊXODO 35:30-35). Deus o incumbiu de embelezar o primeiro lugar oficial de adoração: o tabernáculo. O propósito divino para as artes, diz o autor e professor de literatura, Gene Edward Veith, é "glorificar a Deus e manifestar a beleza".

Quando vivificado pelo Espírito de Deus, o talento artístico torna-se um ato de adoração que pode levar pessoas a Cristo. Deus enriqueceu grandemente as nossas vidas com beleza. E nós, por nossa vez, expressamos nossa gratidão, apresentando a Sua glória por meio de nossa arte.

JAL

● *Senhor Deus, qual a Sua incumbência para mim?*

Faça todas as coisas para a glória de Deus.

14 DE JUNHO

A BÍBLIA em UM ANO:
Esdras 9–10, Atos 1

Pão para o dia seguinte

Há pouco tempo, viajei para a República Democrática do Congo para liderar uma conferência bíblica. Vi a beleza da Floresta Nyungwe e do rio Ruzizi, que separa o Congo de Ruanda. Experimentei a maravilhosa hospitalidade das pessoas do Congo, e fiquei emocionado com a fé sincera do povo em relação a provisão divina.

O desemprego, pobreza e subnutrição são problemas sérios ali, e muitas vezes as pessoas não sabem de onde virá a próxima refeição. Assim, toda vez que se sentam para comer, agradecem a Deus e pedem que lhes dê a próxima refeição.

> LEITURA:
> **Mateus 6:9-13**
> ...o pão nosso de cada dia dá-nos hoje. v.11

A oração dessas pessoas soa bastante semelhante à oração de Jesus, no evangelho de Mateus 6:11: "o pão nosso de cada dia dá-nos hoje". A palavra pão se refere a qualquer comida. E a palavra hoje indica a provisão que recebiam um dia de cada vez.

Muitos trabalhadores do primeiro século eram pagos diariamente, e assim alguns dias de enfermidade podiam significar uma tragédia. "Cada dia" podia ser traduzido como "para o próximo dia". A oração, então, seria a seguinte: "Dá-nos hoje nosso pão para o próximo dia." Tratava-se de uma oração urgente para aqueles que viviam do pouco que tinham todos os dias.

Essa oração conclama os cristãos em qualquer lugar a reconhecer que a nossa habilidade para trabalhar e poder comprar nossa comida vem da mão de Deus.

MLW

● *A sua fé sustenta a certeza de que Deus jamais falhará?*

Nossos problemas nunca dificultam a provisão de Deus.

15 DE JUNHO

A BÍBLIA em UM ANO:
Neemias 1–3, Atos 2:1-21

Duras pancadas

Durante a era da Grande Depressão dos anos 1930, *A pequena órfã Annie* era uma série cômica e um programa de rádio. Anos mais tarde, tornou-se a base para a comédia musical Annie. A cena de abertura mostra Annie num orfanato, onde as meninas são forçadas a limpar e esfregar o chão, no meio da noite. Para expressar os seus sentimentos de indefesa, elas cantavam: "É uma vida de duras pancadas para nós. Ninguém se importa nem um pouco com você quando está num orfanato. É uma vida de duras pancadas."

> **LEITURA:**
> **Salmo 119:65-72**
> Foi-me bom ter eu passado pela aflição, para que aprendesse... v.71

Quando falamos da "escola das pancadas fortes", nos referimos às experiências difíceis, que conseguiram nos ensinar algo. Embora a natureza humana em si procure evitar a dor, o cristão pode aprender com as circunstâncias dolorosas. O salmista disse com sabedoria: "Foi-me bom ter eu passado pela aflição, para que aprendesse os teus decretos" (119:71). A dor particular do coração dele resultou de calúnias ao seu bom nome (vv.69,70). Mas mesmo nessa situação, o salmista compreendeu que as circunstâncias podiam ensiná-lo a valorizar a Palavra de Deus.

Qual problema você está enfrentando hoje? Entregue-o em oração ao Senhor. Depois medite nas Escrituras e agradeça a Deus pelas lições de vida que você está prestes a aprender. O Senhor dos céus e da terra é soberano — mesmo sobre a "escola das duras pancadas".

HDF

- *O que as aflições o ensinaram?*

Nossas aflições têm o objetivo de nos conduzir a Deus.

16 DE JUNHO

A BÍBLIA em UM ANO:
Neemias 4–6, Atos 2:22-47

Primeiro o óbvio

Quando **Bill Husted compareceu** a sua quadragésima reunião com colegas de escola, havia duas reuniões de ex-alunos no mesmo prédio naquele dia, e ele estava na sala errada.

Husted escrevia sobre tecnologia para um jornal, e usava essa experiência para ilustrar uma de suas afirmações sobre a resolução de problemas de informática: Observe primeiro o óbvio. Antes de trocar a placa de som, assegure-se de que o controle de volume não esteja baixo. Se o *modem* não estiver funcionando, verifique se está conectado.

> **LEITURA:**
> **Colossenses 3:12-17**
>
> ...Assim como o Senhor vos perdoou, assim também perdoai vós. v.13

"Observar primeiro o óbvio" pode ser um bom princípio para acabar também com os problemas espirituais. A carta aos Colossenses 3:12-17 enumera uma dúzia de qualidades espirituais que são evidências de uma alma saudável. Dentre elas se destacam: a compaixão, bondade, humildade, mansidão, paciência, perdão, amor e gratidão.

Antes de criticar nossa igreja ou outros grupos cristãos, devemos pedir que o Senhor nos revele os nossos próprios defeitos. Antes de desligar os fios dos relacionamentos, devemos observar se a paciência e o perdão estão conectados em nosso coração.

É bom olhar para o nosso interior — verificar primeiro o óbvio — mesmo quando acharmos que todos os nossos problemas são causados pelos outros.

DCM

- *Você demonstra amor e gratidão aos que o cercam?* _____

O amor cristão é paciente com as falhas dos outros.

17 DE JUNHO

A BÍBLIA em UM ANO:
Neemias 7–9, Atos 3

Pés formosos

Recentemente, reencontrei a pessoa que me falou sobre Jesus há 35 anos. Warren Wiersbe, ex-pastor da igreja Moody, em Chicago, EUA, e professor de estudo bíblico. Numa conferência bíblica em 1972, ouvi pela primeira vez, as boas-novas do amor de Deus demonstrado por mim na morte de Cristo na cruz. Naquela noite, o Espírito Santo abriu os meus olhos e o coração, e aceitei Jesus Cristo como meu Salvador (JOÃO 1:12).

> LEITURA:
> **Romanos 10:14-18**
> E como crerão naquele de quem nada ouviram? E como ouvirão, se não há quem pregue? v.14

Louvamos a Deus por pessoas como Wiersbe, que pregam fielmente o evangelho e apresentam Cristo como Salvador aos outros, tornando-se pais espirituais de tantos. O apóstolo Paulo cita as palavras de Isaías ao referir-se a elas: "...formosos são os pés dos que anunciam coisas boas" (ROMANOS 10:15). Paulo que foi conselheiro de Timóteo e o considerou "verdadeiro filho na fé" (1 TIMÓTEO 1:2), chamando-o também de "meu amado filho" (2 TIMÓTEO 1:2).

Porém, espalhar o evangelho não é apenas responsabilidade dos professores e pastores. Todos os que já conhecem Jesus podem compartilhar suas experiências individualmente com os amigos, colegas de trabalho, membros da família e pessoas estranhas. É nosso privilégio e nossa missão fazer isso onde estivermos, pois como as pessoas "...crerão naquele de quem não ouviram falar?" (v.14).

Que os nossos pés sejam formosos, levando as boas-novas de Jesus aos outros.

AMC

● *Quem anunciou as boas-novas de salvação a você?* _____

Como são belos os pés daqueles que anunciam boas-novas!
—ISAÍAS 52:7

18 DE JUNHO

A BÍBLIA em UM ANO:
Neemias 10–11, Atos 4:1-22

Use-o com sabedoria

Deus nos deu um presente incrível — o mundo maravilhoso no qual vivemos. Todavia, ao compartilharmos naturalmente este planeta com tantas outras pessoas, corremos o risco de ver toda a sua beleza diminuir e os seus recursos escoarem.

Como temos todos os direitos de usar os recursos que Deus colocou na terra, também precisamos reconhecer nossa responsabilidade em respeitá-la como sendo dele e preservar os seus recursos para as gerações futuras.

> LEITURA:
> **Gn. 1:27-31; 2:8-15**
>
> **Ao Senhor pertence a terra e tudo o que nela se contém, o mundo e os que nele habitam.** Salmo 24:1

No livro de Gênesis, o Senhor disse a Adão (e, num sentido mais amplo, a todos nós): "para [jardim do Éden] o cultivar e o guardar" (2:15). Como não sabemos quando Jesus voltará, não seremos bons despenseiros se deixarmos nossos filhos e netos sem os recursos que Deus providenciou para eles também.

Quem sabe achamos que nossos esforços individuais de preservar o mundo de Deus não são valiosos? Mas todos nós podemos colaborar juntos e cada um pode fazer a sua parte. Comprar e consumir menos, simplificar, reparar em vez de substituir, usar novamente e reciclar são todas boas práticas de cuidado.

Uma maneira pela qual podemos testemunhar de nosso amor por Deus e expressar nossa gratidão pelo que Ele fez é administrar e cuidar da terra e de tudo o que ela oferece. Até a volta do Senhor, usemos nosso mundo de forma sábia. 🌿 *JDB*

● *Qual a minha responsabilidade nisso?* _____

___

Deus criou o mundo e deixou-o sob nossos cuidados.

19 DE JUNHO

A BÍBLIA em UM ANO:
Neemias 12–13, Atos 4:23-37

Tédio Não — Liberdade

Durante a Segunda Guerra Mundial, um companheiro meu me disse: "Você parece estar contente, mas se eu tivesse que viver como você vive, em breve morreria." Ele estava querendo dizer que minha vida tinha tanta moralidade que devia ser um tédio. Mas eu jamais havia pensado dessa maneira. Na verdade, muitas vezes me sentira culpado por causa de tantas falhas.

> LEITURA:
> **2 João 1-6**
> **Tomai sobre vós o meu jugo e aprendei de mim...** Mateus 11:29

Cresci num lar cristão onde me ensinaram que eu era um pecador e tinha necessidade da salvação. Mas também aprendi que Deus — na pessoa de Jesus Cristo — pagou o preço pelos meus pecados.

Então, por meio do ministério do Espírito Santo, reconheci a verdade desse ensinamento. E quando ainda era criança, confiei em Jesus e entreguei-lhe a minha vida. Desde aquele dia, procurei viver e obedecer ao mandamento de amar a Deus e ao meu próximo (MATEUS 22:37-40). Minha obediência a Deus foi uma resposta natural de alguém que realmente creu em Seu Filho.

Na carta de 2 João, a palavra mandamento é usada quatro vezes para lembrar-nos de que devemos andar no caminho da verdade e amar uns aos outros (v.4-6). Os cristãos que o fazem encontrarão alegria e liberdade, e não tédio e escravidão, como pensam erroneamente algumas pessoas.

Gosto muito das palavras de Jesus no evangelho de Mateus 11:30: "Porque o meu jugo é suave, e o meu fardo é leve." HVL

● *Você está disposto a aprender de Jesus, como Ele ordenou?*

A alegria é o resultado de caminhar com Deus.

20 DE JUNHO

A BÍBLIA em UM ANO:
Ester 1–2, Atos 5:1-21

Dependência profunda

Um artista tornou-se popular após o terror de 11 de setembro de 2001. Ele canta a música "Super-homem, não é fácil", uma balada que imagina como nos sentiríamos se fôssemos super-heróis. Mas ele luta com a insuficiência de suas forças para lidar com as complexidades do mundo.

LEITURA:
2 Coríntios 3:1-11

...a nossa suficiência vem de Deus. v.5

Muitos parecem ter se identificado com o tema da canção. A vida real prova que não somos capazes de batalhar com os fardos esmagadores com os quais nos confrontamos. Mesmo os que querem ser autossuficientes não podem lidar com a vida, com suas próprias forças.

Como seguidores de Cristo, temos um recurso que nem mesmo o Super-homem pode reivindicar. Em nosso relacionamento com Deus, encontramos a suficiência para a vida, que pode superar nossa fraqueza e capacitar-nos a viver de forma vitoriosa. Esse foi o encorajamento de Paulo aos nossos corações quando escreveu aos cristãos de Corinto. Ele disse: "...não que, por nós mesmos, sejamos capazes de pensar alguma coisa, como se partisse de nós; pelo contrário, a nossa suficiência vem de Deus" (2 CORÍNTIOS 3:5). Isso faz toda a diferença do mundo.

Deixados a sós, seremos forçados a encarar o fato de que nunca seremos capazes de lutar com a vida. Mas com as forças de Deus encontramos tudo que necessitamos para navegar pelas tempestades da vida, neste mundo turbulento. 🌱   WEC

● *Quem é a minha rocha e fortaleza?*

Precisamos experimentar nossa fraqueza a fim de experimentarmos o poder de Deus.

21 DE JUNHO

A BÍBLIA em UM ANO:
Ester 3–5, Atos 5:22-42

História em quadrinhos

Desde 1968, os personagens da história em quadrinhos *The Lockhorns* trocam grosserias e ironias em sua vida matrimonial. Hoje as tiras são publicadas em mais de 500 jornais, e entretêm milhões de leitores com coisas que o casal diz um ao outro: "Claro que podemos conversar agora. Só não fique em frente da TV." A esposa, sem deixar de dar respostas ofensivas equivalentes, está pronta para dizer algo assim: "Claro, eu gasto mais do que você ganha, mas tenho confiança em você."

> **LEITURA:**
> **Provérbios 15:1-4**
>
> **...porque a boca fala do que está cheio o coração.** Lucas 6:45

Ao rirmos, quem sabe descobrimos um pouco de nós mesmos nisso. O sarcasmo é tão comum e muito mais sério do que queremos acreditar. E pode ser mais prejudicial do que as contusões físicas. Salomão disse que há pessoas que usam as palavras como espada (PROVÉRBIOS 12:18) e que falar com maldade pode esmagar o espírito (15:4).

Controlar nosso falar não é fácil porque o verdadeiro problema não são as nossas palavras, mas o nosso coração. Por detrás dos insultos é bem provável que encontremos em nós mesmos a insegurança, temor ou culpa para nos proteger, à custa de outros.

Será que existe algo positivo em palavras abusivas? Não, a não ser que as tomemos como advertência de que não estamos caminhando com Cristo. Em sua aceitação e graça, não açoitaremos uns aos outros, na tentativa de nos protegermos a nós mesmos. MRD

● *A sua língua é árvore de vida ou morte?*

A linguagem abusiva revela o coração pecaminoso.

22 DE JUNHO

A BÍBLIA em UM ANO:
Ester 6–8, Atos 6

Seja você mesmo

Para aqueles dentre nós que não praticamos o dom espiritual do evangelismo, a palavra *testemunho* pode suscitar lembranças desagradáveis ou ansiedades. Na verdade, algumas vezes me senti um fracasso total quando tentei seguir os métodos conhecidos para facilitar o testemunho.

Jim Henderson, autor de um livro sobre como compartilhar a sua fé, conseguiu transformar o assunto em algo menos ameaçador para mim, sugerindo uma forma alternativa quanto à forma de pensar a respeito disso. Em vez de usar as palavras ou a história de outras pessoas, ele apenas sugere: "seja você mesmo".

> **LEITURA:**
> **João 9:1-25**
>
> ...éreis estranhos e inimigos no entendimento [...], agora, porém, vos reconciliou...
> Colossenses 1:21,22

Os testemunhos de segunda mão não são aceitos nas cortes; somente os de primeira mão são dignos de confiança. O mesmo se aplica na área espiritual. A história autêntica da obra que Cristo fez em nossas vidas é o melhor testemunho que temos. Não precisamos torná-lo uma peça erudita nem dramatizá-lo. Quando falarmos a verdade sobre o poder de Cristo para nos salvar e nos livrar do pecado, nosso testemunho terá credibilidade.

Se a ideia de assistir a algumas aulas sobre "como testemunhar" ou decorar planos prontos o impede de testemunhar, tente uma forma diferente, apenas, seja você mesmo! Assim como o homem cego, que Jesus curou, diga simplesmente: "...uma coisa sei: eu era cego e agora vejo" (JOÃO 9:25). 🌿   JAL

● *Você aceita o desafio de testemunhar por Cristo?*

Se você quiser testemunhar de Cristo, conte-lhes o que Ele fez por você.

23 DE JUNHO

A BÍBLIA em UM ANO:
Ester 9–10, Atos 7:1-21

Ser liberto

Geralmente, **quando alguém precisa** se mudar para uma casa menor ela se desfaz de bens pessoais. Os móveis e outros bens são sacrificados por falta de espaço. Uma psicóloga que mudou-se para uma casa menor, passou pelo difícil processo de abrir mão de muitos itens dos quais gostava muito, e que havia trazido de outras partes do mundo. Em vez de sentir-se mal, desfez-se das coisas desnecessárias que a prendiam ao passado.

> LEITURA:
> **Marcos 10:17-27**
> ...terás um tesouro no céu... v.21

Ela disse: "Desfazer-se envolve incômodos, restrições e reduções, mesmo que mantenhamos vivos os sonhos de ontem. Livrar-se de certas coisas implica em experimentar libertação, expansão, e ter novamente novos sonhos."

Em vez de buscar significado em bens materiais, somos chamados a encontrar vida e liberdade em Jesus. O Senhor disse a um jovem religioso cativo de suas posses: "...Só uma coisa te falta: Vai, vende tudo o que tens, dá-o aos pobres e terás um tesouro no céu; então, vem e segue-me. Ele, porém, contrariado com esta palavra, retirou-se triste, porque era dono de muitas propriedades" (MARCOS 10:21,22).

É difícil imaginar que Jesus precise me ajudar a armazenar o que possuo. Se aquilo que tenho me impede de obedecê-lo de todo o coração, será que estou pronto a abrir mão do que possuo para seguir Jesus livremente?

DCM

● *Qual a minha atitude em relação a isso?*

A fé inconsistente ou circunstancial não se mantém e se extingue.

24 DE JUNHO

A BÍBLIA em UM ANO:
Jó 1–2, Atos 7:22-43

Lembranças

nos atrás, alguns membros da minha família se reuniram num restaurante para celebrar o 100.º aniversário de minha avó.

Mas ela não estava lá. Está no céu há 16 anos. Mas nós estávamos tão gratos pela sua influência sobre nós que queríamos festejar sua vida. Usamos suas xícaras e pires cor-de-rosa e tomamos chá juntos e relembramos a sua doçura, sabedoria e senso de humor típico. Nós nos recordamos dela.

> LEITURA:
> **1 Coríntios 11:23-26**
>
> **...fazei isto em memória de mim.** v.24

Quando mais de um dos nossos cinco sentidos está envolvido numa experiência, algo "toca" em nossa memória. Quem sabe se por saber que temos a forte tendência de esquecer coisas, Jesus escolheu um método que envolveria alguns de nossos sentidos para nos ajudar a relembrar o Seu sacrifício. Foi numa refeição — momento de comer e beber — quando disse aos Seus seguidores: "...fazei isto em memória de mim" (1 CORÍNTIOS 11:24).

Quando participamos da Ceia do Senhor, lembramos do amor e sacrifício de Jesus, de forma tangível. A comunhão é mais do que um ritual. Cada momento deveria ser experimentado como se você estivesse sentado ao redor da mesa com os discípulos, quando Jesus falou isso.

Com corações transbordantes de gratidão, celebramos a Ceia do Senhor como um momento de lembrança do Seu sacrifício por nossos pecados. 🌱

CHK

● *O que mais posso fazer em memória de Cristo?* _____

___

Lembrar-se da morte de Cristo traz coragem para hoje e esperança para o amanhã.

25 DE JUNHO

A BÍBLIA em UM ANO:
Jó 3-4, Atos 7:44-60

À procura de...

Uma **propaganda de TV questiona:** "O que você procura fazer quando está estressado?" E sugere: "Procure o nosso produto."

As diversas maneiras que as pessoas tentam lidar com os estresses sérios na vida são tão numerosas quanto: o número de pessoas, comer e beber demasiadamente, culpar a Deus, esconder os sentimentos, culpar os outros. Essas respostas podem nos acalmar, mas são apenas meios temporários de escapar de nossos problemas. Nenhum produto que procuramos pode nos livrar deles.

> **LEITURA:**
> **Salmo 55:1-7,22**
>
> **...quem me dera asas como de pomba! Voaria e acharia pouso.** v.6

No Salmo 55, o rei Davi descreveu o seu desejo de escapar das dificuldades: "Estremece-me no peito o coração [...] quem me dera asas como de pomba! Voaria e acharia pouso" (v.4,6). Depois da traição de seu amigo e conselheiro Aitofel, que foi ajudar o seu inimigo, Davi queria ir embora (v.12,13; 2 SAMUEL 15). Nesse salmo, ele relata que em sua dor, procurou pelo Senhor Deus (v.4,5,16).

O que nós procuramos fazer? A autora Susan Lenzkes sugere que procuremos o Senhor e que derramemos o nosso coração diante dele. Ela escreve: "Está tudo certo — perguntas, dor e ira podem ser derramadas diante daquele que é infinito e Ele não se machucará [...]. Pois batemos no seu peito, envolvidos em Seus braços."

AMC

Existe "o melhor momento" para procurar Jesus?

Ao colocarmos nossos cuidados nas mãos de Deus,
Ele nos traz a paz.

26 DE JUNHO

A BÍBLIA em UM ANO:
Jó 5–7, Atos 8:1-25

Tempestade perfeita

Em seu livro *A tempestade perfeita* (Vega, 2001), o autor Sebastian Junger registra fatos chocantes sobre a força de um furacão: "Um furacão em sua formação completa é o evento mais poderoso da terra; os arsenais nucleares dos EUA e da antiga União Soviética combinados não teriam a energia suficiente para evitar que tal furacão seguisse o seu caminho. Um furacão típico poderia prover toda a energia elétrica necessária nos EUA por três ou quatro anos."

LEITURA:
Marcos 4:35-41

Quem é este que até o vento e o mar lhe obedecem? v.41

Os navegadores se deparam com diversas condições de tempo, mas aqueles que experimentam uma tempestade têm uma emoção em comum — o medo. O evangelho de Marcos 4:35-41 registra uma tempestade que ameaçou o barco no qual Jesus e Seus discípulos estavam, no mar da Galileia.

Em pânico, os discípulos acordaram Jesus, que repreendeu calmamente o vento e o mar, dizendo: "Acalma-te, emudece" (literalmente "silêncio") como se estivesse aquietando uma criança agitada (v.39). Imediatamente, a tempestade parou e o mar tornou-se inexplicavelmente sereno. Os discípulos perguntaram: "Quem é este que até o vento e o mar lhe obedecem?" (v.41).

As circunstâncias da vida são semelhantes a uma tormenta? Olhe para o Deus-homem Jesus Cristo, que tem autoridade nos céus e na terra. Ele lhe dará as forças para sobreviver à tempestade, até que finalmente a acalmará. ❂

HDF

- *Em que momento, eu mais preciso de calma e quietude?*

Quando confiamos no poder de Deus, a Sua paz nos livra do pânico.

27 DE JUNHO

A BÍBLIA em UM ANO:
Jó 8–10, Atos 8:26-40

Integridade 101

Os oficiais numa certa cidade surpreenderam-se ao receber uma carta e o dinheiro de um motorista que havia recebido uma multa por excesso de velocidade, em 1954. O turista inglês, tinha visitado aquela cidade, e sido multado por excesso de velocidade. A multa fora de uns 32 reais, mas ele a esquecera por quase 52 anos até descobri-la — num casaco velho. Ele, agora com 84 anos, vive num asilo, e disse: "Pensei: tenho que pagar essa multa, e assim minha consciência ficará limpa."

> LEITURA:
> **Salmo 101**
>
> **Atentarei sabiamente ao caminho da perfeição [...], terei coração sincero.** v.2

Essa história lembrou-me do compromisso de integridade do salmista Davi. Embora ele tenha feito algumas escolhas terríveis ao longo da vida, o Salmo 101 declara a sua resolução de viver sem culpa. Sua integridade começaria na privacidade da sua própria casa (v.2) e se estenderia às escolhas de colegas e amigos (vv.6,7). A vida corrupta da maioria dos reis do antigo Oriente Médio contrastava fortemente com a integridade de Davi que respeitava a vida de seu inimigo, o rei Saul (1 SAMUEL 24:4-6; 26:8,9).

Como cristãos, somos convocados a caminhar em integridade e com a consciência limpa. Ao honrarmos os nossos compromissos com o Senhor e com os outros, fortalecemos a nossa comunhão com Deus. E nossa integridade nos guiará (PROVÉRBIOS 11:3) e ajudará a andar com segurança (10:9). *MLW*

● *A integridade é perceptível em sua caminhada diária com Cristo?*

Não há melhor teste de integridade para um homem do que o seu comportamento quando está errado.

28 DE JUNHO

A BÍBLIA em UM ANO:
Jó 11–13, Atos 9:1-21

Flexibilidade

com o passar dos anos, tive o privilégio de liderar diversas viagens para as terras bíblicas. Nos meses antes das nossas partidas, fazíamos uma série de reuniões de orientação, como preparação para a viagem. Planos, horários, acomodações de hotel, informações de contato — tudo podia sofrer alterações com qualquer notícia inesperada.

Por essa razão, a flexibilidade era algo que sempre se destacava em nosso tempo de preparação. A disposição de aceitar as circunstâncias e de se ajustar a qualquer mudança que pudéssemos encontrar era de grande valor. A vida tem imprevistos para os quais a melhor resposta é a flexibilidade.

> LEITURA:
> **Tiago 4:13-17**
>
> ...Se o Senhor quiser, não só viveremos, [...] faremos isto ou aquilo. v.15

Tiago falou sobre flexibilidade no capítulo 4 de sua carta. Embora seja sábio planejar o futuro, devemos fazê-lo conscientes de que os propósitos de Deus podem ser diferentes dos nossos. Em vez de dizer simplesmente: "Hoje ou amanhã iremos para esta ou aquela cidade" (v.13), Tiago nos aconselhou a sermos flexíveis em relação à direção de Deus em nossa vida. E afirmou: "Em vez disso, devíeis dizer: Se o Senhor quiser, não só viveremos, como também faremos isto ou aquilo'" (v.15).

O desejo de seguir a Cristo nos faz descansar em Seus planos perfeitos — e a flexibilidade nos ajuda a estar preparados para irmos a qualquer lugar para onde Ele nos levar. WEC

● *Os seus planos se adequam aos propósitos de Deus para você?*

O coração do homem traça o seu caminho, mas o Senhor lhe dirige os passos. —PROVÉRBIOS 16:9

29 DE JUNHO

A BÍBLIA em UM ANO:
Jó 14–16, Atos 9:22-43

Fardos grudentos

Você alguma vez já teve a cola ou tinta à base de óleo grudando em seus dedos? Parece impossível de ser removido, mas você descobre que pode ser removido com a solução certa.

Ocorre o mesmo com os fardos da vida. Alguém a quem eu estava mentoreando enviou-me um *email* e pediu-me que orasse por ele. O *email* dizia: "Não consigo me desfazer desse fardo. É algo que não consegui entregar a Deus. Estou muito triste com isso e sei que preciso entregar e ser transformado. Eu realmente necessito das forças de Deus para livrar-me disso. Sei que o perdão divino pode me purificar, se eu o aceitar. E simplesmente preciso deixar que Deus o faça."

> LEITURA:
> **Salmo 32:1-7**
>
> **Confia os teus cuidados ao SENHOR, e ele te susterá...**
> Salmo 55:22

E respondi: "A alegria da vida cristã é conhecida pelo fato de Deus saber lidar com tudo que lhe entregamos. Mas ao mesmo tempo, o grande fardo da vida cristã é que nós —indivíduos fracos e indefesos como somos, nos agarramos em coisas que sabemos que temos que dar para Deus. Todos nós conhecemos esse sentimento."

Nossos pecados e preocupações, grandes ou pequenos, parecem grudar em nós como uma cola. Qual a solução? Precisamos tirar essas cargas de nossas mãos e depositá-las nos ombros de Deus. A Bíblia nos diz: "Confia os teus cuidados ao Senhor, e ele te susterá" (SALMO 55:22). Por que ficar carregando esses fardos grudentos? 🌾

JDB

● *Quem o auxilia a carregar os seus fardos?* _____

Deus nos orienta a entregar-lhe nossos fardos.

30 DE JUNHO

A BÍBLIA em UM ANO:
Jó 17–19, Atos 10:1-23

Problemas do coração

Uma das aflições mais comuns que atormenta as pessoas são os problemas cardíacos. Mais do que qualquer outro sofrimento, essa é uma doença que causa a morte prematura.

Contudo há uma aflição ainda mais devastadora do que uma disfunção no órgão responsável por bombear o sangue por todo o nosso corpo. É a doença espiritual do coração, da qual todos nós sofremos; "...pois todos pecaram e carecem da glória de Deus" (ROMANOS 3:23).

> **LEITURA:**
> **Efésios 2:1-10**
>
> **Cria em mim, ó Deus, um coração puro...**
> Salmo 51:1

Aqui está o diagnóstico feito por Jesus Cristo, o maior especialista do coração: "Porque do coração procedem maus desígnios, homicídios, adultérios, prostituição, furtos, falsos testemunhos, blasfêmias. São estas as coisas que contaminam o homem..." (MATEUS 15:19,20).

As palavras de Jesus repetem o veredito do livro de Jeremias 17:9: "Enganoso é o coração, mais do que todas as coisas, e desesperadamente corrupto; quem o conhecerá?" Este diagnóstico inclui todos os que estão mortos em seus pecados (EFÉSIOS 2:1).

Precisamos de um coração novo para nos tornarmos vivos. Mas como? Precisamos do toque de cura de nosso Senhor. Deus demonstrou Sua bondade para conosco, em Cristo Jesus, quando deu Seu filho para morrer em nosso lugar. Ele nos vivifica pela graça por meio da fé; esse é um dom de Deus (EFÉSIOS 2:8).

Peça que Deus aja em seu coração. 🌱

VCG

- *Como posso descontaminar o meu coração?* _____
_____
_____

Precisamos mais do que um novo começo; precisamos de um novo coração.

1.º DE JULHO

A BÍBLIA em UM ANO:
Jó 20–21, Atos 10:24-48

Corredeiras

Minha primeira experiência de *rafting* estava sendo bem divertida, até que ouvi o rugir das corredeiras à frente. Surgiu a incerteza, o medo e a insegurança, tudo ao mesmo tempo. Passar pelas corredeiras foi uma experiência emocionante, cheia de tensão e ansiedade! De repente tudo acabou. O guia, sentado na parte de trás do bote, tinha nos ajudado a atravessar aquele trecho. E eu então me senti seguro — pelo menos até as próximas corredeiras.

> LEITURA:
> **1 Crônicas 28:9-20**
> ...o S<small>ENHOR</small> Deus, [...] há de ser contigo; não te deixará, nem te desamparará... v.20

As transições na vida são como as corredeiras. As inevitáveis passagens de uma estação da vida à outra: da vida acadêmica à profissional, de solteiro para casado, da ativa à aposentadoria, do casamento à viuvez — todas são marcadas por incerteza e insegurança.

Em uma das transições mais significativas registradas na história do Antigo Testamento, Salomão assumiu o trono de seu pai, Davi. Estou certo de que ele estava cheio de incerteza em relação ao futuro. Qual fora o conselho de seu pai? "...Sê forte e corajoso e faze a obra [...] o S<small>ENHOR</small> Deus, meu Deus, há de ser contigo..." (1 CRÔNICAS 28.20).

Cada um de nós tem a sua parte de transições difíceis na vida. Mas com Deus ao seu lado, você não está só. Fixe os seus olhos naquele que navega com você pelas águas turbulentas. Ele já ajudou muitos outros a passarem por elas. À frente estão as águas tranquilas. 🌱

JMS

● *As ondas de mudanças e transições o apavoram ou aproximam de Deus?*

Deus o guiará pelas turbulentas mudanças que ocorrem em sua vida.

2 DE JULHO

A BÍBLIA em UM ANO:
Jó 22–24, Atos 11

Ignorando a Deus

Como **ex-professor e orientador** de universitários, muitas vezes pensei como seria terrível estar diante da classe e ninguém lhe prestar atenção, nem dar-lhe ouvidos, passar instruções e vê-las sendo ignoradas.

Ninguém quer ser ignorado. Se estivermos envolvidos em conversa com amigos, ficaremos ofendidos se nossas palavras lhes forem indiferentes. Se estivermos numa loja, procurando ajuda, nos irritaremos quando os balconistas nos ignorarem. Ao lutarmos com algum problema, ele se torna mais doloroso se ninguém nos oferecer ajuda.

Deus deve sofrer quando o ignoramos. Reflita sobre como o Seu coração de amor deve doer quando, apesar de habitar em nós por meio de Seu Espírito, agimos como se Ele não estivesse presente. Considere como Ele se sente quando Suas normas, que estão escritas em Seu Livro são ignoradas.

> **LEITURA:**
> **Salmo 63:1-8**
>
> ...que ameis o SENHOR, vosso Deus, andeis em todos os seus caminhos...
>
> Josué 22:5

Vamos ter cuidado em não ignorar a Deus. Lembremo-nos dele, em todo o tempo; nas grandes ou pequenas coisas, hora após hora. Que o Seu Espírito habite em nós. Isso é possível quando lemos as palavras inspiradas que Ele nos legou; quando investimos tempo em oração e ouvimos a Sua voz calma e tranquila. Que ao refletirmos sobre a Sua grandeza, e nos colocarmos em Sua presença e servirmos outras pessoas em Seu nome possamos dizer com o salmista: "A minha alma apega-se a ti..." (63:8). *JDB*

- *Quais os seus motivos para exultar ao Senhor em todo o tempo?*

Quem a Deus ignora é tolo.

3 DE JULHO

A BÍBLIA em UM ANO:
Jó 25–27, Atos 12

Irreverência

O **rei Herodes,** vestindo seus trajes reais, fez um discurso para uma audiência que desejava obter seu favor. Ele deleitou-se com a resposta lisonjeira do povo. "...É voz de um deus, e não de homem...", gritavam (ATOS 12:22). Temor e respeito ao único Deus verdadeiro deveria tê-lo feito protestar, mas ele não o fez. Ao fracassar em não glorificar a Deus, foi imediatamente ferido por um anjo do Senhor e sofreu morte torturante.

> **LEITURA:**
> **Atos 12:20-24**
>
> ...e o povo clamava [...]. No mesmo instante, um anjo do Senhor o feriu...
> vv.22,23

Paulo e Barnabé, por sua vez, demonstraram tamanha reverência a Deus que quase entraram em pânico com o pensamento de serem adorados (ATOS 14:14,15). Depois de verem como o apóstolo Paulo curou milagrosamente um homem que havia sido paralítico desde o nascimento, os espectadores gritaram: "...Os deuses, em forma de homens, baixaram até nós". Então fizeram os devidos preparativos para oferecer sacrifícios a Paulo e Barnabé (vv.11-13). Quando os apóstolos ouviram isso, rasgaram "...as suas vestes, saltaram para o meio da multidão, clamando: Senhores, por que fazeis isto?" (vv.14,15).

Nesses relatos bíblicos tão contrastantes, vemos um chamado solene de venerar a Deus em nosso mundo tão irreverente. Deus é o único digno de glória, louvor e honra. Ele é o único que merece ser adorado.

HVL

● *Em Sua presença há plenitude de*

Não a nós, Senhor, não a nós, mas ao teu nome dá glória. —SALMO 115:1

4 DE JULHO

A BÍBLIA em UM ANO:
Jó 28–29, Atos 13:1-25

Celebre a liberdade

Após ter sido sequestrado e feito refém por 13 dias, Olaf Wiig, o cinegrafista da TV da Nova Zelândia foi liberto. Ele então anunciou com um grande sorriso no rosto: "Sinto-me mais vivo agora do que em toda a minha vida."

Por razões difíceis de serem compreendidas, ser liberto é algo bem mais estimulante do que ser livre. Para aqueles que desfrutam da liberdade todos os dias, a alegria de Wiig é um bom lembrete de como é fácil esquecermos como somos abençoados. Acontece o mesmo em relação à vida espiritual.

> **LEITURA:**
> **Romanos 6:15-23**
>
> ...Cristo Jesus, te livrou da lei do pecado e da morte.
> Romanos 8:2

Alguns dentre nós que cremos em Cristo há mais tempo nos esquecemos do que significa ser refém do pecado. Podemos nos tornar complacentes e até ingratos. Mas então, Deus nos envia um lembrete na forma de um cristão recém-convertido, que dá um testemunho exuberante do que Deus fez em sua vida, e mais uma vez sentimos a alegria que também é nossa quando estamos livres "da lei do pecado e da morte" (ROMANOS 8:2).

Se a liberdade se tornou enfadonha para você, ou se tende a focar-se no que não pode fazer, considere isto: você já não é mais um escravo do pecado e está livre para ser santo e desfrutar da vida eterna com Jesus Cristo (6:22).

Comemore a sua liberdade em Cristo, e separe um momento para agradecê-lo pelas coisas que você pode e tem liberdade de fazer como servo do Senhor Jesus. 🌿

JAL

● *Deus fez grandes coisas por mim e por isso estou* _____

Viver para Cristo traz verdadeira liberdade.

5 DE JULHO

A BÍBLIA em UM ANO:
Jó 30–31, Atos 13:26-52

Grama sem corte

erto prefeito de uma cidade durante um ano não cortou a grama de sua casa. Todavia colocou uma placa em sua propriedade que dizia: "Há coisas mais importantes na vida do que uma grama alta."

Ele disse que tinha diversas razões para não cortar a grama, e uma delas seria a morte de sua esposa, que falecera de câncer. Essa perda o fez refletir sobre as prioridades da vida. Ele gosta de ficar simplesmente sentado ao entardecer, observando as flores silvestres, os esquilos e pássaros que vão e vêm em seu jardim. Um membro do conselho da cidade observou: "Se ele gosta disso tanto assim, está bem. Eu quase acho que ele está certo. Quem sabe há coisas mais importantes do que cortar grama."

> LEITURA:
> **Lucas 10:38-42**
>
> ...Maria, pois, escolheu a boa parte, e esta não lhe será tirada. v.42

Isto nos faz pensar sobre prioridades. O que fazemos com o nosso tempo mostra o que é importante para nós. Na leitura bíblica de hoje, Marta estava "ocupada em muitos serviços" (LUCAS 10:40). Maria, entretanto, investiu seu tempo para sentar "aos pés do Senhor" e ouvir os Seus ensinamentos (v.39). Talvez ela tenha compreendido que não teria muitas outras oportunidades para aprender com Jesus.

Às vezes, as responsabilidades do dia a dia, como o corte da grama ou as horas extras investidas num projeto precisam esperar para podermos investir o nosso tempo com o Senhor, com a família e amigos. Talvez isso seja o mais importante. *AMC*

● *As suas responsabilidades diárias o afastam de Deus? E da família?*

Ajudar alguém em nome de Jesus é o seu trabalho mais importante do dia.

6 DE JULHO

A BÍBLIA em UM ANO:
Jó 32–33, Atos 14

Prostrados

Os **antigos gregos e romanos** se negavam a ajoelhar-se como parte de sua adoração. Eles diziam que ajoelhar-se era algo indigno para um homem livre, inadequado para a cultura da Grécia e apropriado somente para os bárbaros. Os eruditos Plutarco e Teofrasto consideravam que ajoelhar-se era uma demonstração de superstição. Aristóteles chamou-o de uma forma incivilizada de comportamento. Todavia, essa crença nunca foi considerada assim pelo povo de Deus.

No Salmo 95:6, o salmista mostrou que ajoelhar-se expressava uma profunda reverência a Deus. Nesse versículo, ele usou três palavras hebraicas diferentes para dizer qual deveria ser a atitude e posição de um adorador.

> LEITURA:
> **Salmo 95**
>
> Vinde, adoremos e prostremo-nos; ajoelhemos diante do SENHOR... v.6

Primeiro, usou a palavra adoração, que significa cair prostrado como sinal de honra ao Senhor, e com outro significado, lealdade a Deus. A segunda palavra usada foi prostrar-se. Isso significa abaixar-se até os joelhos de alguém, demonstrando respeito e adoração ao Senhor. Depois usou a palavra ajoelhar-se, que significa estar de joelhos, dando louvor a Deus.

Conforme o salmista, ajoelhar-se na presença de Deus é um sinal de reverência e não uma forma de comportamento rude. Mas o importante não é apenas nossa posição física — e sim a atitude humilde do coração. ❦

MLW

- *A gratidão em seu coração o leva a prostrar-se diante do Senhor?*

Nossa atitude na adoração é muito mais importante do que a posição em que adoramos.

7 DE JULHO

A BÍBLIA em UM ANO:
Jó 34–35, Atos 15:1-21

Cedo para desistir

Chris Couch qualificou-se para jogar no torneio da Associação Profissional de golfe pela primeira vez aos 16 anos. Ele logo foi declarado como o próximo prodígio do esporte. O sucesso lhe estaria garantido nos anos que se seguiriam.

Mas a vida dele transformou-se em provações. Couch não disparou para o sucesso, e teve de enfrentar uma maratona de 16 anos e as dificuldades de três diferentes torneios "menores". Foi provado a ponto de desistir, mas Couch perseverou e, apenas aos 32 anos, tornou-se o ganhador do campeonato nacional pela primeira vez. A sua persistência lhe trouxe um resultado feliz, embora não tenha sido fácil.

> LEITURA:
> **1 Coríntios 9:24-27**
>
> **...corramos, com perseverança, a carreira que nos está proposta.** Hebreus 12:1

Em seu livro, *Uma longa obediência na mesma direção*, (Mundo Cristão, 2006) o autor e professor de estudo bíblico Eugene Peterson, nos lembra de que a vida cristã tem muito mais em comum com a maratona do que com a corrida dos 100 m. Peterson diz que somos chamados a perseverar na "corrida de longa distância, algo que faça valer a pena viver".

Com a graça e força de Cristo, também podemos correr "com perseverança" a corrida da vida (HEBREUS 12:1). E, tendo o exemplo de nosso Senhor para nos ajudar e encorajar, podemos — como o apóstolo Paulo — correr para ganhar o prêmio de uma coroa "incorruptível" (1 CORÍNTIOS 9:25). Sempre é cedo demais para desistir.

WEC

● *Quem o acompanha em sua maratona diária?*

Corra com perseverança, tendo em vista a eternidade.

8 DE JULHO

A BÍBLIA em UM ANO:
Jó 36–37, Atos 15:22-41

A coisa certa

"**Davi, eu não vi você hoje** na minha aula", falei para um de meus alunos da universidade, quando nos encontramos na secretaria. Ele me olhou, pasmado, como calouro em sua primeira semana de aula, e então percebeu — ele havia se enganado com os horários e ido para uma sala errada.

O interessante foi que havia duas classes de gramática — a minha e a de um outro professor — e ele foi assistir a aula errada. Então disse-lhe: "Está bem, você estava recebendo a informação correta, por isso não vou lhe dar falta."

Quando pensei a respeito, concluí que isso é um pouco parecido com as opções que muitos cristãos têm em relação às igrejas que frequentam. O fator-chave é frequentar uma igreja onde é compartilhada a informação certa, onde se prega a respeito da salvação por meio de Jesus Cristo (1 CORÍNTIOS 15:3-5), onde a Bíblia é o padrão para a fé e a prática, e onde há oportunidade de servir em nome de Jesus. É importante que a mensagem proclame o verdadeiro evangelho e a mensagem histórica de Jesus — e não um "outro evangelho" (GÁLATAS 1:6-9). O mais importante não é o mensageiro; é a mensagem.

> **LEITURA:**
> **Gálatas 1:6-12**
>
> Porque ninguém pode lançar outro fundamento, além do que foi posto, o qual é Jesus Cristo.
> 1 Coríntios 3:11

Que "evangelho" você está ouvindo? Ele está edificado sobre o fundamento de Jesus Cristo? (1 CORÍNTIOS 3:11). — JDB

- *Você anuncia o evangelho de Cristo?*

O único fundamento da igreja é Jesus Cristo, nosso Senhor.

9 DE JULHO

A BÍBLIA em UM ANO:
Jó 38–40, Atos 16:1-21

Impressões equivocadas

O romance de Jane Austen, *Orgulho e Preconceito*, (Pub. Europa-América, 2010) é sobre uma mulher inglesa, Lizzy Bennet, perseguida pelo Sr. Darcy, um homem egocêntrico, complexado e rico. A primeira impressão de Lizzy sobre ele foi de que era: arrogante, introvertido e egoísta. Mais tarde, quando chega a saber de seus muitos atos secretos de bondade para com os outros, Lizzy admite que havia se enganado em relação a ele.

> LEITURA:
> **Josué 22:10-34**
>
> ...É um testemunho entre nós de que o SENHOR é Deus. v.34

O livro de Josué 22 registra um outro exemplo de primeiras impressões equivocadas. As tribos de Rúben, Gade e Manassés haviam construído um imponente altar, junto ao Jordão. Quando as outras tribos ficaram sabendo, enfureceram-se (vv.9-12), porque Deus havia ordenado que somente Ele fosse adorado e que os sacrifícios fossem oferecidos unicamente no tabernáculo (ÊXODO 20:3; LEVÍTICO 17:8,9). Eles viram a construção daquele altar como um ato de apostasia.

Felizmente, Fineias, filho do sacerdote Eleazar, foi até lá com uma delegação para averiguar por que eles haviam construído o altar (JOSUÉ 22:13-33). Foi-lhes dito que se tratava de um memorial da união de todas as tribos, sob a autoridade do único Deus de Israel (v.34).

Muitas vezes, nossas primeiras impressões podem estar erradas. Todavia, a comunicação correta pode corrigir mal-entendidos criados por nosso próprio orgulho e preconceito. 🌱   HDF

● *A primeira impressão que você causa destaca a presença de Cristo?*

As primeiras impressões muitas vezes conduzem a conclusões erradas.

10 DE JULHO

A BÍBLIA em UM ANO:
Jó 41–42, Atos 16:22-40

Milagre ou mágica?

Será que **Jesus realmente caminhou** sobre as águas ou simplesmente fez uso de alguns bancos de areia próximos dali? Ele verdadeiramente multiplicou pães e peixes para alimentar 5 mil pessoas ou somente hipnotizou a multidão e fez as pessoas pensarem que Ele havia multiplicado? Foi milagre ou mágica?

Quando um ilusionista cristão explorou essas perguntas num programa de TV, ele colocou de lado as suas crenças pessoais para examinar os milagres bíblicos de mente aberta. O produtor daquele programa então disse: "Mesmo se um ateu tivesse sido escolhido como apresentador, as conclusões não seriam outras." Em cada um dos casos, o ilusionista concluiu que Jesus não podia ter feito as pessoas apenas acreditarem que tinham testemunhado um milagre.

> LEITURA:
> **João 10:22-42**
>
> ...para [...] saber e compreender que o Pai está em mim, e eu estou no Pai. v.38

No entanto, muitos que na verdade viram os milagres de Jesus se recusaram a crer que Ele era o Messias. Estavam prontos a executá-lo, porque Cristo reivindicava ser Deus (JOÃO 10:30-31). Jesus lhes disse: "...mas, se faço, e não me credes, crede nas obras; para que possais saber e compreender que o Pai está em mim, e eu estou no Pai" (v.37,38).

Os milagres de Jesus o identificaram como Filho de Deus, o Salvador que veio para dar a Sua vida pelos pecados do mundo. Suas obras e ressurreição não foram truques mágicos, mas milagres de amor e graça. 🌱

DCM

● Há milagres de Deus em sua vida? _____

Creia em Deus e você crerá em milagres; creia em Seu Filho e você experimentará um milagre!

11 DE JULHO

A BÍBLIA em UM ANO:
Salmos 1–3, Atos 17:1-15

Limitados, mas úteis

Suzanne Bloch, era imigrante alemã e tocou música de câmara com Albert Einstein e outros cientistas proeminentes por muitas vezes. Ela disse que Einstein, embora fosse um perfeito violinista, irritava seus colegas porque não acompanhava o ritmo. Ela explicava: "Você vê, ele não sabia contar." Einstein conseguia projetar teorias revolucionárias a respeito do universo, mas tinha dificuldades com a contagem rítmica. Apesar da sua limitação, era um músico entusiasmado.

> LEITURA:
> **Mateus 25:24-28**
>
> E foi em fraqueza, temor e grande tremor que eu estive entre vós. 1 Coríntios 2:3

Será que nós lamentamos as nossas limitações? Todos nós temos habilidades, mas também somos afligidos por nossas incapacidades. Podemos estar propensos a usar nossas limitações como desculpa para não fazer as coisas às quais Deus nos capacitou. Não é por não termos o talento de falar em público ou cantar num coral que ficaremos sentados nos bastidores espirituais, sem nada fazer.

Quando compreendemos que todos nós temos limitações, podemos seguir em frente, buscando a orientação de Deus no uso de nossos dons. Com certeza, sabemos orar. Certamente podemos mostrar bondade com os outros. Podemos visitar os solitários, doentes, idosos. Podemos falar com simplicidade sobre o que Jesus significa para nós. Paulo disse: "...tendo, porém, diferentes dons segundo a graça que nos foi dada [...] segundo a proporção da fé" (ROMANOS 12:6).

VCG

● *Você tem sido útil no reino de Deus?*

Muitas pessoas cometem o erro de enterrar os seus talentos.

12 DE JULHO

A BÍBLIA em UM ANO:
Salmos 4–6, Atos 17:16-34

Abastança

É difícil negar o aumento da riqueza em muitas partes do mundo, já que pessoas de sociedades abastadas acumulam celulares caros e TVs de tela plana. Você pode chamar isso de "abundância". Todavia, há ansiedades em meio a tanta prosperidade. Alguém disse que se trata do "quebra-cabeça da nossa época", com relação à economia. Eu me pergunto: Se isso é verdade, por que estamos tentando encontrar segurança em "mais coisas" — temporárias e passageiras?

> LEITURA:
> **Lucas 12:13-21**
>
> ...a vida de um homem não consiste na abundância dos bens que ele possui. v.15

A Bíblia chama a busca por mais bens de "ganância". Jesus advertiu os Seus seguidores em relação à ganância, contando-lhes a parábola do rico insensato. O problema com aquele homem não era ter abundância de celeiros repletos de colheita nem ter decidido construir celeiros maiores (LUCAS 12:16-18). O problema foi ele ter investido toda a sua vida em posses (v.15). Ele buscou segurança nos bens materiais e falhou em ser "rico para com Deus" (v.21). A rejeição do conhecimento e dos preceitos de Deus como base para a vida o tornou um insensato. Estava vivendo para o momento presente e aventurando o seu futuro (vv.19,20).

A "boa vida" não se encontra em coisas. Em vez de buscar segurança na aquisição de "bens", que possamos encontrar verdadeira satisfação investindo os nossos recursos e a nossa vida no reino de Deus e para o Seu reino. 🌿

MLW

● *O que você precisa entregar ao Senhor?*

A pobreza de propósitos é pior do que a escassez do nosso bolso.

13 DE JULHO

A BÍBLIA em UM ANO:
Salmos 7–9, Atos 18

O hábito da preocupação

É difícil viver sem certo grau de ansiedade e preocupação, não é mesmo? Preocupamo-nos com tudo: casamento, filhos, contas, emprego, dinheiro, peso, saúde, se vamos casar ou não e até com as rugas que aparecem no rosto e no pescoço.

A preocupação, li em algum lugar, é um ato de meditação. Quando nos preocupamos, colocamos a nossa atenção e energia nos problemas e não no Senhor. Mantemos nossa mente e "conversa interior" nas dificuldades, e elas se tornam maiores do que na verdade são. Maiores do que as promessas do Senhor e até maiores do que o próprio Mestre.

LEITURA:
Mateus 6:25-34

...não andeis ansiosos pela vossa vida... v.25

Como quebrar este hábito de meditar negativamente? Uma pequena dica é: confronte cada problema com as promessas bíblicas e com o caráter do nosso bom e generoso Deus. A Bíblia nos diz que Abraão conseguiu manter uma atitude positiva, mesmo diante de grandes obstáculos: "E, sem enfraquecer na fé, embora levasse em conta o seu próprio corpo amortecido, sendo já de cem anos, e a idade avançada de Sara, não duvidou, por incredulidade, da promessa de Deus; mas, pela fé, se fortaleceu, dando glória a Deus" (ROMANOS 4:19,20).

E o Senhor Jesus disse que por mais ansioso que alguém esteja, não poderá acrescentar um simples segundo ao curso de sua vida. Medite nas Escrituras e memorize-as para quebrar e vencer este mau hábito que nos afasta de descansar no Senhor. 🌱

JPS

● *Senhor, ajuda-me a confiar em Tua Palavra e em Teu caráter bondoso.*

...não vos inquieteis com o dia de amanhã... —MATEUS 6:34

14 DE JULHO

A BÍBLIA em UM ANO:
Salmos 10–12, Atos 19:1-20

Em suas mãos

O s guardas de parques zoológicos que lidam com cobras afirmam que jamais se deve pegar um desses répteis pela cauda, pois ele pode virar-se numa fração de segundos e cravar as presas dele em sua mão. A maneira certa é controlá-la pela cabeça (mas por favor, não tente fazer isso).

Pegar uma cobra pela cauda é exatamente o que Deus ordenou a Moisés (ÊXODO 4:1-5). e ele, que deve ter encontrado cobras no deserto de Midiã, sabia que aquilo era insensato.

> LEITURA:
> **Êxodo 4:1-5**
>
> ...amanhã, estarei eu no cimo do outeiro, e o bordão de Deus estará na minha mão.
> Êxodo 17:9

O que Deus estava querendo ensinar a esse profeta? O propósito de Deus era que Moisés entendesse que o Senhor tem poder, e que se dispusesse a ser usado por Ele como Seu mensageiro. Basicamente, havia pouca diferença entre jogar uma vara no chão e pegar uma cobra pela cauda. Ambos eram atos de obediência ao Senhor. A lição foi que Deus era capaz de usar qualquer coisa para validar a Sua mensagem ao povo, por meio de Moisés.

O que está em nossas mãos? De certa forma, a nossa vida está. Escolhemos se queremos desperdiçar: as horas, dias, semanas, meses e anos em nossas próprias buscas ou se queremos viver uma vida de obediência, que pode ser útil para Deus que é Todo-poderoso.

Ficaremos surpresos com o que o Senhor vai realizar em nós e por nosso intermédio, à medida que, obedientemente, fizermos o que Ele pede. O que está em suas mãos? 🌿

AL

● *Deus pode usá-lo da maneira que preferir?*

O chamado de Deus para uma tarefa inclui Sua força para completá-la.

15 DE JULHO

A BÍBLIA em UM ANO:
Salmos 13–15, Atos 19:21-41

O melhor para Deus

Havíamos ensaiado a música por diversas semanas e ela soava bem. Mas havia uma parte complicada que não conseguíamos acertar. Estávamos prontos a chamá-la de suficientemente boa. Nosso regente de coral parecia concordar, pois também estava cansado de ensaiar o mesmo trecho várias vezes.

Finalmente, ele disse: "Ensaiamos muito isso. Vocês estão cansados. Eu estou cansado. Nosso tempo está se esgotando. E 99% das pessoas não saberão se estamos cantando esta parte certa ou não." Quando começamos a colocar a partitura de lado, ele continuou: "Mas vamos cantá-la certo para aquele 1% que conhece a diferença." Suspiramos ao reabrir nossa partitura na página amarrotada.

> LEITURA:
> **1 Crônicas 22**
>
> ... a casa que se há de edificar para o SENHOR deve ser sobremodo magnificente... v.5

No domingo, nós a cantamos do modo certo e poucas pessoas perceberam. Mas isso não importava. O que realmente importava era cantarmos de todo o coração para a o Único que merece o louvor excelente.

O rei Davi queria construir um templo "extraordinariamente magnífico" para o Senhor (1 CRÔNICAS 22:5). Assim, antes de morrer, assegurou-se de que seu filho Salomão tivesse tudo o que necessitava para construí-lo — abundância de ouro, prata, bronze, ferro, madeira, pedras e homens especialistas em todo tipo de trabalho (vv.14,15).

Tudo quanto fizermos para Deus, merece o nosso melhor esforço.

JAL

● *Sua vida tem sido o templo de habitação do Senhor?*

Quando adoramos a Deus, somente o melhor é o suficiente.

16 DE JULHO

A BÍBLIA em UM ANO:
Salmos 16–17, Atos 20:1-16

Tirando o lixo

Geralmente a minha esposa precisa me lembrar de colocar o lixo para fora nos dias de coleta. Não é uma de minhas tarefas prediletas, mas faço um esforço para cumpri-la. Em seguida, sinto-me muito bem quando o lixo está fora de casa e esqueço-me dele até a semana seguinte.

Assim como precisamos de caminhões de lixo para recolher o que se acumula em nossas casas, precisamos deixar que Jesus remova o "lixo" que inevitavelmente se acumula em nosso coração. Quando esquecemos de colocar o lixo para fora, o resultado não é agradável. Jesus quer que o descartemos regularmente, aos pés da cruz. Na realidade, Ele prometeu remover e esquecê-lo.

> LEITURA:
> **Salmo 103**
>
> Quanto dista o Oriente do Ocidente, assim afasta de nós as nossas transgressões.
> v.12

Mas espere um minuto! Será que estamos remexendo as latas, tentando encontrar algo que não estamos dispostos a abrir mão? Quem sabe um hábito pecaminoso que não queremos deixar, uma fantasia na qual estamos presos, uma vingança que ainda queremos que aconteça? Por que queremos nos apegar a esse lixo?

Colocar o lixo para fora começa com uma confissão. Depois, devemos deixar que Jesus o leve embora. "Se confessarmos os nossos pecados, ele é fiel e justo para nos perdoar os pecados e nos purificar de toda injustiça" (1 JOÃO 1:9).

Hoje é o dia de coleta. Leve o lixo aos pés da cruz e deixe-o ali!

JMS

● *O que você precisa remover do seu coração?*

A confissão é a chave que abre a porta para o perdão.

17 DE JULHO

A BÍBLIA em UM ANO:
Salmos 18–19, Atos 20:17-38

Manuseie com cuidado

Visitei Jacarta, na Indonésia, quando fui convidado como palestrante de uma conferência bíblica numa igreja daquela cidade. Antes do início do primeiro culto pela manhã, um dos anciãos locais pediu-me que lhe desse a minha Bíblia. Ele explicou que os anciãos eram responsáveis pela confiabilidade dos ensinamentos que eram dados à congregação, e que ele devolveria a minha Bíblia diante de toda a congregação. Essa era uma maneira tangível de mostrar para a família da igreja que a liderança me confiava o ministério da Palavra naquele dia.

> **LEITURA:**
> **Atos 20:27-32**
> ...encomendo-vos ao Senhor e à palavra da sua graça, que tem poder para vos edificar... v.32

Aquele costume era sério e encorajador. Recordou-me de que o privilégio de apresentar as verdades bíblicas às pessoas não é algo que se deve fazer de forma negligente. Também foi animador ver como os anciãos, na Indonésia, levavam a sério a responsabilidade pelos cuidados do rebanho.

Em Atos 20, lemos que Paulo se encontrou com os anciãos da igreja de Éfeso. Sendo responsável por esses líderes, o apóstolo advertiu-os do perigo de falsos mestres (v.28,29) e da responsabilidade da liderança da igreja em ajudar a congregação a crescer no conhecimento da Palavra de Deus (v.32).

Não importa qual o nosso chamado, devemos manusear com cuidado a Palavra de Deus. E se assim fizermos, o povo de Deus crescerá espiritualmente.

WEC

- *Você é praticante da Palavra de Deus?*

Deus usa a Sua Palavra para transformar o Seu povo.

18 DE JULHO

A BÍBLIA em UM ANO:
Salmos 20–22, Atos 21:1-17

"Não é só isso!"

Ao visitar o Alasca pela primeira vez, empolguei-me porque iríamos ficar num hotel próximo ao famoso Monte McKinley. Ao chegarmos à recepção do hotel, vi de relance parte de uma rocha pela janela panorâmica, e em seguida corri ao terraço para ver a montanha. "Uau", falei baixinho, enquanto apreciava a vista.

Um homem que estava a poucos metros de distância disse: "não é só isso!" Descobri naquele dia que as pessoas que visitam o Alasca muitas vezes não veem aquela montanha por completo. Com uma elevação de 6.193 metros, ela é tão grande que a maior parte fica encoberta em dias nublados. E eu estava vendo apenas uma parte do todo.

> **LEITURA:**
> **Isaías 55:6-9**
>
> Os olhos de Deus estão sobre os caminhos do homem e veem todos os seus passos. Jó 34:21

Muitas vezes, nos contentamos com o nosso ponto de vista limitado da vida. Mas o Senhor nos lembra: "Eu é que sei que pensamentos tenho a vosso respeito, diz o SENHOR; pensamentos de paz e não de mal, para vos dar o fim que desejais" (JEREMIAS 29:11). Com a visão onisciente e panorâmica de Deus, Ele vê as pessoas que deseja que ajudemos, as coisas que Ele quer que realizemos e os traços de caráter que deseja desenvolver em nós.

Sabemos também que: "O coração do homem traça o seu caminho, mas o SENHOR lhe dirige os passos" (PROVÉRBIOS 16:9). Nossa visão da vida é restrita por causa da nossa humanidade, mas podemos confiar no Senhor, pois Ele tem a visão ilimitada! CHK

- *Quais traços de caráter Deus ainda precisa desenvolver em você?*

Nós vemos em partes; Deus vê o todo.

19 DE JULHO

A BÍBLIA em UM ANO:
Salmos 23–25, Atos 21:18-40

Mais do que imaginamos

Por décadas, os artistas pintaram cenas do universo baseados na combinação de informações científicas e suas imaginações. Porém, fotos de sondas espaciais e do telescópio *Hubble* redefiniram a visão de realidade desses artistas. Um deles disse que as primeiras fotos dos satélites de Júpiter (Io e Europa) "acabaram sendo mais exóticas do que todos tinham imaginado". Agora, ele considera que 70% de suas pinturas espaciais são "conceitos antiquados", porque a realidade se tornou mais impressionante do que a imaginação.

> LEITURA:
> **1 João 2:28–3:3**
> ...Sabemos que, quando ele se manifestar, seremos semelhantes a ele... 3:2

Embora a Bíblia nos conte o que Jesus disse e fez, ela não descreve a Sua aparência. Nossa imagem mental dele provavelmente é influenciada pela arte e por ilustrações em revistas de Escola Dominical. Mas, um dia, nossa imagem de Cristo será transformada para sempre, quando estivermos face a face com Ele. "Amados, agora, somos filhos de Deus, e ainda não se manifestou o que haveremos de ser. Sabemos que, quando ele se manifestar, seremos semelhantes a ele..." (1 JOÃO 3:2). Essa esperança vai produzir em nós a busca pela pureza (v.3).

Não somente veremos nosso Senhor como Ele é, mas também seremos como Ele. Como será surpreendente essa realidade — mais do que podemos imaginar!

DCM

● *Você crê que a Sua esperança de ver Jesus um dia se tornará realidade?*

Tudo o que ansiamos nos tornar se cumprirá quando olharmos pela primeira vez para Jesus.

20 DE JULHO

A BÍBLIA em UM ANO:
Salmos 26–28, Atos 22

Santa Ceia na Lua

A nave espacial **Apollo 11** aterrissou na Lua em 20 de julho de 1969. A maioria de nós está familiarizada com a afirmação histórica de Armstrong, quando ele pisou na superfície da Lua: "Um pequeno passo para o homem; mas um salto gigante para a humanidade." Poucos sabem a respeito da primeira refeição que lá fizeram.

Buzz Aldrin havia levado à nave um pequeno estojo de Santa Ceia. Ele fez uma transmissão via rádio à Terra, pedindo aos ouvintes para contemplar os acontecimentos daquele dia e dar graças.

LEITURA:
Salmo 139:1-12
Se subo aos céus, lá estás... v.8

Depois, com o rádio desligado, para maior privacidade, Aldrin pôs vinho num cálice de prata, e leu: "Eu sou a videira, vós, os ramos. Quem permanece em mim, e eu, nele, esse dá muito fruto..." (JOÃO 15:5). Em silêncio, deu graças e serviu-se do pão e vinho.

Deus está em todo lugar e nossa adoração deveria refletir esta realidade. Aprendemos no Salmo 139 que por onde formos, Deus está intimamente presente conosco. Buzz Aldrin celebrou essa experiência na superfície da Lua. Milhares de quilômetros distantes da Terra, ele reservou um tempo para ter comunhão com aquele que o criou, o redimiu e relacionava-se com ele.

Você está longe de casa? Você se sente como se estivesse no topo de uma montanha ou num vale escuro? Qualquer que seja a sua situação, a comunhão com Deus está apenas a uma oração de distância. ✿

HDF

● *A sua adoração reflete a presença de Cristo em seu dia a dia?*

A presença de Deus entre nós é um dos maiores presentes que Ele nos concede.

21 DE JULHO

A BÍBLIA em UM ANO:
Salmos 29–30, Atos 23:1-15

Conhecido no céu

Maria estava diante do sepulcro vazio e chorava em profunda dor porque seu Senhor havia morrido. O poeta Tennyson descreveu de forma lírica o final frio da morte dizendo: ela ansiava pelo "toque da mão desaparecida, pelo som da voz que emudeceu".

Então Jesus lhe apareceu. Em seu sofrimento, os olhos de Maria a enganaram, pois ela pensou que fosse o jardineiro. Mas quando Jesus a chamou pelo nome, ela o reconheceu imediatamente. Ela exclamou: "Rabôni!" — que significa "Mestre" (JOÃO 20:16).

> **LEITURA:**
> **João 20:11-18**
>
> As minhas ovelhas ouvem a minha voz; eu as conheço, e elas me seguem. v.27

As pessoas me perguntam se vamos nos reconhecer no céu. Creio que vamos reconhecer e ser reconhecidos lá. Quando Jesus recebeu seu corpo glorificado, os Seus seguidores o reconheceram (JOÃO 20:19,20). E um dia, vamos também ter um corpo glorificado (1 CORÍNTIOS 15:42-49; 1 JOÃO 3:2).

Jesus disse aos Seus discípulos, "alegrai-vos [...] porque o vosso nome está arrolado nos céus" (LUCAS 10:20). Um dia ouviremos novamente as vozes dos entes queridos, cujos nomes estão escritos no céu — que agora estão caladas. Ouviremos a voz do Pai que chamou o nosso nome com repreensão amorosa, da mãe que nos chamou quando brincávamos.

Todavia, há uma voz que anseio ouvir acima de todas as outras — o meu Senhor Jesus chamando-me por meu nome: "David". E, como Maria, vou reconhecê-lo imediatamente. Meu Salvador! 🌿

DHR

● *Você já conhece a voz de Cristo?*

As despedidas são a lei da Terra — os reencontros são a lei do céu.

22 DE JULHO

A BÍBLIA em UM ANO:
Salmos 31–32, Atos 23:16-35

Instintos

É perigoso voar em meio às tempestades. A tentação é de voar seguindo os nossos instintos, como parecer melhor. Mas qualquer piloto afirma que sem habilidade isso é um convite ao desastre. Se você confiar em seus instintos, se desorientará achando que o avião está subindo quando ele estiver descendo. Felizmente, o painel de controle está ajustado para o polo norte magnético e podemos confiar nele em todo o tempo. Deixar que esses instrumentos o guiem, mesmo quando parecerem errados, ajuda a garantir sua segurança.

> LEITURA:
> **Salmo 32**
>
> Instruir-te-ei e te ensinarei o caminho que deves seguir; e, [...] te darei conselho.
> v.8

Todos nós enfrentamos tempestades que ameaçam nos confundir e desorientar. Pode ser um telefonema do consultório do médico, um amigo que o traiu ou um sonho despedaçado. Nesses momentos devemos ser cuidadosos. Quando você perder a visão por causa de decepções, não confie em seus instintos. Voar por instinto nas tempestades da vida pode conduzir ao desespero, confusão e reações vingativas que pioram as coisas ainda mais.

Deus quer guiá-lo, e Sua Palavra está repleta de sabedoria e discernimento para se viver. O salmista diz: "Lâmpada para os meus pés é a tua palavra e, luz para os meus caminhos" (SALMO 119:105). Ele sempre nos conduz para o lugar certo!

Leia a sua Bíblia e confie que Deus o guiará. Ele promete: "Instruir-te-ei e te ensinarei o caminho que deves seguir..." (SALMO 32:8).

JMS

● *O painel de controle de sua vida está à disposição do Mestre?*

Quanto mais próximos de Deus caminharmos, mais claramente veremos a Sua orientação.

23 DE JULHO

A BÍBLIA em UM ANO:
Salmos 33–34, Atos 24

Meu coração me condena

Você às vezes se sente culpado e indigno por causa de algo que fez anos atrás? Você já confessou e pediu que Deus lhe perdoasse, mas a lembrança daquilo o persegue?

Eu me identifico com você. Os sentimentos de culpa ainda passam por cima de mim quando relembro como falhei com uma senhora idosa e sem filhos, quando estava estudando para o ministério. Ela vinha com frequência na loja em que eu trabalhava meio expediente. Depois de certo tempo, tornei-me amigo e conselheiro espiritual dela e de seu marido. Mais tarde, oficiei o funeral dele.

Quando mudei para uma cidade vizinha como pastor seminarista, perdi o contato com ela. Eu queria procurá-la, mas sempre adiei o compromisso. Certo dia, vi a nota de seu falecimento. Fiquei devastado com a dor e confessei meu pecado a Deus.

> **LEITURA:**
> **1 Timóteo 1:12-17**
>
> ...se o nosso coração nos acusa [...] Deus é maior do que o nosso coração e conhece todas as coisas.
> 1 João 3:20

Mais de 30 anos após a conversão de Paulo, ele se referiu ao tempo em que havia sido "blasfemo, e perseguidor, e insolente" (1 TIMÓTEO 1:13). Ele disse de si mesmo: "...Cristo Jesus veio ao mundo para salvar os pecadores, dos quais eu sou o principal" (v.15). Mas exultava constantemente na certeza de que era um pecador perdoado.

Deus, que é maior do que o nosso coração e conhece todas as coisas (1 JOÃO 3:20), perdoou-nos dos pecados que confessamos (1:9). Podemos crer nele! 🌿

HVL

● *Você recebeu o perdão de Jesus?* _____

A confissão a Deus sempre traz purificação.

24 DE JULHO

A BÍBLIA em UM ANO:
Salmos 35–36, Atos 25

Administre a ira

Encontramos muitos parques temáticos em Orlando, na Flórida, que a cada ano atraem milhares de famílias em férias. No entanto, uma revista sobre saúde a descreveu como "A cidade mais furiosa dos EUA". Eles criaram esse título baseado em assaltos violentos, brigas de rua e a grande porcentagem de homens que têm pressão arterial alta.

O rei Nabucodonosor, "...irado e furioso, mandou chamar Sadraque, Mesaque e Abede-Nego..." porque estes não prestaram culto aos seus deuses nem adoraram a sua imagem de ouro (DANIEL 3:13). Quando não conseguiu o que desejava, "...se encheu de fúria e, transtornado o aspecto do seu rosto..." (v.19).

> LEITURA:
> **Daniel 3:8-25**
>
> **...nada façais por partidarismo [...] considerando cada um os outros superiores a si mesmo.** Filipenses 2:3

Todos nós lutamos com a ira, mas ela nem sempre é algo errado. "Irai-vos e não pequeis..." (EFÉSIOS 4:26). Devemos ficar irados quando vemos as injustiças em nosso mundo. Mas na maioria das vezes, nossa ira — à semelhança de Nabucodonosor — vem de um lugar não muito nobre: nosso próprio interesse e orgulho. Se o nosso temperamento nos domina, podemos perder o controle do que dizemos e fazemos. Paulo nos desafia: "...nada façais por partidarismo ou vanglória, mas por humildade, considerando cada um os outros superiores a si mesmo" (FILIPENSES 2:3).

Quando colocarmos os outros em primeiro lugar teremos dado o primeiro passo para lidar com a ira. CHK

● *A sua ira torna-se um motivo para servir a Deus?*
___

Quando o temperamento domina, a pessoa revela o que tem de pior.

25 DE JULHO

A BÍBLIA em UM ANO:
Salmos 37–39, Atos 26

O coração de Mariana

Quando Mariana estava no terceiro ano da escola, ela sempre voltava para casa sem as suas luvas de inverno. A mãe dela se irritava porque sempre tinha que comprar luvas novas e a família não tinha condições para isso. Certo dia, a mãe ficou furiosa e lhe disse: "Mariana, você precisa ser mais responsável. Isso não pode continuar assim!"

A menina começou a chorar. Em lágrimas, contou à mãe que, como ganhava luvas novas, ela podia dar as velhas para outras crianças que não as tinham.

Agora, com 18 anos, os passatempos de Mariana incluem ser voluntária na comunidade e mentora de crianças num centro urbano. Sobre o seu desejo em ajudar as pessoas, ela diz simplesmente que sente ser essa "a coisa que deve fazer".

> **LEITURA:**
> **Tiago 1:19-27**
>
> Tornai-vos, pois, praticantes da palavra e não somente ouvintes, enganando-vos a vós mesmos.
> v.22

Como cristãos, nós também devemos ter o coração benevolente. Tiago nos diz para ouvirmos a Palavra de Deus e praticar o que ela diz (1:22,23). Mas ele não diz apenas que devemos obedecer, pois nos dá instruções específicas sobre o que devemos fazer. Em seguida, apresenta uma forma prática de como podemos dar de nós mesmos aos outros: "...visitar os órfãos e as viúvas nas suas tribulações..." (v.27).

Peça que Deus lhe dê um coração como o de Mariana, e impelido pelo amor a Deus, obedeça ao que Ele lhe pedir. É isso que devemos fazer. 🌱

AMC

● *O que você já doou por amor a Cristo?* _____

Você pode doar sem amar, mas não pode amar sem doar.

26 DE JULHO

A BÍBLIA em UM ANO:
Salmos 40–42, Atos 27:1-26

Noite

Elie Weisel, em seu interessante e conturbado livro *A Noite* (Texto Editores, 2012), descreve suas experiências de menino quando foi uma das inúmeras vítimas do Holocausto. Arrancado de casa e separado de sua família, exceto de seu pai (que morreu mais tarde, nos campos de concentração), Weisel sofreu uma noite escura em sua alma, como poucos hão de experimentar. Suas ideias e crenças a respeito de Deus foram desafiadas. Sua inocência e fé tornaram-se sacrifícios no altar da maldade humana e da escuridão do pecado.

> **LEITURA:**
> **Salmo 42**
>
> ...SENHOR, durante o dia, me concede a sua misericórdia, e à noite comigo está o seu cântico... v.8

Davi experimentou a sua própria noite escura da alma, e muitos eruditos creem que foi isso que o motivou a escrever o Salmo 42. Atormentado e perseguido, provavelmente por seu filho rebelde Absalão (2 SAMUEL 16–18), Davi mostrou a dor e o medo que podemos sentir no isolamento da noite, quando a escuridão nos agarra e força a considerar a angústia do nosso coração e fazer perguntas duras a respeito de Deus. O salmista lamentou a aparente ausência de Deus, mas ainda na noite, encontrou uma canção (v.8) que lhe trouxe paz e confiança nas dificuldades à sua frente.

Ao enfrentarmos a noite, podemos estar confiantes de que Deus também faz Sua obra na escuridão, e dizer com o salmista: "...Espera em Deus, pois ainda o louvarei, a ele, meu auxílio e Deus meu" (v.11).

WEC

● *Deus se fez presente em sua noite escura?* _____

Quando há escuridão suficiente, os homens veem as estrelas. —EMERSON

27 DE JULHO

A BÍBLIA em UM ANO:
Salmos 43–45, Atos 27:27-44

Pedicuros

Os pedicuros de paquidermes não são um luxo, são uma necessidade. Um artigo de jornal, mencionou que se os elefantes em cativeiro não receberem tratamento regular nas patas, eles contraem infecções que podem ser fatais. Mas cortar as unhas de um animal que pode pesar seis toneladas é algo arriscado. Porém alguém teve uma ideia. Desenvolveu um "virador de elefante" que permite prender e virá-los de lado. O aparelho tem quase quatro metros de altura, pesa umas 15 toneladas e custa aproximadamente trezentos mil reais. Diversos zoológicos já adquiriram esse aparelho útil.

> **LEITURA:**
> **2 Timóteo 2:22-26**
>
> ...disciplinando com mansidão os que se opõem... v.25

Cuidar das pessoas também pode incluir riscos. Paulo descreveu o que é necessário para ajudar aqueles que, em tempos perigosos, se desviaram do caminho da verdade. Ele não oferece um aparelho engenhoso para ajudar aqueles que são um perigo tanto para si mesmos como para os outros (2 TIMÓTEO 2:23,25). Mas nos relembra que, quando se trata de cuidar da mente e coração de outras pessoas, não podemos confiar na ingenuidade e nos músculos humanos. O que realmente precisamos é da sabedoria de Deus. Sem brigar ou ser arrogante, o servo do Senhor deve ser amável e ter paciência (v.24).

A verdade e a graça de Cristo são maiores do que a autoproteção, pois demonstram aos outros quem é a Pessoa que os estamos incentivando a aceitar. 🌱

MRD

● *Você se dispõe a correr riscos para ajudar o próximo?*

Ao aconselhar alguém que se desviou, aja sempre com cautela e graça.

28 DE JULHO

A BÍBLIA em UM ANO:
Salmos 46–48, Atos 28

Deus é tremendo!

Este adjetivo é usado com frequência, nos contextos mais incomuns. A palavra tremendo, significa: algo que causa espanto, terror, respeito, reverência, ou o que é extraordinário, grandioso, *formidável* ou colossal.

Meu neto Jônatas, de 9 anos, e eu estávamos no chão da sala brincando com um carro de corrida de controle remoto, e ele disse diversas vezes: "tremendo".

Noutra ocasião, minha esposa e eu saíamos do restaurante, quando o gerente que estava à porta perguntou: "Estava tudo de acordo, pessoal?" Eu respondi "ótimo" e ele disse: "*tremendo!*"

> **LEITURA:**
> **Salmo 47**
>
> **Pois o Senhor Altíssimo é tremendo...** v.2

Essas duas situações me levaram a refletir: embora seja divertido brincar com meu neto e desfrutar de uma refeição num restaurante, será que essas experiências são realmente "tremendas"? Fui consultar um dicionário. As definições diziam: "...que causa espanto, assombro", "aterrorizante", "espantoso". Lembrei-me do tempo em que estive à beira de um grande cânion. Essa foi realmente uma experiência "extraordinária, tremenda, formidável".

Então pensei em algo ainda mais inspirador de temor: conhecer o Criador e o Sustentador de todo o universo. Não me admiro de o salmista ter escrito: "Pois o Senhor Altíssimo é tremendo..." (SALMO 47:2).

Da próxima vez que ouvirmos a palavra "tremendo", que possamos nos lembrar de nosso grande Deus, que é verdadeiramente grandioso! O Senhor é tremendo! 🌿

DJD

● *Estou pronto a fazer algo extraordinário e tremendo para Deus?*

Nada é mais grandioso e tremendo do que conhecer a Deus.

29 DE JULHO

A BÍBLIA em UM ANO:
Salmos 49–50, Romanos 1

Os atrasos de Deus

Para mim, esperar é difícil. Quero as respostas agora. Adiar me desanima. Fico confuso com as demoras de Deus, e pergunto: "Quanto tempo, Senhor?"

O profeta Habacuque também queria respostas, mas Deus escolheu fazer as coisas em Seu tempo. "Pôr-me-ei na minha torre de vigia [...] para ver o que Deus me dirá e que resposta eu terei à minha queixa" (2:1). Deus respondeu: "Porque a visão ainda está para cumprir-se no tempo determinado [...] se tardar, espera-o" (v.3).

A fé nunca desiste, e sabe que, apesar das aparências, tudo está bem. Ela pode esperar sem qualquer sinal ou indicação significativa de que Deus está agindo, porque tem confiança nele. Madame Guyon (1648-1717) disse: "Cada demora é perfeitamente boa porque estamos nas mãos seguras de Deus."

> **LEITURA:**
> **Habacuque 1:12;2:3**
>
> ...colocar-me-ei sobre a fortaleza e vigiarei para ver o que Deus me dirá e que resposta eu terei à minha queixa.
> Habacuque 2:1

Precisamos aprender a ver cada demora como se fosse "perfeitamente boa". As prorrogações são motivos para orar e não para ficarmos ansiosos, impacientes e incomodados. São oportunidades para Deus desenvolver aquelas qualidades imperecíveis, mas difíceis de serem adquiridas: a humildade, paciência, serenidade e força. Deus nunca diz: "Espere um pouco", a não ser que esteja planejando fazer algo em nossa situação ou em nós. Ele espera para ser bondoso.

Por isso, não desanime! Se a resposta de Deus tarda, ainda assim espere (v.3). 🍃

DHR

● *Você quer descansar no Senhor?* _____

Deus alonga nossa paciência para que cresçamos espiritualmente.

30 DE JULHO

A BÍBLIA em UM ANO:
Salmos 51–53, Romanos 2

Amor imutável

Em certa cerimônia de casamento em que participei, o pai da noiva citou uma comovente seleção de textos bíblicos sobre o relacionamento conjugal. Em seguida, um amigo do casal leu o "Soneto 116" de William Shakespeare. O pastor que conduziu a cerimônia usou uma frase daquele soneto para ilustrar o tipo de amor que deve caracterizar o matrimônio cristão: "Amor não é amor que se altera quando encontra alteração." O poeta está dizendo que o verdadeiro amor não muda com as circunstâncias.

> **LEITURA:**
> **Tiago 1:12-20**
>
> Toda boa dádiva e todo dom perfeito são lá do alto, descendo do Pai das luzes... v.17

O pastor falou sobre as muitas mudanças que o casal experimentaria durante sua vida em comum, incluindo a saúde e os efeitos inevitáveis da idade. E os desafiou a cultivar o verdadeiro amor bíblico que nunca vacila nem falha, apesar das alterações que certamente encontrariam no caminho.

Enquanto observava a alegria e o entusiasmo daquele jovem casal, veio-me à mente um versículo de Tiago: "Toda boa dádiva e todo dom perfeito são lá do alto, descendo do Pai das luzes, em quem não pode existir variação ou sombra de mudança" (1:17). Deus nunca muda, e Seu amor por nós também não. Somos receptores de um amor perfeito que vem de nosso Pai celestial, que nos amou "com amor eterno" (JEREMIAS 31:3).

Somos chamados a aceitar o amor infalível de Deus, permitir que Ele molde nossa vida e transmitir o Seu amor. 🌿

DCM

● *Você já experimentou o amor de Jesus — o Pão da Vida?*

O amor de Deus permanece mesmo quando todo o restante já caiu.

31 DE JULHO

A BÍBLIA em UM ANO:
Salmos 54–56, Romanos 3

Levante-se!

azia 15 anos que eu não praticava esqui aquático, mas quando nossos amigos convidaram meu genro e eu para esquiarmos num lago, como eu poderia dizer não? Parecia ser uma boa ideia, até observar as dificuldades que meu genro tinha em se levantar sobre os esquis. Embora ele houvesse praticado muito desse esporte, quando tentava levantar-se sobre um único esqui, sempre caía. Por isso, quando chegou a minha vez, não me senti muito confiante.

> **LEITURA:**
> **Salmo 54**
>
> Eis que Deus é o meu ajudador, o SENHOR é quem me sustenta a vida. v.4

Felizmente, a minha amiga é esquiadora profissional e me deu as devidas instruções: "Deixe que o barco puxe você para cima. Seja forte!" Essas afirmações, aparentemente contraditórias, fizeram toda a diferença. Eu fiz ambas as coisas — confiei que o barco faria seu trabalho e me segurei com todas as minhas forças. Na primeira vez que o barco saiu, levantei-me e desfrutei de um grande passeio pelo lago.

Quando a vida o decepcionar pela tristeza que parece difícil demais para carregar ou por circunstâncias que tornam cada dia um enorme peso — o conselho de minha amiga pode lhe ajudar. Primeiro, deixe que Deus o levante com o Seu poder (SALMO 54:1-4). Em seguida, segure firme na mão dele. Apegue-se a Deus e fortaleça-se "...no Senhor e na força do seu poder" (EFÉSIOS 6:10).

Confie no poder de Deus e aguente firme. Ele lhe dará as forças para não cair (ISAÍAS 40:31). 🌾

JDB

● *O Senhor é o seu sustento diário?*

...mas os que esperam no SENHOR renovam as suas forças... —ISAÍAS 40:31

1.º DE AGOSTO

A BÍBLIA em UM ANO:
Salmos 57–59, Romanos 4

Coléricos anônimos

Jamais esquecerei quando ouvi um ruído alto do outro lado do corredor de meu quarto. Meu vizinho estava em pânico, procurando por seu trabalho de faculdade que devia ser entregue. Frustrado e jogando as coisas para o alto gritou: "Obrigado, Deus. Você faz a vida ser uma grande piada!"

Eu lhe daria nota 10 em teologia — pelo menos ele sabia que, em última instância, Deus estava no controle — mas lhe daria zero por sua reação ao problema que enfrentava.

> LEITURA:
> **Tiago 1:1-8**
>
> **Meus irmãos, tende por motivo de toda alegria o passardes por várias provações.**
> v.2

Aqueles que ficam furiosos com Deus quando a vida dá uma volta errada precisam de uma boa dose de terapia bíblica. Por isso, seja bem-vindo ao grupo dos "Coléricos anônimos" — um programa de dois passos para alcançar uma resposta positiva à dor, e que honra a Deus.

Primeiro passo: Pense objetivamente sobre o problema, pois ele vem em todas as formas e tamanhos. Tiago nos diz que "várias provações" (1:2) afetam nossa saúde, nossos empregos e relacionamentos. Quando entendemos os fatos, podemos começar a valorizar o seu significado em nossa vida.

Segundo passo: Troque a resistência e o ressentimento pela receptividade e alegria. "...tende por motivo de toda alegria..." (v.2). A alegria não está na presença da dor, mas na certeza de que Deus a está usando para nos moldar e nos tornar melhores, e não amargurados. 🌱

JMS

● *As suas reações às dificuldades honram o Senhor?*

Deus escolhe o que temos de passar; nós, a forma como passamos por elas.

2 DE AGOSTO

A BÍBLIA em UM ANO:
Salmos 60–62, Romanos 5

Generosidade radical

Priscila, que trabalha num restaurante popular, atendeu um de seus clientes fiéis por três anos. Ele sempre lhe dava uma boa gorjeta, às vezes mais da metade do preço da refeição. Um dia ele se superou — deu-lhe R$ 20 mil por uma refeição que custou R$ 50, e disse-lhe: "Quero que você saiba que isso não é brincadeira." Que demonstração esplêndida de generosidade radical!

> **LEITURA:**
> **1 Timóteo 6:17-19**
>
> ...sejam ricos de boas obras, generosos em dar e prontos a repartir. v.18

Paulo admoestou Timóteo para que encorajasse os ricos em sua congregação a demonstrar esse tipo de generosidade radical (1 TIMÓTEO 6:18). Timóteo era pastor na próspera cidade de Éfeso, e naquela igreja havia certos membros ricos. Algumas dessas pessoas não compreendiam a sua responsabilidade em relação ao reino de Deus. Por isso, Paulo desafiou Timóteo a lembrá-las de que ter uma grande riqueza significa ter grande responsabilidade. Isso incluía o fato de serem humildes, buscar segurança em Deus e não em riquezas, e usar o dinheiro para fazer o bem. A maneira como lidavam com o dinheiro revelava a condição de seu coração.

Mesmo não sendo ricos, Deus nos chamou para praticar a generosidade radical. Podemos compartilhar o que temos e ser ricos em boas obras. Se tivermos uma atitude generosa em relação ao dinheiro, provavelmente seremos mais generosos em outras questões que dizem respeito ao povo do Senhor e Sua obra.

MLW

- As suas atitudes são generosas?

Quando nos entregamos ao Senhor, as outras doações se tornam mais fáceis.

3 DE AGOSTO

A BÍBLIA em UM ANO:
Salmos 63–65, Romanos 6

Alimentador de esquilos

Anos atrás, coloquei um alimentador de esquilos numa árvore, a alguns metros da nossa casa. É uma peça simples — duas tábuas e um prego no qual se prende uma espiga de milho. E desde então, todas as manhãs, um esquilo vem desfrutar da refeição do dia. É um animal bonito — preto com a barriga redonda acinzentada.

Sento-me na varanda dos fundos, pela manhã, e o observo enquanto come. O animalzinho arranca cada grão da espiga, segura-o com as mãos, vira-o e come o que está dentro do grão. No fim do dia, não sobram grãos, somente uma pequena e arrumada pilha de sobras de cascas debaixo da árvore.

> LEITURA:
> **Salmo 65**
>
> **Coroas o ano da tua bondade; as tuas pegadas destilam fartura.** v.11

Apesar dos meus cuidados por ele, o esquilo tem medo de mim. Quando me aproximo, ele foge, refugia-se numa árvore, grita quando chego muito perto. Ele não sabe que sou eu que providencio a comida para ele.

Algumas pessoas agem assim com Deus, e fogem dele, com medo. Não reconhecem que Ele as ama e provê ricamente para que desfrutem de tudo (SALMO 65:11).

Henry Scougal, um pastor escocês que viveu no século 17, escreveu: "Nada tem mais poder de atrair nossas afeições do que saber que somos amados por aquele que é inteiramente amoroso [...]. Isso deve nos surpreender e alegrar; e deve afastar o nosso medo e amolecer os nossos corações." O amor de Deus é o amor perfeito que "expulsa o medo" (1 JOÃO 4:18). 🌿 *DHR*

● *Você reconhece o amor e a provisão de Deus?* _____

Seu amoroso Pai celestial nunca tira os olhos de você.

4 DE AGOSTO

A BÍBLIA em UM ANO:
Salmos 66–67, Romanos 7

Em que você crê?

Certo jovem doutorou-se em Química Física numa reconhecida universidade, e em seguida estudou Medicina. Durante sua residência médica, uma mulher que estava no hospital e à beira da morte falou muitas vezes com ele sobre a fé que ela tinha em Cristo. Ele rejeitava a existência de Deus, mas não podia ignorar a serenidade daquela senhora. Certo dia, ela lhe perguntou: "Em que você crê?" Pego de surpresa, o médico-residente ficou vermelho, e gaguejou: "Não estou muito seguro no que creio." Alguns dias mais tarde, a mulher faleceu.

> LEITURA:
> **Isaías 50:4-10**
>
> ...para que eu saiba dizer boa palavra ao cansado. v.4

Curioso e constrangido, o jovem médico compreendeu que havia rejeitado Deus, sem examinar adequadamente a evidência do fato. Começou a ler a Bíblia e os escritos de C. S. Lewis. Um ano mais tarde, ajoelhou-se e entregou a sua vida a Jesus Cristo. O catalisador? Uma pergunta sincera de uma mulher idosa, cujo coração físico estava falhando — mas cuja preocupação pelos outros ainda era forte.

Numa visão profética do Messias, o livro de Isaías 50:4 declara: "O Senhor Deus me deu língua de eruditos, para que eu saiba dizer boa palavra ao cansado."

Que possamos estar prontos para apresentar o Salvador aos outros, aquele que oferece vida e paz a todos, seja com uma palavra oportuna ou pergunta.

DCM

- *Em quem você crê?* _____

A próxima pessoa que você encontrar talvez precise conhecer a Cristo.

5 DE AGOSTO

A BÍBLIA em UM ANO:
Salmos 68–69, Romanos 8:1-21

Amizade internacional

Em 1947, **Nádia, da Bulgária, e Millicent, dos EUA,** se tornaram amigas por correspondência. Por anos, elas trocaram cartas com fotos, experiências de escola e seus sonhos. Elas pararam de trocar cartas quando o governo da Bulgária proibiu o contato com pessoas do mundo ocidental.

Depois de anos de agitação e mudanças políticas, Millicent enviou uma carta para o último endereço que tinha de Nádia. Para sua alegria, a carta chegou ao seu destino. Pouco depois, elas descobriram que ambas haviam casado com médicos e colecionavam conchas. Após 48 anos desde suas primeiras cartas, as duas amigas finalmente se encontraram, quando Millicent exclamou: "Nádia! Eu a reconheceria em qualquer lugar!"

> LEITURA:
> **Colossenses 1:1-12**
>
> **Damos sempre graças a Deus, Pai de nosso Senhor Jesus Cristo, quando oramos por vós.** v.3

As cartas do apóstolo Paulo estão repletas de afeição e gratidão por seus amigos. Em sua carta aos Colossenses, ele escreveu: "Damos sempre graças a Deus, Pai de nosso Senhor Jesus Cristo, quando oramos por vós" (1:3). Suas cartas também deram ânimo para a caminhada com Cristo (v.10).

A amizade pode ser um presente de Deus, mas nada é tão profundo quanto os relacionamentos daqueles que compartilham a união em Cristo. Na verdade, Jesus ordenou aos Seus discípulos: "O meu mandamento é este: que vos ameis uns aos outros, assim como eu vos amei" (JOÃO 15:12). Nele, os relacionamentos que cultivamos são tesouros que vão durar para sempre.

MRD

● *De que maneira você demonstra o amor de Deus aos amigos e familiares?*

Um verdadeiro amigo é um presente de Deus.

6 DE AGOSTO

A BÍBLIA em UM ANO:
Salmos 70–71, Romanos 8:22-39

Um bom alongamento

A **fisioterapia é uma necessidade** dolorosa depois de uma cirurgia no joelho. O fisioterapeuta procurava me encorajar dizendo: "Bom alongamento?" Eu replicava, com dor: "Não, não é tão bom assim!"

Entretanto, logo aprendi como é importante alongar os músculos e as juntas para adquirir completa mobilidade — mesmo que às vezes isso nos cause desconforto.

> LEITURA:
> **Romanos 8:26-28**
>
> "...o poder [de Deus] se aperfeiçoa na fraqueza..."
> 2 Coríntios 12:9

Essa não foi a primeira vez que me submeti a um "alongamento" fora da minha área de conforto. Muitas vezes, Deus me encorajou a compartilhar a minha fé com alguém que ainda não a conhecia muito bem, ou para dar uma oferta que estava muito além do que geralmente dou ou de confrontar alguém em relação a determinada situação.

A vida de Abraão ilustra a importância da fé quando Deus pede que nos movamos além da nossa zona de conforto. "Pela fé, Abraão, quando chamado, obedeceu [...] sem saber aonde ia" (HEBREUS 11:8).

Quando alongamos os nossos músculos espirituais, talvez sintamos desconforto, mas Deus nos assegura: "...A minha graça te basta, porque o poder se aperfeiçoa na fraqueza..." (2 CORÍNTIOS 12:9). Nossa capacidade, nossa suficiência, vem de Deus (3:5).

Quando você der um passo de fé e obediência a Deus, você poderá surpreender-se como "um bom alongamento" pode fortalecer sua vida espiritual!

CHK

● *Quais áreas de sua vida espiritual precisam de "alongamento"?*

Nossa fé é fortalecida quando trocamos nossa fraqueza pela força de Deus.

7 DE AGOSTO

A BÍBLIA em UM ANO:
Salmos 72–73, Romanos 9:1-15

Madame Curie

Madame Marie Curie é pioneira no estudo da radioatividade e assegurou o seu lugar na história. Em 1903, ela foi a primeira mulher a ganhar o Prêmio Nobel de Física. Depois, em 1911, a estudiosa recebeu um segundo prêmio Nobel, desta vez em química.

Uma contribuição tão maravilhosa não surgiu sem um tremendo sacrifício. Madame Curie morreu de leucemia, causada pela exposição prolongada aos materiais radioativos. Até mesmo hoje, os estudiosos que desejam ler seus relatórios diários e papéis de laboratório precisam usar roupas de proteção porque esses materiais ainda são radioativos.

> LEITURA:
> **Salmo 1**
>
> **Guardo no coração as tuas palavras, para não pecar contra ti.**
> Salmo 119:11

Hoje, ninguém se aproxima de material radioativo sem proteção. Mas muitos parecem estar despreocupados quando se expõem aos perigos do pecado. O Salmo 1 nos adverte das atitudes, da fala e dos comportamentos pecaminosos (v.1,4-6).

Obedecer as leis de Deus nos protege do pecado e de suas consequências mortais. O salmista também escreveu: "Guardo no coração as tuas palavras, para não pecar contra ti" (SALMO 119:11).

Quando se expunha, Madame Curie não conhecia os sérios perigos da radioatividade para a saúde. Mas Deus nos deu ampla admoestação sobre os perigos do pecado. Vamos aplicar diariamente o que lemos em Seu Livro que nos concede a vida. ❧ HDF

- *Você se expõe a comportamentos pecaminosos?*

A Bíblia vai lhe dizer o que é errado. –D. L. MOODY

8 DE AGOSTO

A BÍBLIA em UM ANO:
Salmos 74–76, Romanos 9:16-33

Som das sirenes

Enquanto eu assistia um jogo de futebol no colégio do meu filho, a tarde relativamente calma e normal de setembro foi interrompida pelo som alarmante das sirenes. Aquele ruído estridente parecia fora de contexto num momento de tanto prazer. Geralmente uma sirene significa que "alguém está indo para a emergência" ou "alguém está indo para a prisão". E é verdade. Em qualquer um dos casos, o dia da pessoa que estiver envolvida com aquele som — talvez até mesmo algum funcionário da polícia civil ou do resgate — tenha simplesmente piorado.

> LEITURA:
> **Apocalipse 21:1-5**
>
> E aquele que está assentado no trono disse: Eis que faço novas todas as coisas.
> v.5

Depois de perder a minha atenção pelo jogo e pensar nas sirenes que iam desaparecendo com a distância, recordei que elas são um lembrete de uma realidade poderosa: nosso mundo infelizmente está quebrado. As sirenes ou são o resultado de uma atividade criminosa ou de uma tragédia pessoal, e nos lembram que algo está tremendamente errado e necessita ser consertado.

Em tais momentos, é bom lembrar-se de que Deus vê o nosso mundo arruinado e prometeu que um dia fará desaparecer as coisas passadas, pois disse: "...Eis que faço novas todas as coisas..." (APOCALIPSE 21:5). Essa promessa nos anima em meio às dificuldades da vida e nos deixa ouvir o sussurro do conforto de Deus — um sussurro que pode apagar até mesmo o som das sirenes. *WEC*

● *Você já teve a oportunidade de descansar em Deus?*

O sussurro de conforto de Deus silencia o ruído das nossas provações.

9 DE AGOSTO

A BÍBLIA em UM ANO:
Salmos 77–78, Romanos 10

Carta de papai

**LEITURA:
2 Timóteo 1:1-14**

...reavives o dom de Deus que há em ti... v.6

Alguns meses antes de falecer de câncer, meu pai me escreveu uma carta, na qual dizia: "Jamais penso em você sem fazer uma pequena oração por sua vida e sucesso. Eu o conheço, e sei o que está em seu interior. Estou seguro de que entendo seus objetivos, a sua maneira de escrever e a mensagem que você quer transmitir. Fique firme nisso e que o Senhor o abençoe. Estou tão orgulhoso e grato que Deus me permitiu ser o seu pai." Essa carta é um dos maiores presentes que meu pai me deu.

O Novo Testamento contém duas cartas de Paulo a Timóteo, um jovem de quem foi conselheiro e o considerou "verdadeiro filho na fé" (1 TIMÓTEO 1:2) e chamou-o de "amado filho" (2 TIMÓTEO 1:2). A segunda carta começa com as profundas palavras pessoais de Paulo, assegurando a Timóteo o seu amor e suas orações fiéis (VV.2,3). Paulo confirmou a herança espiritual de Timóteo (v.5) e os dons e chamado que ele recebeu de Deus (VV.6,7). E o motivou a viver corajosamente, em favor do evangelho de Cristo (v.8).

Pai, você pode dar grande encorajamento a seus filhos, escrevendo-lhes uma carta de amor e motivação. Esse pode ser o maior presente que você pode lhes dar. Por que você não senta e a escreve hoje, de todo o seu coração?

DCM

● *Você está grato a Deus por teus pais?*

O maior presente que um pai pode dar a seus filhos é ele mesmo.

10 DE AGOSTO

A BÍBLIA em UM ANO:
Salmos 79–80, Romanos 11:1-18

Lições de Jonas

A história de Jonas é uma das mais discutidas e um dos relatos mais fascinantes da Bíblia. Mas de todos os debates, uma coisa é certa: Jonas fez uma séria análise de alma naquele malcheiroso hotel subaquático.

Todos nós podemos nos identificar com ele. Algumas vezes, a vida simplesmente vai mal. Quando isso ocorre, como Jonas, precisamos nos fazer algumas perguntas difíceis.

> **LEITURA:**
> **Jonas 1**
>
> ...Na minha angústia, clamei ao SENHOR, e ele me respondeu...
> Jonas 2:2

Existe algum pecado em minha vida? À luz da desobediência evidente de Jonas, Deus teve que fazer algo drástico para chamar a sua atenção e conduzi-lo ao arrependimento.

O que posso aprender dessa situação? As pessoas más de Nínive eram inimigas do povo de Deus. Jonas achou que eles deveriam ser julgados e não deveriam ter uma segunda chance. É óbvio que ele precisava aprender uma lição: compartilhar a compaixão de Deus pelos perdidos.

Posso demonstrar a glória de Deus nessa situação? Muitas vezes, não se trata do nosso próprio sofrimento, mas de as pessoas verem o poder de Deus, operando em meio a nossa fraqueza. O profeta encontrou-se em situação desesperadora, mas Deus o usou para que conduzisse uma nação pagã ao arrependimento.

Da próxima vez que você se encontrar numa situação limite como a que esse profeta enfrentou "no ventre de uma baleia", não esqueça de questionar qual deve ser a sua atitude. 🌿 *JMS*

- *Qual a sua resposta a essas três perguntas?*

Aprendemos lições na escola do sofrimento.

11 DE AGOSTO

A BÍBLIA em UM ANO:
Salmos 81–83, Romanos 11:19-36

Sonho ruim

Todos nós já tivemos sonhos ruins. Quem sabe estávamos caindo de um prédio alto, fugindo de uma criatura horrível ou frente a uma audiência sem saber o que falar.

Recentemente, minha esposa teve um pesadelo. Ela sonhou que estava num pequeno quarto, quando dois homens apareceram. O medo tomou conta dela. E, justamente quando os homens iriam agarrá-la, ela lhes disse: "Deixem-me contar-lhes a respeito de Jesus." Ela acordou imediatamente, com o som da sua própria voz. O nome de Jesus a livrou de seu medo.

Lemos no evangelho de João 6 que os discípulos de Jesus ficaram aterrorizados quando, na escuridão da noite, viram uma figura estranha caminhando sobre o mar da Galileia. Mas a figura misteriosa não era um pesadelo — era realmente Jesus. Mateus diz que eles gritaram de medo (14:26). Então os discípulos ouviram uma voz familiar: "...Mas Jesus lhes disse: Sou eu. Não temais!" (JOÃO 6:20). Era Jesus. Seus temores desapareceram e o mar também se acalmou.

> LEITURA:
> **João 6:15-21**
>
> **Não temas o pavor repentino, nem a arremetida dos perversos, quando vier.** Pv 3:25

O Salvador nos fala com a mesma segurança hoje, em meio aos muitos temores ao longo da nossa jornada cristã. Salomão disse: "Torre forte é o nome do S<small>ENHOR</small>, à qual o justo se acolhe e está seguro (PROVÉRBIOS 18:10).

Os temores vêm, mas temos a certeza de que Jesus sempre é luz na escuridão.

DJD

● *O Senhor é o seu alto refúgio?*

Não tema a escuridão se você estiver caminhando com Jesus, a Luz do mundo.

12 DE AGOSTO

A BÍBLIA em UM ANO:
Salmos 84–86, Romanos 12

Mantenha o fogo aceso

Os aquecedores modernos são usados para esquentar as casas em climas frios. Mas nos tempos passados, o fogo era cuidadosamente supervisionado e o suprimento de combustível era monitorado atentamente. Ficar sem ele poderia ser fatal.

O mesmo acontece em nossa vida espiritual. Se pensarmos que nosso "fogo espiritual" pode ser aceso assim, facilmente, como um aquecedor moderno, estamos nos arriscando a perder nosso fervor pelo Senhor.

> **LEITURA:**
> **Romanos 12:9-21**
> ...sede fervorosos de espírito... v.11

No antigo Israel, os sacerdotes eram instruídos para que o fogo fosse mantido aceso no altar (LEVÍTICO 6:9,12,13). Isso exigia muito trabalho, e grande parte dele consistia em buscar madeira para queimar, numa terra sem densas florestas.

Alguns estudiosos veem o fogo do altar como um símbolo da chama de nossa devoção pelo Senhor. A paixão espiritual é algo que não deve ser negligenciado ou tomado como óbvio. Ela esfriará se falharmos em mantê-la acesa com o devido suprimento.

Em sua carta aos Romanos, o apóstolo Paulo referiu-se a essa questão do fervor espiritual (12:1,2,11). Para manter alto o nosso fervor espiritual, devemos continuar o trabalho de manter nosso suprimento de combustível, com esperança, paciência, oração perseverante, generosidade, hospitalidade e humildade (vv.11-16).

JAL

● *Quais atitudes você precisa colocar no altar de Deus?*

Nosso amor por Jesus é a chave para a paixão espiritual.

13 DE AGOSTO

A BÍBLIA em UM ANO:
Salmos 87–88, Romanos 13

Sem ostentar direitos

Meu pai era a pessoa mais importante no meu mundo, quando eu era menino. Ele foi um pastor respeitado, um bom pregador e um líder amável e gentil. Seus dons foram reconhecidos por diversas comissões onde serviu. Foi condecorado por seu serviço para Cristo, com o título de doutor *honoris causa*. As pessoas muitas vezes diziam: "Oh, você é filho de Joe Stowell" ou me apresentavam como "o filho do Dr. Stowell". Eu me orgulhava de meu pai e ficava tão satisfeito em ser seu filho que por diversos anos, ser conhecido como seu filho, era a minha fonte de valorização.

> **LEITURA:**
> **Efésios 1:3-12**
>
> ...nos escolheu, nele, [...] para sermos santos e irrepreensíveis... v.4

Este é apenas um olhar de relance sobre o que significa estar satisfeito com a importância advinda de nossa posição como filhos do Rei. Por causa do grande amor de Deus por nós, Ele nos adotou como Seus filhos e filhas (EFÉSIOS 1:5). Não existe honra maior. Nenhum bem material, fama, poder ou posição podem ser comparados a isso. Quando compreendemos essa realidade, ficamos livres da tentação de criar e manipular a nossa própria importância.

Aqueles que estão em Cristo têm importância nele. Podemos nos regozijar porque somos chamados pelo Seu nome: "...assim como nos escolheu, nele, antes da fundação do mundo..." (v.4). Quando pertencemos ao Rei dos reis, não precisamos da ostentação de outros direitos!

JMS

● *Agradeço ao Senhor por ter sido aceito como um dos Seus filhos.*

Os filhos do Rei encontram a sua importância em Cristo.

14 DE AGOSTO

A BÍBLIA em UM ANO:
Salmos 89–90, Romanos 14

O salto

Durante um jogo de beisebol, no verão de 2006, o jogador C. Crisp fez uma jogada espetacular. Um jogador do outro time rebateu a bola para longe, mas Crisp correu atrás dela. Quando a bola estava para cair no chão, ele se jogou de cabeça. Com seu corpo voando pelo ar, esticou a mão o quanto pôde e conseguiu agarrar aquela bola. Alguns disseram que foi a melhor pegada que já haviam visto.

> **LEITURA:**
> **Gênesis 12:1-4**
>
> **Pela fé, Abraão, quando chamado, obedeceu...**
> Hebreus 11:8

Em que ele pensava enquanto a bola voava pelo ar? Crisp disse: "Não pensei que pudesse chegar até lá. Decidi ir e dei um salto de fé."

Na carta aos Hebreus 11, lemos sobre o que Abraão descobriu "pela fé": Deus o chamou para deixar sua terra natal e sua família e ir para a terra que Ele lhe mostraria (GÊNESIS 12:1). Pela fé, Abraão obedeceu.

Deus o está chamando para fazer algo difícil? Quem sabe fazer uma viagem missionária para ajudar pessoas necessitadas ou contar o seu testemunho para alguém que está jogando sua vida fora, resultante de más decisões. Ou talvez mostrar bondade e amor num relacionamento que necessita de encorajamento. Se você não estiver seguro de que poderá fazê-lo, peça a ajuda de Deus. Então, confiante no amoroso Pai celestial, vá em direção a esse alvo. Pode ser a melhor jogada da sua vida. *JDB*

● *Você exercita a sua fé em Jesus permanentemente?*

Quando Deus lhe apresenta um desafio, dê um salto de fé.

15 DE AGOSTO

A BÍBLIA em UM ANO:
Salmos 91–93, Romanos 15:1-13

Reforma

Em 2001, o evangelista britânico J. John falou em Liverpool, Inglaterra, sobre o 8.º mandamento: "Não furtarás" (ÊXODO 20:15; DEUTERONÔMIO 5:19). O resultado de sua pregação foi impressionante.

O coração das pessoas foi transformado. Uma grande quantidade de bens roubados foi devolvida, incluindo toalhas de hotéis, muletas de hospitais, livros, dinheiro e muito mais. Um homem, que agora está no ministério, devolveu até as toalhas que havia levado dos campeonatos de tênis de Wimbledon, anos atrás, quando trabalhava lá.

> **LEITURA:**
> **2 Reis 22:11–23:3**
>
> ...fez aliança ante o SENHOR [...] e todo o povo anuiu a esta aliança. 2 Reis 23:3

Algo semelhante aconteceu com o rei Josias, no 18.º ano de seu reinado. Por causa da longa linhagem de reis perversos, o registro das leis de Deus havia se perdido. Então, quando Hilquias encontrou o Livro da Lei de Deus, e Safã o leu para o rei Josias, este rasgou suas vestes em sinal de tristeza e imediatamente começou a fazer reformas religiosas em sua própria vida e em toda a nação. Com apenas uma leitura da Palavra de Deus, ele mudou o curso de uma nação (2 REIS 22:8-23:25).

Hoje, muitos dentre nós possuímos Bíblias, mas será que estamos sendo transformados pelas verdades ali contidas? Somos chamados a ler, ouvir e obedecer a Palavra de Deus. Assim como Josias, a Bíblia deveria nos levar a agir prontamente para colocar nossa vida em harmonia com os desejos de Deus. 🌿

MLW

● *A Palavra de Deus o nutre diariamente?*

Abra a sua Bíblia em oração; leia-a com cuidado; obedeça-a com alegria.

16 DE AGOSTO

A BÍBLIA em UM ANO:
Salmos 94–96, Romanos 15:14-33

Capaz de esquecer?

Num dia frio e sombrio, participei do funeral de um amigo e ao lembrarmos as virtudes do falecido, a viúva começou a soluçar em voz alta. Nesse ponto, o pastor lhe disse algo aparentemente estranho para consolá-la: "Tudo bem. Um dia você vai esquecer."

Esquecer? A expressão da viúva deixou claro que não tinha a intenção de esquecer de nada. As lembranças carinhosas de seu esposo lhe davam conforto e alegria, aos quais ela queria apegar-se, na antecipação do reencontro com ele, um dia, no céu.

> LEITURA:
> **Filipenses 1:1-11**
>
> **Dou graças ao meu Deus por tudo que recordo de vós.** v.3

Um dos dons mais preciosos que Deus nos deu é a habilidade de recordar. Há tanta dor e decepção na vida que deveríamos esquecer. Mas as boas recordações se tornam um cofre de tesouros que não têm preço, nos fazem recordar das pessoas com as quais compartilhamos e das alegrias vividas.

O apóstolo Paulo sentiu o mesmo com as lembranças da igreja em Filipos e afirmou: "Agradeço a meu Deus toda vez que me lembro de vocês" (FILIPENSES 1:3). A habilidade de lembrar de seus amigos dali lhe trouxe grande conforto enquanto aguardava o seu julgamento em Roma, e isso o levou a orar com alegria por eles. Ninguém o convenceria de que o conforto consiste em ser capaz de esquecer, porque ele se regozijava por lembrar-se deles.

Deus nos dá lembranças muito boas. Apegue-se a elas quando vier a tristeza.

WEC

● *As suas recordações lhe trazem esperança?*

Nunca deixe que os fardos de hoje apaguem as bênçãos de ontem.

17 DE AGOSTO

A BÍBLIA em UM ANO
Salmos 97–99, Romanos 16

Entrega especial

Quando recebemos uma entrega especial à porta da nossa casa, isso geralmente significa que é uma encomenda muito importante. Segundo muitos estudiosos da Bíblia, Febe foi quem entregou pessoalmente uma carta de imenso valor à igreja em Roma — uma obra-prima de inspiração doutrinária, do apóstolo Paulo. Essa obra destaca como a humanidade perdida e pecaminosa pode encontrar a redenção por meio da fé na morte e ressurreição de Jesus Cristo.

> LEITURA:
> **Romanos 16:1-16**
>
> **Recomendo-vos a nossa irmã Febe...** v.1,2

Febe, cujo nome significa "brilhante e radiante", vivia em Cencreia, uma vila portuária na parte oriental da cidade de Corinto, onde Paulo parou durante sua terceira viagem missionária. Pela demonstração da bondade dela com ele, Paulo escreveu aos romanos: "Recomendo-vos a nossa irmã Febe, que está servindo à igreja de Cencreia, para que a recebais no Senhor [...] e a ajudeis em tudo que de vós vier a precisar; porque tem sido protetora de muitos e de mim inclusive" (ROMANOS 16:1,2). Febe havia dado assistência a outras pessoas para difundir a Palavra de Deus.

Todos nós somos "portadores do correio espiritual". Temos as boas-novas que Paulo escreveu há tantos séculos. E assim como Febe, devemos ajudar a entregá-las, por meio de palavras e atos, para as pessoas ao nosso redor que necessitam da mensagem que traz vida.

HDF

● *Somos portadores dessas boas-novas por onde andamos?*

Servimos a Deus quando compartilhamos a Sua Palavra com outras pessoas.

18 DE AGOSTO

A BÍBLIA em UM ANO
Salmos 100–102, 1 Coríntios 1

Árvore x urso

Não é muito comum a polícia interferir numa luta entre um urso e uma árvore. A briga começou com um insulto malicioso e um choque acidental. Repentinamente, o urso falou e a árvore respondeu! Logo vi que era um homem numa fantasia de urso brigando com alguém fantasiado de árvore. A polícia teve que apartar os dois.

> **LEITURA:**
> **Jeremias 8:4-12**
>
> Até a cegonha no céu conhece as suas estações [...] mas o meu povo não conhece o juízo do SENHOR. v.7

Ursos e árvores não foram feitos para lutar um com o outro. E nós também não. Entretanto, no decorrer da história, as pessoas que foram criadas para amar e servir umas às outras muitas vezes partem para o insulto e agressão.

O interessante é que, conforme diz o profeta Jeremias, até mesmo aqueles que conhecem a lei de Deus podem machucar uns aos outros, sem arrependimento: "...ninguém há que se arrependa da sua maldade..." (JEREMIAS 8:6), "...sem sentir por isso vergonha..." (v.12). Jeremias também expressou o assombro de Deus, pois mesmo as criaturas selvagens refletem mais sabedoria do que aqueles que dizem "paz, paz" enquanto fazem o mal (vv.7,11).

Aquele que criou os pássaros (v.7) não chama a atenção apenas para os nossos erros. Ele se oferece para preencher o nosso vazio com a Sua plenitude. As alternativas são boas: graça em troca de amargura, sabedoria em vez de insensatez, paz em lugar do conflito.

MRD

● *Amar e servir ou insultar e agredir?*

O arrependimento exige que eu me afaste do pecado.

19 DE AGOSTO

A BÍBLIA em UM ANO:
Salmos 103–104, 1 Coríntios 2

O coração da igreja

O que faz uma igreja ter sucesso? Um grande número de pessoas reunidas no domingo? O orçamento multimilionário? A construção moderna?

Todos nós sabemos que essas coisas não são o critério que define uma igreja de sucesso. Não importa se em sua igreja cabem multidões ou apenas algumas pessoas. Deus olha o coração das pessoas que ali estão.

> **LEITURA:**
> **1 Ts 3:6-13**
>
> ...e o Senhor vos faça crescer e aumentar no amor uns para com os outros e para com todos... v.12

O apóstolo Paulo começou uma igreja importante em Tessalônica, capital da Macedônia. Ele deixou transparecer o seu desejo aos membros dessa igreja, ao escrever: "...e o Senhor vos faça crescer e aumentar no amor uns para com os outros [...] a fim de que seja o vosso coração confirmado em santidade, isento de culpa, na presença de nosso Deus e Pai..." (1 TESSALONICENSES 3:12,13). Com essas palavras, Paulo nos mostrou duas características que são vitais para o sucesso de um corpo de cristãos — o amor de uns para com os outros e a santidade.

A verdadeira medida do sucesso é demonstrada pelos seguidores de Cristo que amam a Deus e aos outros e estão comprometidos a viver de modo santo. Nosso desafio pode ser encontrado nas palavras do profeta Miqueias: "Ele (Deus) te declarou, ó homem, o que é bom é que é o que o Senhor pede de ti: que pratiques a justiça, e ames a misericórdia, e andes humildemente com o teu Deus" (6:8).

CHK

● *Andar humildemente com Deus é um desafio para você?*

Uma igreja com grande visão provoca um grande impacto.

20 DE AGOSTO

A BÍBLIA em UM ANO:
Salmos 105–106, 1 Coríntios 3

Mentalidade de consumo

osto de ler e tenho prazer em comprar livros, mas não gosto quando as editoras se referem a mim como "consumidor". A palavra consumir pode significar "desfazer-se completamente" ou "gastar de forma esbanjadora". Ela me traz à mente incêndios de florestas que acabam com a vegetação, deixando árvores e casas queimadas. Quando lemos livros, não os consumimos neste sentido, pois não deixam de existir depois que os usamos. Acontece justamente o contrário. Eles se tornam parte de nós; nos transformam.

> LEITURA:
> **1 Coríntios 3:5-15**
>
> Se permanecer a obra de alguém que sobre o fundamento edificou, esse receberá galardão. v.14

Isso se aplica especialmente em relação à Bíblia. Quando as palavras das Escrituras permanecem em nós, elas nos impedem de seguirmos o caminho destrutivo do pecado (SALMO 119:11). Jesus disse que se as Suas palavras permanecerem em nós, daremos muito fruto (JOÃO 15:5-8). Em outras palavras, seremos criadores, e não consumidores; doadores, não gastadores.

O apóstolo Paulo se referiu aos cristãos como "cooperadores de Deus" (1 CORÍNTIOS 3:9), que devem construir coisas que não podem ser consumidas pelo fogo (v.13-15). Em outra oportunidade, ele incentivou os leitores a respeito dos dons que edificam a igreja (14:12).

Como cristãos, vamos nos tornar conhecidos não pelos bens que consumimos — mas pelos bons frutos que produzimos. JAL

● *A Palavra de Deus é suficiente para impedi-lo de pecar?*

Uma vida sem egoísmo produz uma colheita eterna.

21 DE AGOSTO

A BÍBLIA em UM ANO:
Salmos 107–109, 1 Coríntios 4

Viajantes cansados

Depois de uma longa jornada desde que tínhamos saído de Hong Kong, que envolvera uma parada de sete horas, mais três horas de atraso, chegamos ao aeroporto de Chicago, EUA. Perdemos o último voo para o nosso destino por apenas 20 minutos. A companhia aérea nos providenciou quartos de hotel. Quando chegamos à recepção, acho que parecíamos muito esgotados para as pessoas que trabalhavam ali. Um dos empregados olhou para nós, sacudiu a cabeça e disse: "Viajantes cansados." O comentário me pareceu apropriado, depois de dois dias difíceis de viagem.

> LEITURA:
> **Mateus 11:20-30**
> Vinde a mim, todos os que estais cansados e sobrecarregados, e eu vos aliviarei. v.28

Para mim, aquela experiência foi como uma metáfora da vida. Somos peregrinos neste mundo, viajando para o lar celestial, que será indescritível. Todavia, ao longo do caminho os cuidados e fardos da jornada podem roubar a nossa esperança e alegria. Tornamo-nos viajantes cansados com uma desesperada necessidade de encorajamento e refrigério. O Senhor diz aos peregrinos cansados, como nós: "Vinde a mim, todos os que estais cansados e sobrecarregados, e eu vos aliviarei" (MATEUS 11:28). Somente Ele pode nos dar descanso para que nossas almas sejam fortalecidas ao seguir no caminho que está diante de nós.

Você está cansado em sua jornada? Apoie-se nele! Seu amor e cuidados estão disponíveis para restaurar o seu coração. WEC

● *O amor e o cuidado de Deus o ajudam a superar o cansaço da jornada?*

Ao caminhar fatigado pela estrada da vida, deixe que Jesus erga a sua carga pesada.

22 DE AGOSTO

A BÍBLIA em UM ANO:
Salmos 110–112, 1 Coríntios 5

Paz interior

Como reagimos às críticas hostis? Se elas nos deixam irados com quem nos critica, precisamos aprender com o pregador Jonathan Edwards (1703–58).

Edwards foi considerado pelos eruditos como um filósofo criterioso, mesmo assim os que governavam a sua igreja o atacaram de modo vingativo. Achavam que ele estava errado ao ensinar que uma pessoa precisava nascer de novo antes de participar da Ceia do Senhor.

Mesmo despedido de sua igreja, Edwards manteve uma atitude amorosa e de perdão. Um membro que o apoiava escreveu a seu respeito: "Nunca vi qualquer sintoma de desagrado em seu semblante. Ele parecia ser como um homem de Deus, cuja felicidade estava fora do alcance de seus inimigos."

> **LEITURA:**
> **Isaías 53:7-9**
>
> ...amigos, misericordiosos, humildes, não pagando mal por mal ou injúria por injúria...
> 1 Pedro 3:8,9

Edwards estava simplesmente copiando o exemplo do Senhor Jesus. Quando o Salvador foi insultado, não retribuiu com insultos. Quando foi acusado falsamente, permaneceu calado, "...como ovelha muda perante os seus tosquiadores, ele não abriu a boca" (ISAÍAS 53:7).

Você tem paz interior mesmo quando é criticado? Ao pedir ajuda ao Espírito Santo, você pode — como Edwards — responder de forma semelhante a Cristo diante de acusações falsas ou fofocas.

VCG

- Você já experimentou a paz que excede todo o entendimento mesmo quando é criticado?

A pior das críticas pode fazer aparecer o que de melhor existe em você.

23 DE AGOSTO

A BÍBLIA em UM ANO
Salmos 113–115, 1 Coríntios 6

Ponto de desequilíbrio

No livro *O ponto de desequilíbrio* (Ed. Rocco, 2002) Malcolm Gladwell observa que os negócios em perigo, muitas vezes, dão a volta por cima como consequência de uma decisão-chave. Muitas companhias que anteriormente estavam a ponto de fracassar, prosperam devido a uma escolha que se tornou o ponto de transição.

Esse princípio destinado aos empresários, também se aplica aos que têm o compromisso de promover a causa de Cristo. Às vezes lutamos com uma decisão ou situação que ameaça debilitar nossa capacidade para o serviço efetivo do nosso Rei. É nesses momentos críticos que podemos determinar o "ponto de transição" para mudar o curso das coisas.

> LEITURA:
> **Romanos 12:1-8**
>
> Rogo-vos [...] que apresenteis o vosso corpo por sacrifício vivo, santo e agradável a Deus... v.1

Qual é essa decisão? Entregar sua vontade e coração a Deus. A carta de Tiago diz: "Sujeitai-vos, portanto, a Deus..." (4:7) e em Romanos 12:1 lemos: "...apresenteis o vosso corpo por sacrifício vivo, santo e agradável a Deus...". Disponha-se a sacrificar a sua agenda em função dos propósitos divinos.

O que teria acontecido se Noé tivesse dito a Deus: "Eu não construo arcas!", ou se José não tivesse perdoado os seus irmãos e sim falhado em protegê-los da fome que ameaçou as suas vidas? E se Jesus se recusasse a morrer na cruz?

Render-se é o ponto de transição. Quando fazemos essa escolha, Deus pode nos usar para realizar grandes coisas para Ele. *JMS*

● *Qual é a sua resposta diária às palavras de Jesus — "Vinde a mim?"*

A rendição torna-se uma vitória quando obedecemos a Deus.

24 DE AGOSTO

A BÍBLIA em UM ANO:
Salmos 116–118, 1 Coríntios 7:1-19

Deus chora conosco

Qual é o significado do Salmo 116:15: "O Senhor vê com pesar a morte de seus fiéis" (NVI). Deus certamente não se alegra nem tem prazer na morte de seus filhos! Se fosse assim, por que o salmista louvaria a Deus por libertá-lo da morte? E por que Jesus perturbou-se e chorou ao ver o luto junto ao túmulo de Lázaro? (JOÃO 11:33-35). Concordo com os estudiosos que interpretam o Salmo 116:15 assim: "O Senhor vê com muito *sofrimento* a morte de seus fiéis."

> LEITURA:
> **Salmo 116**
> O Senhor vê com pesar a morte de seus fiéis. v.15 (NVI).

Neste mundo, a não ser que você seja uma celebridade, a sua morte logo será esquecida por todos — com exceção de um pequeno grupo de parentes e amigos. Mas Jesus nos mostrou que Deus compartilha a tristeza e a dor dos enlutados, e que a morte do mais humilde cristão traz grande dor ao Seu coração.

Pensei recentemente nisso, no funeral de meu irmão. Sua família e seu pastor elogiaram a compaixão, a bondade e a generosidade dele. Depois, as pessoas que o conheceram como homem de negócios também falaram bem dele. Embora o seu nome seja apenas um dentre muitos nos obituários do jornal, a morte dele foi uma grande perda para nós, que o conhecíamos e o amávamos. E é um conforto saber que Deus não viu a morte dele sem sentir a nossa dor. Na realidade, creio que Ele chorou conosco.

HVL

- *A esperança da vida eterna o motiva a louvar a Deus?*

Deus compartilha de nossa tristeza.

25 DE AGOSTO

A BÍBLIA em UM ANO:
Salmos 119:1-88, 1 Coríntios 7:20-40

Conflito interior

Meu médico percebeu uma pequena mancha em minha pele — e achou que precisava dar-lhe algum cuidado. Era um pequeno problema que devia ser tratado para que não crescesse e se tornasse algo pior. Eu não sabia que aquilo significava um problema até o momento que ele me informou.

Ele prescreveu um creme especial que, quando aplicado, ajudava as células boas no meu corpo a chegarem naquele ponto e a acabarem com as células ruins. Em outras palavras, a medicação provocou uma pequena batalha entre as células doentes e as células boas.

Um conflito semelhante ocorre dentro de cada um de nós, como cristãos. E desta maneira, os pensamentos pecaminosos

> **LEITURA:**
> **Gálatas 5:16-23**
>
> Porque a carne milita contra o Espírito, e o Espírito, contra a carne, porque são opostos entre si... v.17

acham o seu lugar em nosso interior. Eles devem ser tratados pelo Espírito Santo, que nos ajuda a lutar contra os maus pensamentos alimentados por nossa carne. A carne traz coisas como: pensamentos imorais, impureza, discordância, ódio e inveja (GÁLATAS 5:19,20). Mas, se clamamos ao Espírito Santo para que venha nos resgatar, Ele combate essas ideias com frutos do Espírito: "...amor, alegria, paz, longanimidade, benignidade, bondade, fidelidade, mansidão, domínio próprio..." (v.22,23).

Você se submete ao tratamento do Espírito Santo para combater a sua carne? É assim que vencemos a batalha interior. JDB

● *Você sabe como entregar os seus pensamentos cativos a Cristo?*

O Espírito de Deus não conhece derrotas.

26 DE AGOSTO

A BÍBLIA em **UM ANO:**
Salmos 119:89-176, 1 Coríntios 8

Descompressão espiritual

Em maio de 1883, os novaiorquinos celebraram o término da construção da Ponte do Brooklyn, a primeira ponte pênsil de aço. Todavia, esse ato da engenharia moderna não foi conquistado sem sacrifício. Para fazer os fundamentos gigantescos da ponte, na água, era necessário o uso de enormes câmaras herméticas, chamadas *caissons*. Os homens trabalhavam nelas submetendo-se a uma tremenda pressão de ar.

> LEITURA:
> **Marcos 1:35-39**
>
> **...lançando sobre ele toda a vossa ansiedade, porque ele tem cuidado de vós.**
> 1 Pedro 5:7

O retorno à pressão atmosférica normal causava sintomas terríveis, mais tarde chamados de doenças de *caisson*. Descobriu-se que um decréscimo rápido da pressão do ar libera pequenas bolhas de nitrogênio no sangue. Isso causa náuseas, dores nas juntas, paralisias e até morte. Hoje, os cientistas sabem que o uso de câmaras de descompressão permite uma redução gradual dessa pressão, o que evita a formação das bolhas de nitrogênio.

De forma semelhante, necessitamos de um lugar para reduzir as pressões da vida. Deus providenciou uma forma de "descompressão espiritual". Para aliviar os fardos do dia a dia é necessário o tempo de devoção pessoal (MARCOS 1:35-39). Podemos lançar todas as nossas ansiedades sobre Ele (1 PEDRO 5:7). Ao nos concentrarmos na suficiência de Deus, experimentaremos a Sua paz (ISAÍAS 26:3). Você tem um lugar para fazer essa descompressão espiritual? 🌿

HDF

● *Você crê que Deus pode solucionar qualquer situação?*

...mas os que esperam no Senhor renovam as suas forças...
—ISAÍAS 40:31

27 DE AGOSTO

A BÍBLIA em UM ANO:
Salmos 120–122, 1 Coríntios 9

O jargão

O que os adolescentes querem dizer quando dizem que estão "sussi" (sossegados)? E se pedem por "grana" (dinheiro)? Se um adolescente gosta da roupa nova de alguém, ele simplesmente diz "top", significando "legal". Os adolescentes têm seu próprio jargão, que alguns de nós talvez não entendamos, e parece que esses termos estão sempre mudando.

> **LEITURA:**
> **1 Coríntios 9:19-23**
>
> **Fiz-me tudo para com todos, com o fim de, por todos os modos, salvar alguns.** v.22

Os cristãos também têm o seu próprio jargão. Usamos expressões comuns que os não cristãos talvez não compreendam. Por exemplo: usamos as palavras graça, salvos e arrependimento. São palavras boas, mas quando compartilhamos a nossa fé, talvez seja melhor dizer: "O perdão de Deus é um presente imerecido", em lugar de graça. Ou em vez de dizer que somos salvos, podemos dizer: "fomos resgatados da morte para receber a vida eterna". Poderíamos dizer: "afastar-se de seus erros" para a palavra arrependimento.

Para alcançar tantas pessoas quantas fosse possível com o evangelho de Cristo, o apóstolo Paulo estava disposto a ser flexível em seu ministério (1 CORÍNTIOS 9:19-23). Talvez por esse motivo, ele tenha incluído as palavras que usou para explicar as boas-novas da morte e da ressurreição de Jesus.

Podemos ajudar alguém a entender o significado do novo nascimento, da transformação pelo amor e perdão de Jesus, ao explicar-lhe a nossa fé em termos fáceis de serem compreendidos. AMC

● *De que maneira você aproveita as oportunidades para tornar Cristo mais conhecido?*

Se conhecemos a Bíblia, Deus pode nos dar as palavras certas.

28 DE AGOSTO

A BÍBLIA em **UM ANO:**
Salmos 123–125, 1 Coríntios 10:1-18

Lembretes visíveis

Certas pessoas acham que usar um pedômetro ajuda a aumentar o seu nível de exercícios diários. Para elas, esse aparelho de contar os passos é bom para registrar e motivar. Saber quantos passos dão as encoraja a caminhar ainda mais.

Certa mulher, cujo alvo era andar 10 mil passos por dia, começou a estacionar seu carro a uma distância maior do seu local de trabalho e a fazer mais tarefas caminhando, no escritório. Sua concepção do pedômetro ajudou-a a produzir uma mudança em seu estilo de vida.

> **LEITURA:**
> **Deuteronômio 6:1-9**
>
> Estas palavras que, hoje, te ordeno estarão no teu coração. v.6

Em nossa caminhada com Cristo, também é importante observar e registrar os nossos atos, pois cada um deles tem o seu valor. Quando Deus instruiu os israelitas a guardar os Seus mandamentos no coração, também lhes disse que fizessem lembretes visíveis da Sua palavra: "Também as atarás como sinal na tua mão, e te serão por frontal entre os olhos.

E as escreverás nos umbrais de tua casa e nas tuas portas" (DEUTERONÔMIO 6:8,9). Não era apenas uma decoração exterior — mas uma libertação espiritual: "...guarda-te, para que não esqueças o SENHOR, que te tirou da terra do Egito, da casa da servidão" (v.12).

As palavras das Escrituras numa placa, num cartão ou num calendário podem orientar o nosso foco de atenção para o Senhor, durante todo o dia. Esses lembretes visíveis nos encorajarão para darmos passos de obediência a Cristo. 🌿   DCM

● *As verdades bíblicas fazem morada em seu coração?*

Guarde a Bíblia em seu coração — e não na estante.

29 DE AGOSTO

A BÍBLIA em UM ANO:
Salmos 126–128, 1 Coríntios 10:19-33

O zoológico de insetos

Na Filadélfia (EUA) existe um zoológico de insetos, com mais de 100 mil animais vivos, que entretêm 75 mil visitantes ao ano. O fundador e proprietário diz: "Ainda tenho mais de 1 milhão de insetos em estoque." Ele aponta para caixas, latas de bolachas e outros recipientes empilhados do chão ao teto, cheios de insetos mortos de todo o mundo. Filmes, hologramas, microscópios e jogos divertem os visitantes de todas as idades. Há até uma balança para pesar as joaninhas, vaga-lumes e outras criaturas.

> LEITURA:
> **Provérbios 30:24-28**
>
> **...as formigas, povo sem força; todavia, no verão preparam a sua comida.** v.25

No livro de Provérbios 30, um homem sábio, chamado Agur, também apresenta alguns insetos e outras pequenas criaturas. Ele as chama de pequenas — mas muito sábias.

Veja a formiga: ela é fraca, mas o seu Criador a ensinou a usar sua pouca força para preparar-se para o futuro. Considere os gafanhotos: eles não têm rei, mas quando se multiplicam, Deus os ensinou a unirem-se e avançar juntos, em fileiras. Olhe para a aranha: é igualmente uma criatura rasteira, mas ao fazer uso da habilidade que Deus lhe deu, sobe a lugares bem altos.

Você algumas vezes também se sente pequeno e insignificante, como um inseto? Quando isso acontecer, lembre-se de que Deus mostra a Sua sabedoria e grandeza nas menores coisas. Isso porque o Seu "...poder se aperfeiçoa na fraqueza..." (2 CORÍNTIOS 12:9).

MRD

● *Quais as habilidades que Deus lhe deu? Você as pratica?*

Deus dá a Sua sabedoria àqueles que humildemente lhe pedem.

30 DE AGOSTO

A BÍBLIA em UM ANO:
Salmos 129–131, 1 Coríntios 11:1-16

Fomos perdoados

O salmista clama a Deus "das profundezas" (SALMO 130:1). E o seu problema vem à tona: terrível culpa por coisas que fez e que não fez no passado. "Se observares, Senhor, iniquidades, quem, Senhor, subsistirá?" (v.3).

Mas felizmente, Deus perdoa. Ele não mantém um registro dos pecados do passado, não importam quantos ou quão graves foram. "Agora, pois, já nenhuma condenação há para os que estão em Cristo Jesus" (ROMANOS 8:1). O perdão de Deus então nos leva a temê-lo (SALMO 130:4). Nós oramos e adoramos a Deus porque a Sua graça e perdão nos levam a amá-lo ainda mais.

> **LEITURA:**
> **Salmo 130**
>
> Se observares, Senhor, iniquidades, quem, Senhor, subsistirá? Salmo v.3

No entanto, o que acontece quando caímos novamente em pecados do passado? Devemos nos arrepender e esperar no Senhor (v.5). E devemos ser pacientes, enquanto Deus faz a Sua obra. Não somos um caso perdido. Podemos ter "esperança" naquele que nos libertará em Seu devido tempo.

Agora temos estas duas certezas: o amor de Deus é infalível — Ele nunca nos deixará nem nos abandonará (HEBREUS 13:5). E a promessa de Deus de que haverá uma completa redenção, no tempo certo — Ele nos redimirá de todas as nossas culpas (SALMO 130:8) e nos colocará diante de Sua gloriosa presença, sem mácula e com grande alegria (JUDAS 24).

Fomos perdoados! Somos livres! Com o salmista, adoraremos o Senhor e esperaremos a Sua volta.

DHR

● *Você já atendeu ao convite de Jesus para receber a nova vida?*

Quando somos perdoados, não há registro de nossas falhas.

31 DE AGOSTO

A BÍBLIA em UM ANO:
Salmos 132–134, 1 Coríntios 11:17-34

Onde Deus estava?

Deus estava sadicamente ausente? Foi isso que Robert McClory, professor emérito de jornalismo de uma renomada universidade, perguntou após o furacão Katrina ter devastado a área de Nova Orleans, nos EUA.

Quem sabe queiramos exonerar o Altíssimo por permitir que tais desastres atinjam as comunidades vulneráveis. Mas Deus está ausente em tais situações? McClory insiste que não. Ao falar sobre a tragédia do Katrina, ele disse que Deus estava presente — de forma invisível — "com os que sofriam e morriam. Ele estava nas pessoas, comunidades, igrejas e escolas que organizaram o auxílio para as vítimas e deslocaram os desabrigados para lugares seguros. Deus estava com as centenas de milhares de pessoas que mostraram compaixão por meio da oração e assistência financeira."

> LEITURA:
> **Hebreus 13:5-8**
>
> ...ele tomou sobre si as nossas enfermidades e as nossas dores...
> Isaías 53:4

Quando ocorre uma tragédia dolorosa, acontece o mesmo em nossa vida — não temos uma resposta completamente satisfatória para os problemas difíceis do cotidiano. Todavia, sabemos que o Senhor está presente, junto a nós, pois Ele disse que nunca nos abandonaria (HEBREUS 13:5). O nome de Jesus, "Emanuel", significa literalmente "Deus conosco" (MATEUS 1:23).

Embora o sofrimento perturbe as nossas mentes, podemos confiar que Deus está próximo e que cumprirá os Seus propósitos.

VCG

- *Você consegue descansar em Deus sabendo que Ele é o Senhor?*

As tempestades da vida provam as forças da nossa Âncora.

1.º DE SETEMBRO

A BÍBLIA em UM ANO:
Salmos 135–136, 1 Coríntios 12

Recusando ajuda

Em 1869, **John Roebling** sonhou em construir uma ponte gigantesca sobre o Rio Leste, em Nova Iorque. Infelizmente, no início do projeto, seu pé foi esmagado num acidente. Enquanto se recuperava, Roebling insistiu que sabia o que era melhor e assumiu seu próprio tratamento médico. Depois de recusar ajuda, começaram a aparecer os sinais de tétano. Logo a sua mandíbula travou. Os acidentes vasculares e a demência começaram a abatê-lo, até sua morte, algumas semanas mais tarde.

> LEITURA:
> **2 Reis 5:9-14**
>
> **A manifestação do Espírito é concedida a cada um... visando a um fim proveitoso.**
> 1 Coríntios 12:7

A Bíblia registra a história de uma pessoa independente que recusou a ajuda que lhe foi oferecida. Naamã, um grande guerreiro da Síria, que sofria de lepra. Ele procurou o profeta Eliseu para ser curado — mas tinha ideias pré-concebidas de como deveria ocorrer a cura. Assim, quando Eliseu enviou seu mensageiro para dizer a Naamã que se lavasse sete vezes no rio Jordão, este enfureceu-se. Mas os próprios servos de Naamã deram um conselho sábio: "...se te houvesse dito o profeta alguma coisa difícil, acaso, não a farias?..." (2 REIS 5:13). E então Naamã seguiu as simples instruções do profeta e foi curado da lepra.

Deus nos dá dons a fim de ajudarmos uns aos outros (1 CORÍNTIOS 12:7). Mas a autossuficiência fecha a porta quando se precisa de grande ajuda. Vamos permanecer abertos para a ajuda que Ele provê.

HDF

● *Você utiliza os seus dons para servir a Deus e aos outros?*

O primeiro passo para receber ajuda é a humildade.

2 DE SETEMBRO

A BÍBLIA em UM ANO:
Salmos 137–139, 1 Coríntios 13

Silêncio, por favor!

Recentemente, o surgimento de aparelhos digitais de música trouxe uma preocupação com relação à perda da audição. Esses aparelhos de som e fones de ouvidos têm sido alvo de reclamações e processos judiciais. A exposição prolongada à musica em volume alto demonstrou ser a causa de sérias deficiências auditivas. De certa forma, ouvir volume alto demais pode resultar em incapacidade no ouvir.

> LEITURA:
> **1 Reis 19:1-18**
>
> ...depois do terremoto, um fogo, mas o SENHOR não estava no fogo; e, depois do fogo, um cicio tranquilo e suave. v.12

Vivemos num mundo repleto de ruídos — sons com o objetivo de vender, pedir, seduzir e enganar. Em meio a essa cacofonia de sons, é fácil não perceber a mais importante de todas as vozes.

Elias ouviu as ameaças de Jezabel e a voz de seu próprio medo, e por isso fugiu e se escondeu numa caverna. Lá, foi confrontado com o ruído de um vento fortíssimo, um terremoto e fogo (1 REIS 19:11,12). Então houve um silêncio na caverna e a voz do Senhor — o único som que realmente importa — se fez ouvir, "...um cicio tranquilo e suave" (v.12).

Se quisermos que Deus fale aos nossos corações por meio de Sua Palavra, devemos nos afastar do barulho da multidão. Somente quando aprendemos a nos aquietar, vamos entender de fato o que significa ter comunhão com o Deus, que se preocupa conosco.

Em nossos "momentos de silêncio" hoje, vamos nos esforçar para ouvir a voz de Deus. 🌿

WEC

● *Com que frequência você se aquieta para ouvir Deus?* _____

Para ouvir a voz de Deus, diminua o volume do mundo.

3 DE SETEMBRO

A BÍBLIA em UM ANO:
Salmos 140–142, 1 Coríntios 14:1-20

Águas mais profundas

Você já tentou pescar à beira da praia? Eu já. Ficamos horas segurando o caniço e, na maioria das vezes, só molhamos a isca, enquanto aguardamos que um peixe a fisgue.

Nessa passagem, Jesus pede a um pescador para entrar em seu barco e que se afaste um pouco para Ele poder pregar à multidão. Depois, Jesus olha para Pedro e lhe diz para irem para águas mais profundas, porque não é na margem que irão encontrar os cardumes.

> LEITURA:
> **Lucas 5:1-11**
> "...Vá para onde as águas são mais fundas..." v.4 NVI

O extraordinário da graça de Deus também não ocorre nas margens da vida espiritual, mas nas profundas águas do nosso relacionamento de fé. Primeiro, Jesus nos encontra onde estamos. Depois, Ele mesmo pede para entrar no barco e nos confronta dizendo: "Posso entrar em sua vida e juntos nos afastarmos um pouco dos outros para ficarmos no barquinho?" Em seguida, de forma particular, nos diz: "Vamos às águas mais profundas". Dessa maneira, o Senhor nos desafia a experimentar o extraordinário de Sua graça. Jesus tinha mais para oferecer a Pedro do que peixes. Ele iria convidá-lo a ser Seu discípulo e "pescador de homens".

O Senhor o convida a navegar em águas mais profundas, a entrar na dinâmica do Seu propósito, que é muito maior do que você possa imaginar e mudará a sua história. Mas lembre-se: o extraordinário da graça de Deus só acontecerá quando você superar o que o impede de obedecer a ordem de Jesus. PPJ

● *Pai, aprofunda a minha comunhão contigo.*

Graça é o imponderável de Deus elevado à potência de Sua infinitude.

4 DE SETEMBRO

A BÍBLIA em UM ANO:
Salmos 143–145, 1 Coríntios 14:21-40

Meu príncipe

Pessoas em todo o mundo ficaram chocadas, em setembro de 2006, quando correu a notícia de que Steve Irwin, o "Caçador de Crocodilos", havia morrido. Seu entusiasmo pela vida e pelas criaturas de Deus era contagiante, o que o tornou uma personalidade notória ao redor do globo.

Quando sua esposa Terri foi entrevistada, logo depois da morte de Irwin, seu amor por ele era óbvio, ao dizer em lágrimas: "Eu perdi o meu príncipe." Que forma carinhosa de preservar a memória do esposo! Ela o considerava também seu melhor amigo.

> **LEITURA:**
> **Efésios 5:22-33**
>
> **Maridos, amai vossa mulher, como também Cristo amou a igreja e a si mesmo se entregou...** v.25

Hoje, o relacionamento de marido e esposa muitas vezes é considerado tudo, menos afetuoso, como deveria ser o de Terri e Irwin. Muitas vezes vemos amargura, insultos e hostilidade como atitudes normais. Quão mais desejável é ver o amor verdadeiro — um marido tratar com carinho a sua esposa e sem se envergonhar dela, para ser de forma altruísta o seu "príncipe".

Como um marido pode continuar amando a sua esposa de forma nobre? Tente estas sugestões:

Ouça — desfrute desses momentos agradáveis quando ela pode abrir seu coração, sem medo.

Ame a vida — encontre formas de trazer prazer e alegria ao seu casamento.

Seja um líder espiritual — oriente-se pela oração e pelo relacionamento íntimo e diário com o Senhor.

Homens, sejam príncipes para as suas princesas. 🌱   *JDB*

● *Amo a minha família como a Bíblia ensina?*

O casamento prospera com amor e respeito.

5 DE SETEMBRO

A BÍBLIA em UM ANO:
Salmos 146–147, 1 Coríntios 15:1-28

Conseguindo contato

Já se passaram os tempos nos quais alguém em pessoa de verdade sempre nos saudava do outro lado da linha telefônica. Hoje, várias vezes que tentamos "entrar em contato com alguém", somos atendidos por uma voz computadorizada.

Fico contente que isso não ocorre com o nosso Pai celestial. Ele sempre está ali. Não há caixas de mensagens, nem "para obter mais graça, disque dois", e não há interrupções de "esperas telefônicas". Graças a Deus, lemos no livro de Jeremias 33:3: "Invoca-me, e te responderei; anunciar-te-ei coisas grandes e ocultas, que não sabes." Isso não foi substituído por "Todas as linhas estão ocupadas no momento. Sua chamada é importante. Por favor, permaneça na linha. Não desligue."

> **LEITURA:**
> **Salmo 46**
>
> Escutarei o que Deus, o SENHOR, disser, pois falará de paz ao seu povo e aos seus santos... Salmo 85:8

No entanto, eu me pergunto que tipo de acesso Ele tem conosco?

A comunicação com Deus é uma via de mão dupla. Ele nos fala por meio de Sua Palavra, quando nos aproximamos dele atentamente, em oração, e por meio da voz clara do Espírito Santo que habita em nós. Ele pagou um preço alto para manter as linhas abertas, a fim de experimentarmos a alegria de nos aquietarmos e saber que Ele é Deus (SALMO 46:10).

A alegria de ouvir Sua voz é um chamado que você não quer perder!

JMS

● *Você está disposto a descobrir quais as "coisas grandes e ocultas" das quais Deus falou?*

Deus está conseguindo falar com você?

6 DE SETEMBRO

A BÍBLIA em UM ANO:
Salmos 148–150, 1 Coríntios 15:29-58

A plantação

Um menino estava aprendendo na escola sobre o crescimento das plantas. Ele ficou intrigado sobre como uma pequena semente que germina no solo pode, mais tarde, irromper da terra como planta.

Durante aquela mesma época, ele e sua família participaram de um funeral. Durante a cerimônia, o pastor falou sobre a ressurreição final.

> LEITURA:
> **1 Coríntios 15:35-53**
>
> ...nem todos dormiremos, mas transformados seremos todos. v.51

Dias depois, quando a família passou por um cemitério, o menino observou: "É ali que eles plantam as pessoas." As sementes plantadas na terra e os corpos enterrados por ocasião da morte haviam feito uma conexão simbólica na mente do garoto.

O apóstolo Paulo usou essa mesma ilustração com a igreja de Corinto, o fato de plantar uma semente, para descrever a morte, o enterro e a ressurreição (1 CORÍNTIOS 15). Ele disse que, embora o corpo do cristão seja enterrado, um dia ressurgirá para uma nova vida (v.42). Nosso corpo natural é fraco, mas nosso corpo espiritual estará livre da decadência e da morte (vv.43,44). Nosso corpo novo será glorificado, dotado com poder, como o corpo ressurreto de Jesus.

Olhamos com expectativa para aquele dia quando soarão as trombetas, os mortos em Cristo ressuscitarão incorruptíveis e nós seremos transformados (v.52). Enquanto aguardamos por esse dia, espalhemos as boas-novas da nossa vitória sobre a morte por meio de Jesus (vv.56,57).

AMC

● *Você estará preparado, quando for feita a chamada final?*

A ressurreição de Cristo garante a nossa própria ressurreição.

Senso comum

Voltaire disse: "O senso comum não é tão comum." Ele estava certo! Numa sociedade que cresce cada vez mais litigiosa, somos advertidos a respeito de produtos, na maioria das vezes porque algumas pessoas não exercem o senso comum. Leia as seguintes instruções:

Num secador de cabelos: *Não use quando estiver dormindo.*

Num ferro elétrico: *Não passe a roupa que está vestindo.*

Numa motosserra: *Não tente parar a corrente com a mão.*

Podemos aprender o senso comum por meio de experiências ou dos ensinamentos que recebemos daqueles nos quais confiamos. Mas para que desenvolvamos discernimento e bom julgamento, a Palavra de Deus é a melhor das fontes.

Três palavras ecoam por todo o livro de Provérbios: sabedoria, entendimento e conhecimento. Deus encheu esse livro com o senso comum.

Provérbios 11:12 aconselha a moderação: "...o homem prudente, este se cala".

Provérbios 17:27 adverte: "Quem retém as palavras possui o conhecimento, e o sereno de espírito é homem de inteligência."

Provérbios 20:13 é prático: "Não ames o sono, para que não empobreças...".

Para ter mais senso comum, consulte diariamente a Palavra de Deus — a fonte da sabedoria.

CHK

LEITURA:
Provérbios 1:20-33

Porque o SENHOR dá a sabedoria, e da sua boca vem a inteligência e o entendimento. Pv 2:6

● *Você reconhece a sabedoria transformadora da Bíblia em sua leitura diária?*

Conhecimento sem senso comum é insensatez.

8 DE SETEMBRO

A BÍBLIA em UM ANO:
Provérbios 3–5, 2 Coríntios 1

Faça o que é certo

Bruce Weinstein é conhecido como "O cara da ética". Os seus livros e seminários desafiam as pessoas a fazer escolhas baseadas em princípios e não na conveniência ou em interesse próprio. Em suas palestras, muitas vezes ele pergunta aos participantes: "Por que devemos ser éticos?" E afirma que a maioria das respostas está centralizada nos benefícios da honestidade e da moral — para evitar punição e ter a consciência limpa. Embora reconheça que há benefícios a longo prazo, Weinstein enfatiza a atitude correta, pois isto é a coisa certa a ser feita.

> LEITURA:
> **Salmo 15**
>
> **...Quem deste modo procede não será jamais abalado.** v.5

O Salmo 15 dá uma ilustração vívida da pessoa cuja conduta emerge da comunhão com o Deus vivo. A pergunta: "Quem, SENHOR, habitará no teu tabernáculo?..." (v.1) encontra sua resposta em exemplos da vida diária: "O que vive com integridade, e pratica a justiça, e, de coração, fala a verdade" (v.2). Ele segue adiante, descrevendo relacionamentos honestos com vizinhos e amigos (vv.3,4), junto a integridade nos negócios e questões financeiras (v.5). O salmo termina com estas palavras: "...Quem deste modo procede não será jamais abalado" (v.5).

Viver com ética é mais do que um conceito discutido em seminários. É um meio poderoso de demonstrar a presença de Cristo em nossa vida. Fazer o que é correto sempre é a coisa certa a ser feita.

DCM

● *O seu testemunho como cristão demonstra a presença de Cristo em sua vida?*

Não há legado mais rico do que a integridade.

9 DE SETEMBRO

A BÍBLIA em UM ANO:
Provérbios 6–7, 2 Coríntios 2

Em qualquer lugar com Jesus

Quando meu filho era pequeno, certa vez o levei comigo para buscar a sua cuidadora. Ao me aproximar da casa, vi que o seu cachorro grande estava deitado na varanda. Num primeiro relance, o cachorro parecia tranquilo. Mas, de repente, ele pôs-se em pé e atacou meu filho, que pulou, agarrando-se na minha perna, tentando subir até a minha cintura. De alguma forma, ele acabou se agarrando em meu pescoço e ombros.

> LEITURA:
> **Êxodo 33:12-17**
>
> ...Não temais...porque o SENHOR é convosco.
> 2 Crônicas 20:17

Fiquei me defendendo do cachorro, que tentava me morder enquanto eu lhe dava um chute — até que veio o dono, para o meu alívio, e chamou a fera. Todos nós — o cachorro, meu filho e eu — escapamos ilesos.

Mais tarde, quando estávamos caminhando para o carro, meu filho olhou-me e disse: "Papai, vou a qualquer lugar com você." A sua confiança estava na pessoa errada; eu posso falhar com ele, em algum momento. Muitas vezes relembro essas palavras quando estou amedrontado.

Quando, Moisés enfrentou circunstâncias incertas, ele implorou a Deus: "...rogo-te que me faças saber neste momento o teu caminho, para que eu te conheça e ache graça aos teus olhos..." (ÊXODO 33:13). O Senhor respondeu: "...A minha presença irá contigo..." (v.14).

Sempre que enfrentarmos circunstâncias temerosas ou nos confrontarmos com ataques furiosos, poderemos dizer com confiança: "Senhor, vou a qualquer lugar contigo."

DHR

● *Você está disposto a ir com Jesus aonde quer que Ele quiser?*

Você não precisa temer quando Deus o acompanha.

10 DE SETEMBRO

A BÍBLIA em UM ANO:
Provérbios 8–9, 2 Coríntios 3

O aniversário de Jó

Morte, divórcio e doença poderiam ser chamados de "os três fatores do sofrimento", pois surgem como um *tsunami* de tristeza, evocando dúvidas e destruindo sonhos.

Recentemente, um amigo e eu concordamos que o ano anterior havia sido um ano que queríamos esquecer logo. Cada um de nós tinha sofrido uma dessas três coisas.

Nossa conversa trouxe à mente a figura de Jó. Num curto espaço de tempo, esse homem perdeu seus filhos, sua saúde, riqueza e o respeito da esposa. O sofrimento de Jó foi tão grande que ele implorou: "Pereça o dia em que nasci…" (JÓ 3:3). Jó queria que Deus apagasse não apenas um ano, mas toda a lembrança de sua existência! Ele havia desfrutado anos de sucesso e respeito, mas naquele momento, porém, questionava o propósito da vida (3:20).

> **LEITURA:**
> **Jó 3**
>
> **Aquilo que temo me sobrevém, e o que receio me acontece.** v.25

Aquele homem queria morrer e ser esquecido, mas Deus, todavia, assegurou a Jó que seu nome e história seriam lembrados para sempre. Em vez de dar a Jó o que ele pedira, Deus concedeu às gerações futuras o que precisariam — uma visão interior dessa batalha espiritual entre Deus e Satanás. O resultado foi o livro de Jó, inspirado por Deus — um documento sobre o sofrimento humano, que já confortou incontáveis pessoas.

Quando acontece de fato o que tememos, sabemos, graças à experiência de Jó, que Deus pode usar essa circunstância para o bem.

JAL

- Você reconhece o controle do Senhor em sua vida?

Nosso maior bem pode vir do nosso maior sofrimento.

11 DE SETEMBRO

A BÍBLIA em UM ANO:
Provérbios 10–12, 2 Coríntios 4

Conduza-os para a cruz

Muitas histórias comoventes circularam depois do ataque terrorista as Torres Gêmeas, no dia 11 de setembro de 2001, nos EUA. Nenhuma parece ter um significado espiritual tão grande quanto a do trabalhador Frank Silecchia. Quando estava ajudando a recuperar os corpos das vítimas, Silecchia percebeu duas vigas de aço em formato de cruz, erguida em meio aos escombros.

Colocando-se como guardião daquele símbolo impressionante do amor de Deus, ele levou muitos visitantes desolados para ver essa cruz. Muitos encontraram conforto com o testemunho silencioso da presença divina nessa tragédia. Certo dia, quando uma jornalista veio com os amigos em prantos por terem perdido um filho naquela catástrofe, Silecchia simplesmente os levou até a cruz.

> LEITURA:
> **1 Coríntios 1:18-25**
>
> **Mas longe esteja de mim gloriar-me, senão na cruz de nosso Senhor Jesus...** Gálatas 6:14

A resposta à dor terrível do mundo e ao mal não é um argumento filosófico ou uma investigação teológica. A resposta é a cruz do Calvário, onde, por meio da graça insondável, Jesus, o Deus encarnado, tomou sobre si o nosso fardo: "...carregando ele mesmo em seu corpo, sobre o madeiro, os nossos pecados, para que nós, mortos para os pecados, vivamos para a justiça..." (1 PEDRO 2:24).

Se você ainda não foi levado até a cruz do Calvário, deixe-me levá-lo até lá. Jesus Cristo morreu por você e depois ressuscitou. Creia nele e você será salvo (1 CORÍNTIOS 1:21). 🌱 *VCG*

● *Você já experimentou o poder da cruz em sua vida?*

O caminho para o céu começa aos pés das cruz.

12 DE SETEMBRO

A BÍBLIA em UM ANO:
Provérbios 13–15, 2 Coríntios 5

Fazendo uma obra-prima

Uma das lembranças mais remotas que tenho de meu pai é a de que ele gostava de fazer pinturas em espaços pré-numerados. A tela era grande, mas os segmentos numerados, de cores pré-determinadas, eram bem pequenos. Papai sentava em sua cadeira por horas, no porão de casa, trabalhando meticulosamente, com o quadro à sua frente e uma xícara de café ao lado.

> LEITURA:
> **2 Coríntios 5:12-21**
>
> **E, assim, se alguém está em Cristo, é nova criatura...** v.17

Como menino, eu sentava nas escadas do porão e observava-o com fascínio. Meu interesse não era despertado pelo pensamento de que pintar mosaicos numerados o tornaria um grande artista. Mas eu ficava impressionado com a maneira como ele trabalhava pacientemente completando cada pintura pré-desenhada. Finalmente, os pequenos mosaicos, quando coloridos, se transformavam numa imagem, que ele considerava digna de tanto trabalho.

Ao pensar na paciência de meu pai em dar vida a um quadro, meu coração se volta para o nosso Pai celestial. Ele vê as lacunas e as imperfeições em nossa vida, todavia nos olha pacientemente, e com amor, faz a Sua obra em nós, pois somos a Sua obra-prima. Como obra de Suas mãos "...[nos] predestinou para [sermos] conformes à imagem de seu Filho..." (ROMANOS 8:29).

Que alegria é ter um Deus como esse que, faz de nós novas criaturas (2 CORÍNTIOS 5:17) e nunca se cansa de investir Seu poder e esforço em nossa vida!

WEC

● *De que maneira Deus o molda diariamente?*

Somente Deus pode nos transformar em uma obra-prima de Sua graça.

13 DE SETEMBRO

A BÍBLIA em UM ANO:
Provérbios 16–18, 2 Coríntios 6

O cavalo e seu menino

No livro *As Crônicas de Nárnia*, de C.S. Lewis (Martins Fontes, 2010) no texto *O cavalo e seu menino*, Bree é um cavalo que fala. Ele considera o menino, Shasta, um "potro" que precisa de muito treinamento. Suas opiniões refletem um ar de superioridade. Ele acha que é um cavalo de guerra, valente e com grandes habilidades. Todavia, quando ouve o rugido de um grande leão, foge e deixa os outros membros do seu bando indefesos.

Mais tarde, Bree encontra Aslan, o leão, que é o rei de Nárnia. O cavalo admite que é um fracassado, arrogante e medroso. Aslan elogia Bree por admitir seus erros.

> **LEITURA:**
> **Provérbios 16:18-25**
>
> Em vindo a soberba, sobrevém a desonra, mas com os humildes está a sabedoria.
>
> Provérbios 11:2

A Bíblia nos diz: "A soberba precede a ruína, e a altivez do espírito, a queda" (PROVÉRBIOS 16:18). A vida tem a sua forma de expor as falhas de nossa própria vaidade. Porém, aprender a difícil lição de que quando sobrevém o orgulho a desgraça vem em seguida, pode significar uma mudança radical, em que redirecionamos intencionalmente nosso foco, para não mais nos exaltarmos. E, ao adotarmos um espírito humilde diante de Deus e dos homens, podemos nos tornar canais de sabedoria para outros. "Em vindo a soberba, sobrevém a desonra, mas com os humildes está a sabedoria" (PROVÉRBIOS 11:2).

Promover nossa própria importância nos conduz ao tropeço. Mas concentrar-se em glorificar a Deus e atender as necessidades dos outros nos traz a perspectiva dos sábios. 🌱

HDF

● *Como você pode evitar ser orgulhoso?* _____

O orgulho traz vergonha. A humildade traz sabedoria.

14 DE SETEMBRO

A BÍBLIA em UM ANO:
Provérbios 19–21, 2 Coríntios 7

Nomes e mais nomes

Dalton Conley, sociólogo renomado, e sua esposa pediram permissão legal para mudar o nome do seu filho, de cinco anos, para *Yo Xing Heyno Augustus Eisner Alexander Weiser Knuckles Jeremijenko-Conley*. Na verdade, a maior parte desse nome já lhe pertencia — mas seus pais acrescentaram mais três. Eles tinham razões específicas para cada um deles.

> LEITURA:
> **Mateus 1:1-17**
>
> Livro da genealogia de Jesus Cristo, filho de Davi, filho de Abraão. v.1

Creio que Deus tem razões específicas para os nomes que foram incluídos na genealogia registrada no início do evangelho de Mateus. Pode parecer uma lista longa e cansativa de nomes sem significado, mas eles servem pelo menos dois propósitos. Primeiro, apresentam um quadro no qual os verdadeiros hebreus podiam estabelecer as raízes de sua família e manter a pureza religiosa contra outras influências. Segundo, os nomes refletem a obra soberana do Senhor. Revelam os relacionamentos de Deus no passado, os quais resultaram no nascimento do Messias. O Senhor usou todo tipo de pessoas para a linhagem de Jesus — fazendeiros, reis, uma prostituta, adúlteros, mentirosos. Quando lemos essa lista, somos lembrados da fidelidade de Deus.

Quando você pensar no fato de que faz parte da família de Deus, pela fé em Cristo, lembre-se da fidelidade do Senhor em relação a você e o desejo que Ele tem de usá-lo para cumprir os Seus propósitos.

MLW

● *Quando outros pensam em você, será que relembram da ação de Deus em sua vida?*

Encontramos o propósito para a vida numa pessoa — Jesus Cristo.

15 DE SETEMBRO

A BÍBLIA em UM ANO:
Provérbios 22-24, 2 Coríntios 8

O farmacêutico

O farmacêutico tinha uma boa reputação. Era um homem de família e bom negociante. Todavia, para aumentar seus lucros, esse profissional de confiança começou a diluir as doses dos medicamentos de quimioterapia que vendia. Ele foi flagrado e condenado por esse crime. Muitos médicos se perguntaram: "Como isso pôde acontecer?"

> LEITURA:
> **2 Samuel 12:1-14**
>
> Então, disse Natã a Davi: **Tu és o homem...** v.7

Algumas dessas mesmas perguntas devem ter sido feitas a respeito do rei Davi. Conhecido como o homem segundo o coração de Deus, ele usou o seu poder para possuir a esposa de outro homem (2 SAMUEL 11). Em seguida conspirou para tirar a vida desse esposo. O homem que morreu foi um dos próprios oficiais militares de Davi, que estava longe de casa, lutando nas batalhas deste mesmo rei.

Poderíamos olhar para as falhas de pessoas famosas e, assim, nos sentirmos melhor a respeito de nós mesmos. Mas se nos sentimos bem por causa dos erros de outros, não nos conhecemos a nós mesmos. Não é para enfraquecer o nosso senso de alarme moral que a Bíblia nos relata detalhes sobre os dois pecados de Davi, mas para nos colocar em posição de alerta.

Os fracassos dos outros devem contribuir para que fiquemos mais conscientes das nossas próprias fraquezas e da nossa necessidade pela graça de Cristo. Somente ao reconhecermos nossa fraqueza permaneceremos dependentes da força de nosso Deus. 🌿

MRD

- *O que aprendo com meus erros?*

A Bíblia é o espelho que mostra como Deus nos vê.

16 DE SETEMBRO

A BÍBLIA em UM ANO:
Provérbios 25–26, 2 Coríntios 9

Música interior

Cantar é algo natural para as quatro crianças Von Trapp. Eles são bisnetos do Capitão Georg Von Trapp, cujo romance com a sua segunda esposa, Maria, inspirou o filme *A Noviça Rebelde,* de 1965.

Depois que o avô, Werner Von Trapp, teve um ataque cardíaco, eles gravaram seu primeiro CD, a fim de alegrá-lo. Logo, as crianças estavam se apresentando por todo o mundo. Stefan, o pai das crianças, diz: "A música está dentro delas."

> LEITURA:
> **Salmo 98**
>
> **Celebrai com júbilo ao Senhor, todos os confins da terra...** v.4

O escritor do Salmo 98 também tinha uma canção em seu coração. Ele incentivou outros a se unirem a ele para cantar "...ao Senhor um cântico novo, porque ele tem feito maravilhas..." (v.1). Ele louvou a Deus pela Sua salvação, justiça, misericórdia e fidelidade (vv.2-3). O coração do salmista estava tão transbordante de louvor que clamava à Terra para que irrompesse numa canção, que os rios batessem palmas e os montes cantassem de alegria (vv.4,8).

Nós também temos muito que agradecer — as boas dádivas de Deus, da família, os amigos e o suprimento diário das nossas necessidades. Ele cuida fielmente de nós, os Seus filhos.

Talvez não saibamos cantar bem, mas quando nos lembramos de tudo o que Deus significa para nós, e tudo o que fez em nosso favor, não podemos fazer outra coisa a não ser louvá-lo com cânticos de alegria e ao som de música! (v.4). AMC

● *Você adora o Senhor por todas as Suas maravilhas?*

O louvor é o transbordar de um coração alegre.

17 DE SETEMBRO

A BÍBLIA em UM ANO:
Provérbios 27–29, 2 Coríntios 10

Novo amigo

Quando voava de volta para o meu país, percebi que estava sentado ao lado de uma menininha, que não parava de falar desde que se sentara ao meu lado. Ela contou-me a história de sua família e tudo sobre o seu cachorrinho de estimação, que estava no bagageiro do avião. Ela se entusiasmava com tudo ao nosso redor: "Veja isso! Veja aquilo!" Não pude deixar de pensar que oito horas assim poderiam significar um voo bastante longo!

> LEITURA:
> **João 15:9-17**
>
> ...tenho-vos chamado amigos, porque tudo quanto ouvi de meu Pai vos tenho dado a conhecer. v.15

Conversamos um pouco, até que repentinamente ela se calou e envolveu-se em sua coberta. Eu pensei que naquele momento a menina fosse dormir. Aproveitei a pausa e peguei a revista que estava mais próxima de mim. Mas, antes de abri-la, senti um pequeno cotovelo no meu lado. Olhei para ela, que tirou sua pequenina mão e disse: "Oi, Joe, vamos ser amigos?"

Meu coração se derreteu. E lhe respondi: "Claro, vamos ser amigos."

Em meio às agitações da vida, quando pensamos que tudo o que queremos é ficar sozinhos, Jesus estende Sua mão marcada pelos pregos e nos convida a sermos Seus amigos. Ele diz: "...tenho-vos chamado amigos, porque tudo quanto ouvi de meu Pai vos tenho dado a conhecer" (JOÃO 15:14,15). Temos uma escolha: permanecermos sozinhos ou abrirmos nosso coração para Jesus habitar e assim teremos à disposição um verdadeiro amigo e orientação segura e ilimitada.

JMS

● *Você prefere continuar só ou estar em companhia do melhor e mais fiel Amigo?*

Jesus anseia ser seu Amigo.

18 DE SETEMBRO

A BÍBLIA em UM ANO:
Provérbios 30–31, 2 Coríntios 11:1-15

Mensagem do céu

A **população da Terra** já está acima de 6,6 bilhões de pessoas. E, dependendo de onde vivemos, encontrar momentos de tranquilidade e poder olhar atentamente para o céu de uma noite silenciosa está cada vez mais difícil. Todavia, conforme o autor do Salmo 19, se pudéssemos encontrar um pequeno lugar onde o único som fosse o bater do nosso coração e a única visão a abóbada de estrelas, então poderíamos ouvir uma mensagem do céu.

LEITURA:
Salmo 19

Os céus proclamam a glória de Deus... v.1

Nesse momento, poderíamos reconhecer o testemunho silencioso e impressionante da criação maravilhosa de Deus.

E poderíamos ouvir que: "Os céus proclamam a glória de Deus..." (v.1). E observar, maravilhados, como "...o firmamento anuncia as obras das suas mãos" (v.1).

Poderíamos ouvir como "um dia fala disso a outro dia", o que encheria nossas mentes com uma consciência inconfundível do esplendor do conhecimento da obra de Deus (vv.1,2).

Nosso Criador nos diz, aquietem-se: Parem de lutar! Saibam que eu sou Deus (SALMO 46:10). Uma boa maneira de fazer isso é investir tempo em Sua presença, admirando a Sua obra. Certamente reconheceremos e saberemos que só Ele é Deus! JDB

● *Você já conhece o Filho de Deus?*

Deus também pode demonstrar a Sua majestade por meio da Sua criação.

19 DE SETEMBRO

A BÍBLIA em UM ANO:
Eclesiastes 1–3, 2 Coríntios 11:16-33

A fidelidade de Deus

Algumas das palavras de Jesus aos Seus discípulos com relação à fé em Deus me fazem perguntar a mim mesmo se poderei algum dia chegar a esse patamar de confiança por meio da oração. Não me lembro de ter dito a uma montanha que se deslocasse para o oceano e observar isso acontecer.

Hudson Taylor, missionário pioneiro na China, disse que as palavras de Jesus no evangelho de Marcos 11:22: "...Tende fé em Deus", podiam ser traduzidas como: "Segure firme na fidelidade de Deus."

> LEITURA:
> **Marcos 11:20-26**
> **Respondeu Jesus:**
> **"...Tende fé em Deus."**
> v.22

Dr. Martyn Lloyd-Jones, antigo pastor da Capela Westminster, de Londres, gostou da ideia de Taylor e disse: "Fé significa segurar firme na fidelidade de Deus e, enquanto fizer isso, não poderá errar. A fé não olha para as dificuldades [...]. A fé não olha para si ou para a pessoa que a está exercitando. A fé olha para Deus [...] está interessada, fala e exalta somente as virtudes de Deus. A medida da força da fé de um homem sempre é, em última instância, a medida do seu conhecimento de Deus [...]. Ele o conhece tão bem que pode descansar em Seu conhecimento. E são as orações de tal homem que são respondidas."

"Para sempre, ó SENHOR, está firmada a tua palavra no céu. A tua fidelidade estende-se de geração em geração" (SALMO 119:89,90). *DCM*

● *Você crê que a sua fé move o coração de Deus?*

A vida nem sempre é justa, mas Deus sempre é fiel.

20 DE SETEMBRO

A BÍBLIA em UM ANO:
Eclesiastes 4–6, 2 Coríntios 12

Caminhada no parque

Os **fundos da nossa casa** dão para um parque com uma trilha para caminhadas. Posso ver a maior parte dela pela janela e, por isso, aprendi a reconhecer as pessoas pela maneira como caminham.

Conheço um advogado que mora no final da rua e sempre está com pressa; um homem idoso que passa bem devagar; uma mulher que anda a passos largos, vigorosos. Cada qual tem um modo característico de caminhar.

LEITURA:
Efésios 5:1-14

...e andai em amor, como também Cristo nos amou... v.2

A Bíblia nos instrui: "e ...andai em amor, como também Cristo nos amou..." (EFÉSIOS 5:2) e "Portai-vos com sabedoria..." (COLOSSENSES 4:5). Eu me pergunto: "Será que o meu caminhar reflete o amor e a sabedoria de Deus? Será que tenho a sabedoria que é "...pura; depois, pacífica, indulgente, tratável, plena de misericórdia e de bons frutos, imparcial, sem fingimento"? (TIAGO 3:17). Tenho amor, alegria e paz? Sou tranquilo e forte? O que os outros veem em meu caminhar?

George MacDonald, ministro cristão, disse: "Se vocês, que se dispuseram a teorizar sobre o cristianismo, estivessem dispostos a fazer a vontade do Mestre, quão diferente seria a condição dessa parte do mundo com a qual vocês têm contato." De fato, seria muito diferente!

A sua vida está fazendo diferença na vida daqueles que estão ao seu redor? Será que os outros veem Jesus naquilo que você diz e faz?

DHR

● *Você pode afirmar com segurança que Cristo vive em você?*

Para caminhar como Cristo, mantenha o passo com Ele.

21 DE SETEMBRO

A BÍBLIA em UM ANO:
Eclesiastes 7–9, 2 Coríntios 13

Pai, perdoa-lhes

Um menino de 12 anos, ao fazer uma visita escolar a um museu, grudou uma bola de chicletes numa pintura que valia 1,5 milhão de dólares. A goma de mascar deixou uma mancha do tamanho de uma moeda no quadro famoso *A Baía*, de Frankenthaler. Os peritos do museu não tinham certeza se conseguiriam remover aquela mancha totalmente. O menino foi suspenso da escola. Um representante da instituição de ensino disse: "Acho que ele não entendeu as consequências do seu ato."

Em Lucas 23, Jesus pronunciou uma oração poderosa a favor de pessoas que não compreendiam as consequências do que estavam fazendo. Ele pediu ao Seu Pai celestial que perdoasse aqueles que o estavam crucificando (v.34). Eles não valorizaram o Filho de Deus — açoitando-o, cuspindo nele, ridicularizando-o e colocando uma coroa de espinhos em Sua cabeça. Traspassaram Suas mãos e pés com pregos e com uma lança feriram-lhe o lado. Embora eles não entendessem todo o alcance de seus atos, por meio da morte de Seu Filho, Deus ofereceu perdão a todos os que se arrependessem e cressem — até mesmo aos que mataram Jesus.

Por causa do pecado, todos nós fizemos parte do ato de crucificar Jesus. As boas-novas significam que Deus é gracioso. Ele quer perdoar e remover a mancha do pecado e dar-nos uma segunda chance, por meio de Seu Filho.

MLW

> LEITURA:
> **Lucas 23:32-38**
>
> Contudo, Jesus dizia: Pai, perdoa-lhes, porque não sabem o que fazem. v.34

● *As boas-novas de Jesus transformaram o seu modo de vida?*

Ninguém é mau demais para ser perdoado por Deus.

22 DE SETEMBRO

A BÍBLIA em UM ANO:
Eclesiastes 10–12, Gálatas 1

Desviando-se da sabedoria

Se Deus lhe oferecesse qualquer coisa que você desejasse, o que você pediria? Quando Salomão teve a oportunidade de escolher, pediu sabedoria para distinguir entre o bem e o mal, para governar corretamente o povo de Deus (1 REIS 3:9). Deus até prometeu-lhe dar riquezas e fama (v.11-13). Até o dia de hoje, o filho de Davi é lembrado pela grande sabedoria que Deus lhe deu.

> LEITURA:
> **1 Reis 3:4-15**
>
> Dá, pois, ao teu servo coração compreensivo para julgar a teu povo... v.9

Salomão começou seu governo devoto à sabedoria, e com uma profunda ambição em construir um templo magnífico, em honra a Deus. Mas algo aconteceu ao longo do caminho. A sua paixão por viver segundo a sabedoria de Deus foi substituída pela sedução das riquezas e pela posição que Deus lhe havia dado. Seus casamentos com mulheres estrangeiras, que adoravam deuses pagãos, por fim o levaram — e a toda a nação — à idolatria.

A lição está clara. Manter o nosso amor por Cristo e Sua sabedoria como algo sublime e divino é o objetivo principal para aqueles dentre nós que têm a intenção de viver para satisfazer a Deus em todo o percurso da vida. O comprometimento em seguir as riquezas da sabedoria do Senhor irá nos capacitar a evitar os desvios que destruíram Salomão.

Mantenha seu coração em sintonia com a sabedoria de Deus e obedeça à Sua voz. Essa é a maneira de terminar bem a vida. 🕮 *JMS*

● *Você está entre aqueles que querem honrar a Deus vivendo em sabedoria?*

Monitore seu coração para evitar que se desvie da sabedoria de Deus.

23 DE SETEMBRO

A BÍBLIA em UM ANO:
Cantares 1–3, Gálatas 2

Ele sabe o meu nome

Quando participávamos de uma igreja grande, aprendíamos coisas novas, fazíamos parte de um bom grupo de estudos e desfrutávamos da música de adoração. Porém, por muito tempo, eu não percebi algo — o pastor não tinha ideia de quem eu era. Por causa das milhares de pessoas que participavam daquela igreja, seria impossível que ele soubesse o nome de cada um.

> LEITURA:
> **João 10:1-4**
>
> ...as ovelhas ouvem a sua voz, ele chama pelo nome as suas próprias ovelhas... v.3

Quando começamos a frequentar uma igreja bem menor, recebi do pastor um cartão de boas-vindas escrito à mão. Semanas depois, ele cumprimentava-me pelo meu nome e conversava comigo a respeito de uma recente cirurgia que havia feito. Eu me senti bem em ser reconhecida pessoalmente.

Todos nós temos o desejo de ser conhecidos — especialmente por Deus. Uma canção do compositor e cantor Tommy Walker diz: "Ele conhece o meu nome", lembra-me de que Deus conhece cada pensamento nosso, vê cada lágrima que corre por nosso rosto e nos ouve quando chamamos. Lemos no evangelho de João: "as ovelhas ouvem a sua voz, ele chama pelo nome as suas próprias ovelhas [...]. Eu sou o bom pastor; conheço as minhas ovelhas..." (JOÃO 10:3,14).

Para aquele que criou os céus e a terra, conhecer alguns bilhões de pessoas não é problema. Deus o ama tanto (JOÃO 3:16) que pensa em você todo o tempo (SALMO 139:17,18), e Ele sabe o seu nome também (JOÃO 10:3).

CHK

● *O que significa para você saber que Deus o conhece intimamente?*

Nenhum cristão é anônimo para Deus.

24 DE SETEMBRO

A BÍBLIA em UM ANO:
Cantares 4–5, Gálatas 3

Levantem-se!

Quando pedi ao meu esposo para comprar ovos antes de chegar em casa para fazermos pão de milho para o jantar, ele disse: "Tenho algo melhor do que pão de milho." Essas palavras vindas dele foram surpresa para mim. Mas logo entendi o que ele quis dizer quando entrou em casa e entregou-me um pão caseiro, de canela. No papel, uma etiqueta dizia: "Obrigada pela ajuda. Estávamos precisando." O pão havia sido feito por uma amiga e fora dado como agradecimento pela doação que tínhamos feito a uma organização de jovens.

LEITURA:
Marcos 2:1-12

Eu te mando: Levanta-te, toma o teu leito e vai para tua casa. v.11

Ela começou a fazer pães depois que teve que parar de trabalhar como enfermeira devido a um ferimento na cabeça. Em vez de deixar que as circunstâncias a derrotassem, pois já não podia mais ajudar as pessoas da forma usual, levantou-se e enfrentou o desafio, criando uma maneira peculiar de expressar gratidão. Agora ela faz e oferece os pães caseiros deliciosos para os ministérios, que podem distribuí-los a outros.

Embora não tenha sido completamente curada do seu problema físico como o paralítico que Jesus curou (MARCOS 2) — essa mulher se levantou e fez muitos ficarem maravilhados com a obra de Deus em sua vida.

Deus tem algo que cada um de nós pode fazer, apesar das nossas limitações. Levante-se e pergunte o que Ele quer fazer por seu intermédio. JAL

● *Você crê que Deus pode usá-lo, mesmo com suas limitações?*

Disponha-se a fazer as tarefas que Deus quer de você.

25 DE SETEMBRO

A BÍBLIA em UM ANO:
Cantares 6–8, Gálatas 4

Paraíso dos mosquitos

Os **construtores do canal do Panamá** superaram enormes desafios: mover toneladas de terra, redirecionar o rio e derrubar quilômetros de florestas. Mas um pequenino mosquito ameaçava acabar com todo o projeto. O Istmo do Panamá era um lugar ideal para a procriação dessa peste. Quando os mosquitos infectaram muitos trabalhadores no canal com febre amarela e malária, o número de mortos aumentou.

LEITURA:
2 Crônicas 34:14-21

...Achei o Livro da Lei na Casa do SENHOR.
v.15

Felizmente, um médico que havia estudado essas doenças providenciou um grupo de trabalhadores para borrifar a área com um produto químico para matar aqueles insetos. O número de doenças diminuiu drasticamente.

No Antigo Testamento, lemos sobre a epidemia de idolatria em Judá e a doença moral que a acompanhava. Quando a Palavra de Deus foi redescoberta, o rei Josias exclamou: "...porque grande é o furor do SENHOR, que se derramou sobre nós, porquanto nossos pais não guardaram as palavras do SENHOR..." (2 CRÔNICAS 34:21). Josias compreendeu a cura preventiva das Escrituras para a doença moral. Ele começou a aplicar suas verdades espirituais e, em breve, um reavivamento se alastrou sobre a nação e restaurou a sua saúde espiritual.

Quando negligenciamos a leitura da Palavra de Deus, estamos nos expondo a doenças espirituais. Vamos assegurar-nos de investir o nosso tempo para absorver a Sua mensagem — que traz vida.

HDF

- *Você já experimentou a cura espiritual proposta na Palavra de Deus?*

A Bíblia é a prescrição de Deus para a saúde da nossa alma.

26 DE SETEMBRO

A BÍBLIA em UM ANO:
Isaías 1–2, Gálatas 5

Jesus nos liberta

Talvez, desde os tempos do apóstolo Paulo, ninguém tenha descrito a experiência da escravidão espiritual como o grande teólogo Agostinho (354-430 D.C.). Embora ele tenha sido abençoado com extraordinária inteligência, nos anos da sua juventude, entregou-se à profunda depravação.

Ao olhar para trás, Agostinho relatou suas lutas: "Estava preso pelas correntes de ferro da minha vontade própria. Era mais um sofredor involuntário do que um ator voluntário. E, entretanto, foi por meu intermédio que o hábito se tornou um inimigo armado, contra mim, porque voluntariamente me tornei naquilo que descobri que eu era, mas não queria ser."

> LEITURA:
> **Gálatas 5:1-6**
> ...e conhecereis a verdade, e a verdade vos libertará. João 8:32

Muitos de nós passamos por lutas semelhantes. Queríamos a libertação do pecado, mas nos sentíamos incapazes de livrar-nos das correntes do hábito. Então, quando nos voltamos em fé para Jesus, somos libertos e podemos repetir as palavras de um hino de Charles Wesley: "Há muito, o meu espírito aprisionado jazia subjugado em pecado e escuridão; Teus olhos difundiram um raio avivador, eu despertei, a prisão inflamou-se com luz; minhas algemas caíram, meu coração foi liberto...".

Somente Jesus pode romper as correntes do pecado em sua vida. Receba-o como Seu Salvador. "...e a verdade vos libertará" (JOÃO 8:32).

VCG

- Você já conhece a verdade que liberta? _____

Encontramos a verdadeira liberdade servindo a Cristo.

27 DE SETEMBRO

A BÍBLIA em UM ANO:
Isaías 3–4, Gálatas 6

Semeadura e colheita

Naquele momento, eu parecia suficientemente inocente, pois tinha acabado de chegar da escola, e dissera para minha mãe que iria à casa de um amigo jogar futebol. Ela insistiu para que eu ficasse em casa e fizesse meus deveres escolares. Mas, em vez disso, saí pela porta dos fundos e passei as duas horas seguintes jogando no quintal de meu amigo. Na última jogada, no entanto, me derrubaram e quebrei o meu dente da frente. Quase enlouqueci de dor, mas o pior foi contar aos meus pais o que tinha ocorrido.

> LEITURA:
> **Gálatas 6:7-9**
> ...aquilo que o homem semear, isso também ceifará. v.7

Aquela desobediência iniciou uma jornada de 10 anos de problemas dentários e dor, com implicações que continuam até hoje. "Por certos erros, você paga sempre", disse um certo jogador de futebol.

Séculos atrás, Paulo apresentou a mesma ideia na lei universal da semeadura e da colheita. Ele disse: "...aquilo que o homem semear, isso também ceifará" (GÁLATAS 6:7). Nossas escolhas muitas vezes têm o alcance e impacto que nunca imaginamos. As palavras do apóstolo nos lembram de fazer escolhas sábias.

As escolhas que fazemos hoje produzem consequências que colheremos amanhã. É bem melhor evitar o pecado no início do que lutar para superar as suas consequências.

Que a nossa oração seja: "Senhor, precisamos da Tua sabedoria para nos ajudar a fazer boas escolhas, e do Teu perdão quando fizermos más escolhas."

WEC

● *Espiritualmente falando: É possível colher o que não se plantou?*

Uma boa razão para fazer a coisa certa hoje é o amanhã.

28 DE SETEMBRO

A BÍBLIA em UM ANO:
Isaías 5–6, Efésios 1

Cuidando dos outros

Quando nos dedicamos aos outros, manifestamos a essência do caráter de Jesus, pois Ele sempre agiu dessa forma — pensou mais nos outros do que em si mesmo. Que outra razão haveria para o Senhor tornar-se "...obediente até à morte e morte de cruz" (FILIPENSES 2:8)?

A nossa tendência natural é considerar em primeiro lugar os nossos próprios interesses, ver tudo sob a perspectiva de nossas próprias necessidades e desejos. Mas com a ajuda de Jesus, podemos mudar esse hábito. Podemos começar a pensar no que é melhor para os outros: seus desejos, suas preocupações, suas necessidades.

> LEITURA:
> **Filipenses 2:3-8**
>
> **Não tenha cada um em vista o que é propriamente seu...** v.4

Por isso, precisamos nos perguntar: será que consideramos os interesses dos outros mais importantes do que os nossos? Ficamos tão entusiasmados com o que Deus está fazendo na vida deles e por intermédio deles, tanto quanto o que Ele está fazendo em nós e por meio de nós? Desejamos ardentemente que outros cresçam na graça e recebam o reconhecimento, mesmo que tenham sido os nossos esforços que lhes trouxeram sucesso? Será que encontramos satisfação em ver nossos filhos espirituais nos superando no trabalho? Se de fato é assim, esta é a medida da verdadeira grandeza.

Somos mais semelhantes ao nosso Senhor quando a nossa preocupação se transforma em preocupação pelos outros (JOÃO 15:13).

DHR

● *Estou disposto a colocar as necessidades dos outros acima das minhas?*

Quanto mais você amar o Senhor, mais amará os outros.

29 DE SETEMBRO

A BÍBLIA em UM ANO:
Isaías 7–8, Efésios 2

Marcação sensata

Um paciente entrou num hospital para fazer uma amputação que lhe salvaria a vida. Mas acordou e percebeu que haviam amputado o pé errado. No mesmo hospital, outro paciente também teve uma cirurgia feita no joelho errado.

Os defensores do sistema de saúde enfatizam que esses erros médicos trágicos são como acidentes aéreos — viram notícias por serem tão raros. Naquele hospital foi criado um plano para evitar que algo desse errado: os funcionários agora escrevem NÃO com uma caneta marcadora preta, na parte sã da pessoa.

> LEITURA:
> **Efésios 5:8-21**
>
> ...porque os dias são maus. Por esta razão, não vos torneis insensatos... v.16,17

A Bíblia também nos admoesta a fazermos mais do que simplesmente reconhecer os nossos erros do passado; precisamos dar passos decisivos para evitar o mal. Paulo advertiu os cristãos em Éfeso: "E não sejais cúmplices nas obras infrutíferas das trevas..." (EFÉSIOS 5:11) Cristo nos libertou da condenação, mas ainda corremos o risco de males temporários e perdas, por causa das nossas tendências pecaminosas. Nossa carne ainda está inclinada a erros e perigos (GÁLATAS 5:16,17).

Porém, muita coisa mudou. Nosso relacionamento com Deus mudou. Nosso futuro — anteriormente sem esperança — agora é radiante e cheio de promessas. Temos a oportunidade de nos submetermos ao Espírito Santo e caminhar com aquele que faz o bem, ao invés de fazer o mal de forma inconsequente. ❦

MRD

- *Você calcula as consequências ao fazer suas escolhas?*

Os sábios se esforçam para evitar que os erros se repitam.

30 DE SETEMBRO

A BÍBLIA em UM ANO:
Isaías 9–10, Efésios 3

Não reme

Durante um piquenique, num lago, a noiva de Ole, chamada Bess, lhe disse que desejava muito tomar um sorvete. Por causa disso, esse jovem imigrante norueguês fez uma viagem de oito quilômetros com um barco a remo, para comprar-lhe o doce. Quando chegou, estava exausto, e com um recipiente cheio de sorvete derretido, Ole disse a si mesmo que deveria haver uma maneira mais fácil. Ele colocou sua mente de mecânico para funcionar e, um ano mais tarde, em 1907, Ole Evinrude testou o seu motor para pequenos barcos, leve e desmontável. Casou-se com Bess e, quando os motores de popa começaram a ser produzidos, ela escreveu o *slogan* da propaganda: "Não reme! Jogue os remos fora!"

> **LEITURA:**
> **Efésios 3:14-21**
>
> ...sejais fortalecidos com poder, mediante o seu Espírito... v.16

Ole Evinrude não foi um homem preguiçoso, mas entendeu os limites da força humana. Todos os dias usamos máquinas para realizar as tarefas da vida. Mas, frequentemente, confiamos em nós mesmos quando estamos tentando servir a Deus. Na carta aos Efésios, o apóstolo Paulo falou sobre uma maneira mais fácil: "...sejais fortalecidos com poder, mediante o seu Espírito..." (v.16). No lugar do esforço próprio, Paulo insistiu com os cristãos para que encontrassem forças naquele que faz "...fazer infinitamente mais do que tudo quanto pedimos ou pensamos, conforme o seu poder que opera em nós..." (v.20).

Não reme! Receba e use o poder de Deus. 🌿

DCM

● *Você confia no poder de Deus em todas as circunstâncias?*

Dependa de Deus para fazer o que Ele lhe pede.

1.º DE OUTUBRO

A BÍBLIA em UM ANO:
Isaías 11–13, Efésios 4

Cante!

Nossa casa fica perto de um parque onde costumo caminhar todas as manhãs. Uma senhora de idade também passeia por ali, no mesmo horário. Ela caminha no sentido horário, e eu no sentido anti-horário, o que significa que nos encontramos duas vezes a cada volta. Seus olhos são amáveis e sua face já é cansada por causa da idade.

Quando nos encontramos pela primeira vez em cada manhã, ela, que tem o mal de Alzheimer, pergunta: "Eu já cantei a minha canção?" E eu digo: "Não, senhora". E então ela canta uma pequena canção sobre o sol: "Bom dia, senhor Sol...", depois sorri e segue adiante.

> LEITURA:
> **1 Crônicas 16:23-27**
>
> **Cantai-lhe, cantai-lhe salmos; narrai todas as suas maravilhas.** v.9

Assim cada qual segue o seu caminho — 180 graus em círculo — até que nos encontramos outra vez. Ela pergunta: "Eu já cantei a minha canção?" Eu lhe digo: "Cante-a de novo!" E ela o faz, e depois não consigo tirar a sua agradável canção da minha mente.

Ela se tornou uma parábola do tipo de pessoa que quero ser — seguir meu caminho pelo mundo, cantando e tendo sempre uma melodia em meu coração, cantando sobre o Sol da Justiça que se levantou "...trazendo salvação nas suas asas..." (MALAQUIAS 4:2), deixando atrás de si uma lembrança contínua de Seu amor.

Que a canção divina esteja em seu coração e em seus lábios, hoje. E que muitos venham a ouvi-la e confiar no Senhor. 🌿 *DHR*

● *Há uma linda canção de amor a Deus em seu coração?*

___

Uma canção em seu coração faz aparecer um sorriso em seu rosto.

2 DE OUTUBRO

A BÍBLIA em UM ANO:
Isaías 14–16, Efésios 5:1-16

Jesus é exclusivo?

Certa vez, vi a filha de Billy Graham — Anne Graham Lotz — num programa de entrevistas. O entrevistador perguntou: "Você crê que Jesus é o único caminho para o céu?" E acrescentou: "Você sabe como as pessoas ficam bravas com isso!" Sem sequer piscar os olhos, ela respondeu: "Jesus não é exclusivo. Ele morreu para que qualquer um possa vir a Ele e obter a salvação."

O cristianismo não é um clube exclusivo, limitado apenas a uma pequena elite, que tem o perfil perfeito. Todos são bem-vindos, independentemente de cor, classe social ou aparência.

> **LEITURA:**
> **João 14:1-12**
>
> **Respondeu-lhe Jesus: Eu sou o caminho, e a verdade, e a vida; ninguém vem ao Pai senão por mim.** v.6

Apesar dessa maravilhosa realidade, a reivindicação de Cristo feita no evangelho de João 14:6 — de ser o único caminho para Deus — continua a ofender as pessoas. Todavia, Jesus é a única e verdadeira opção que funciona. Todos nós somos culpados perante Deus. Somos pecadores e não podemos ajudar a nós mesmos. Alguém tinha que lidar com o nosso pecado. Jesus, o Deus encarnado, morreu para pagar o castigo pelos nossos pecados e então ressuscitou dos mortos. Nenhum outro líder religioso oferece o que Jesus nos ofereceu.

O evangelho de Cristo ofende alguns, mas é a maravilhosa verdade. Deus nos ama o suficiente para vir e cuidar do nosso maior problema — o pecado. E enquanto o pecado continuar sendo um problema, o mundo precisará de Jesus! JMS

● *As boas-novas de Jesus já transformaram a sua vida?* _____

___

Aceite as boas-novas: Jesus é o Salvador de todos os que o aceitam pessoalmente.

3 DE OUTUBRO

A BÍBLIA em UM ANO:
Isaías 17–19, Efésios 5:17-33

Lentes quebradas

Comecei a usar óculos aos dez anos. Eles ainda continuam a ser uma necessidade, porque meus olhos de 60 e poucos anos estão perdendo a batalha contra o tempo. Quando jovem, eu achava chato ter de usá-los — especialmente quando praticava esportes. Certa vez, as lentes de meus óculos quebraram enquanto eu jogava futebol. Demorou algumas semanas até eu receber outras. Durante aquele período, eu enxergava tudo de forma embaçada e distorcida.

Na vida, a dor muitas vezes funciona como lentes quebradas. Ela cria em nós um conflito entre o que vivenciamos e o que cremos. A dor pode nos dar uma perspectiva distorcida da vida — e de Deus. Nesses períodos, precisamos que o nosso Deus nos dê lentes novas para ajudar-nos a ver as coisas de forma clara novamente. Essa lucidez de visão geralmente começa quando nos voltamos ao Senhor. O salmista nos encorajou a fazer isso: "Pois em ti, Senhor Deus, estão fitos os meus olhos: em ti confio; não desampares a minha alma" (141:8). Ver Deus de forma clara pode nos ajudar a ver as experiências da vida de forma mais nítida.

Ao voltarmo-nos ao Senhor em tempos de dor e de lutas, experimentamos diariamente o Seu conforto e esperança. Ele nos ajuda novamente a enxergarmos tudo de forma clara. 🌍

WEC

> LEITURA:
> **Salmo 141**
>
> Pois em ti, Senhor Deus, estão fitos os meus olhos: em ti confio; não desampares a minha alma. v.8

- *Os seus olhos estão fitos no Senhor ou nas circunstâncias?*

Olhar constantemente para Cristo coloca tudo na perspectiva correta.

4 DE OUTUBRO

A BÍBLIA em UM ANO:
Isaías 20–22, Efésios 6

Mudando a história

Hoje podemos telefonar e enviar *emails* para qualquer lugar do mundo e baixar imagens através do espaço em nossos computadores. Por isso é difícil imaginar a importância de um pequeno satélite.

Com o lançamento do *Sputnik I* — o primeiro satélite artificial do mundo, pela União Soviética, em 1957, iniciou-se a Era Espacial Moderna e o curso da história mudou. Acelerou-se o desenvolvimento tecnológico, e o medo e a esperança se alternaram com relação ao significado daquilo.

> LEITURA:
> **Lucas 2:1-14**
>
> ...é que hoje vos nasceu, na cidade de Davi, o Salvador, que é Cristo, o Senhor. v.11

Mas há eventos que alteram o presente e o futuro e que ocorrem, às vezes, no anonimato. Foi isso o que aconteceu com o nascimento de Jesus — um bebê, nascido de um casal comum, numa pequena cidade. Esse nascimento, porém, mudou o curso da história. As palavras de um anjo ditas aos pastores começaram a se espalhar: "...é que hoje vos nasceu, na cidade de Davi, o Salvador, que é Cristo, o Senhor" (LUCAS 2:11). E dezenove séculos mais tarde, Phillips Brooks escreveu a respeito de Belém: "As esperanças e os temores de todos os anos [séculos] se encontram em ti [Belém], nesta noite."

Quando abrimos nossas vidas para Cristo, o Senhor, e o reconhecemos como nosso Salvador, o curso da história de nosso futuro muda para sempre. Essas "boas-novas de grande alegria" (v.10) são para todos, em qualquer lugar. *DCM*

● *A sua história já está comprometida com a presença de Cristo?* _____

Na porta do estábulo de Belém encontramos a dobradiça da história.

5 DE OUTUBRO

A BÍBLIA em UM ANO:
Isaías 23-25, Filipenses 1

Sem desculpas

As pessoas têm muitas razões para rejeitar o evangelho. Uma delas é o fato de os cristãos terem ou não feito algo. Esses críticos dizem: "Conheço um cristão que me tratou muito mal", ou "Quando fui à igreja, ninguém falou comigo."

De fato, os cristãos não são perfeitos e muitos até podem ser maus exemplos. Mas culpar os outros não isenta uma pessoa de sua responsabilidade com Deus.

> LEITURA:
> **Romanos 10:1-13**
>
> **Porque: Todo aquele que invocar o nome do Senhor será salvo.**
> v.13

A verdade contida nos evangelhos não depende da maneira como os outros vivem a sua fé. A salvação é obra exclusiva de Jesus. A carta aos Romanos 10:9 diz: "Se, com a tua boca, confessares Jesus como Senhor e, em teu coração, creres que Deus o ressuscitou dentre os mortos, serás salvo."

Algumas pessoas podem usar os cristãos como desculpa para rejeitar o evangelho. Mas certamente não poderão culpar Jesus, pois Ele não tem pecado e é perfeito em tudo. Pilatos disse sobre ele: "...nada verifiquei contra ele dos crimes de que o acusais" (LUCAS 23:14). E Jesus fez o que ninguém poderia ter feito — sofreu a morte na cruz para dar salvação a todos os que creem nele. Esse fato torna difícil que alguém diga: "Não vou me tornar cristão porque não gosto do que Jesus fez."

Não se desvie olhando para as falhas dos outros. Olhe para Jesus. Somente Ele é o caminho para o céu. JDB

● *Você já reconheceu o valor do sacrifício de Jesus por você?*

Não há desculpa para dizer "não" a Cristo.

6 DE OUTUBRO

A BÍBLIA em UM ANO:
Isaías 26–27, Filipenses 2

Responsabilidades esmagadoras

Quando o desfecho da Segunda Guerra Mundial ainda era incerto, Franklin Roosevelt morreu e Harry Truman teve de assumir a presidência dos EUA. No dia seguinte, o Presidente Truman disse aos repórteres: "Quando me disseram o que aconteceu ontem, pensei que a lua, as estrelas e todos os planetas tinham caído sobre mim." Certamente, Truman enfrentou responsabilidades esmagadoras.

> LEITURA:
> **Neemias 4:1-14**
>
> ...não os temais; lembrai-vos do Senhor, grande e temível... v.14

Neemias foi um grande líder que também enfrentou fardos devastadores. Acompanhado de judeus que haviam retornado do exílio da Babilônia, Neemias foi incumbido da tarefa de reconstruir os muros de Jerusalém. Em meio à terrível oposição, ele não se deixou intimidar pelas zombarias e ameaças do inimigo.

Pelo contrário, aquele homem de Deus organizou uma estratégia dupla de construção e defesa militar — fundamentando seus esforços na oração: "Porém nós oramos ao nosso Deus e, como proteção, pusemos guarda contra eles, de dia e de noite" (NEEMIAS 4:9). Neemias estava se referindo às contínuas ameaças que os trabalhadores enfrentavam, ajudando-os a concentrarem-se em Deus: "...não os temais; lembrai-vos do Senhor, grande e temível..." (v.14).

Você está enfrentando responsabilidades esmagadoras hoje? Se você orar pedindo a ajuda de Deus e um plano prático de ação, poderá receber forças para completar a tarefa. 🌱 HDF

● *Qual a sua estratégia para enfrentar os problemas que surgem em sua vida?*

Deus nos convida a lançar sobre Ele aquilo que está sendo lançado sobre nós.

7 DE OUTUBRO

A BÍBLIA em UM ANO:
Isaías 28–29, Filipenses 3

Horas do entardecer

Se você ainda é jovem e cheio de energia, talvez tenha dificuldades em sentir compaixão pelos sentimentos que afligem muitas pessoas de idade. Mas aqueles que já passaram da metade da jornada da vida e começaram a descer a ladeira do sol poente podem gostar do que Davi disse: "Fui moço e já, agora, sou velho..." (SALMO 37:25). E, como o processo de envelhecer muitas vezes traz consigo dor e perdas, certas pessoas poderiam desejar, em vão, que seus dias de primavera nunca tivessem acabado.

LEITURA:
Filipenses 3:20-4:1

Na velhice darão ainda frutos, serão cheios de seiva e de verdor. Salmo 92:14

No entanto, ouça o que o ensaísta e teólogo F. W. Boreham disse: "Um dia, meu pequeno dia de vida vai abrandar-se num entardecer. Minhas horas do pôr do sol virão [...]. E então, sei que do anoitecer surgirá um amanhecer mais bonito do que qualquer amanhecer que já experimentei. Dos últimos matizes do pôr do sol amanhecerá um dia que nunca conheci antes; o dia que vai restaurar para mim tudo o que os outros dias me tiraram, um dia que nunca se esvanecerá em um crepúsculo."

Por isso, não importa onde nos encontramos em nossa peregrinação em direção ao céu — se estamos caminhando com Jesus, podemos nos regozijar. E como sabemos que nosso Pai celestial permanecerá conosco até nossa jornada na terra terminar, podemos ser gratos pelas sombras prolongadas e pelo pôr do sol.

VCG

● *Você está caminhando com Jesus rumo ao lar eterno?*

Porque para mim o viver é Cristo e o morrer é lucro.
—APÓSTOLO PAULO

8 DE OUTUBRO

A BÍBLIA em UM ANO:
Isaías 30–31, Filipenses 4

Ser ensinável!

Casey Seymour foi um bem-sucedido jogador e técnico de futebol. Ele observa que todos em seu time odeiam correr a toda velocidade os 100 metros, dez vezes, e com o mínimo de descanso, antes de sair de campo. Se não conseguem fazer isso num tempo pré-determinado, devem correr novamente.

Os jogadores não gostam — até o dia do jogo, quando descobrem que podem jogar com plena capacidade, toda a partida. O esforço é recompensado com a vitória!

> **LEITURA:**
> **Filipenses 4:10-19**
>
> ...aprendi a viver contente em toda e qualquer situação. v.1

O apóstolo Paulo usou metáforas de treinamento e competição em suas cartas. Quando foi missionário dos gentios, submeteu-se às instruções e disciplina de Deus, em meio ao sofrimento e dificuldades. Na carta aos Filipenses 4, ele disse duas vezes: "aprendi" (v.11,12). Para Paulo e para nós, seguir a Jesus é um processo de aprendizado que dura por toda a vida.

No dia em que somos salvos ainda não estamos espiritualmente maduros, assim como o atleta juvenil ainda não está preparado para ser profissional. Crescemos na fé ao permitir que Deus nos conceda poder, por Sua Palavra e pelo Espírito Santo, para servi-lo.

As dificuldades ensinaram Paulo a servir bem a Deus — e também nos ensinam. É desagradável, mas gratificante! Quanto mais dispostos estivermos a aprender, mais amadurecidos nos tornaremos. Como membros do time de Cristo, sejamos ensináveis.

DCE

● *Deus é o Oleiro que molda a sua vida?*

A obra de Deus em nós não termina quando recebemos Cristo — apenas começa.

9 DE OUTUBRO — A BÍBLIA em UM ANO: Isaías 32–33, Colossenses 1

Histórias para contar

Você já se perguntou por que Raabe, a prostituta que vivia na cidade pagã de Jericó, abriu a sua casa para os espiões israelitas? E como ela teve a coragem de falar do Deus de Israel como se fosse o seu próprio Deus?

Essa conversão tão incomum foi suscitada pelas histórias que ela havia ouvido sobre a realidade e o poder do Senhor. Embora totalmente influenciada pelo paganismo e pela imoralidade, seu coração foi atraído para Deus. Como ela disse aos espiões: "Porque temos ouvido que o Senhor secou as águas do mar Vermelho diante de vós, quando saíeis do Egito; e também o que fizestes aos dois reis dos amorreus, Seom e Ogue..." (JOSUÉ 2:10).

> LEITURA:
> **Josué 2**
>
> ...o SENHOR, vosso Deus, é Deus em cima nos céus e embaixo na terra. v.11

Sob circunstâncias normais, a poderosa e fortificada Jericó era inconquistável. Porém, a cidade tornou-se vulnerável por causa das histórias convincentes do poder de Deus. Muito antes do povo de Deus chegar lá, o orgulho autossuficiente dessa cultura inimiga já havia se dissolvido em medo por causa daqueles que pertenciam ao Deus de quem tanto ouviram falar (v.11). E dentro dos muros, um coração pagão converteu-se a Deus e desempenhou um papel estratégico na impressionante vitória de Israel.

Vamos contar com coragem as histórias da grandeza de Deus. Você nunca sabe que coração pode estar pronto a ser transformado! 🌿

JMS

● *Há alguém em sua família que precisa ouvir sobre a grandeza do Senhor ainda hoje?* _____

Não seja tímido; conte as histórias da grandeza de Deus.

10 DE OUTUBRO

A BÍBLIA em UM ANO
Isaías 34–36, Colossenses 2

Do lado vencedor

Hoje são poucos os que creem na ideia pagã de que o mundo está sob o controle de deuses guerreiros como Artêmis, Pan e Apolo. Mas mesmo os mais céticos reconhecem prontamente a realidade de "forças" sobre as quais não temos controle. Por exemplo: eles atribuem a nossa incapacidade de evitar a violência, em vários lugares ao redor do mundo, ao que chamam vagamente de "forças internacionais". E falam de "forças econômicas" além do nosso controle. Por exemplo, milhões de pessoas passam fome, apesar de haver comida mais do que suficiente no mundo para suprir cada pessoa na Terra.

> LEITURA:
> **Colossenses 2:6-15**
> **...publicamente os expôs ao desprezo, triunfando deles na cruz.** v.15

A Bíblia reconhece claramente a presença de espíritos ou poderes invisíveis — mas muito reais. Na carta aos Efésios 6:11,12, Paulo declarou que nossa principal luta é contra um exército de anjos rebeldes, encabeçados por Satanás. A má notícia é que eles são mais inteligentes e poderosos do que nós. A boa notícia é que Jesus os derrotou em Sua morte na cruz: "...e, despojando os principados e as potestades, publicamente os expôs ao desprezo, triunfando deles na cruz" (COLOSSENSES 2:15).

Há muitas coisas que estão além do nosso controle, mas não precisamos temê-las. Nós, os que depositamos nossa confiança em Jesus, estamos do lado vencedor.

HVL

● *Por que você é mais do que vencedor quando está em Cristo?*

Satanás pode vencer algumas batalhas, mas não pode vencer a guerra.

11 DE OUTUBRO

A BÍBLIA em UM ANO:
Isaías 37–38, Colossenses 3

Os cristãos e a perseguição

A **cidade de Esmirna** era considerada a mais bonita da Ásia Menor. Nela encontra-se o templo ao imperador Tibério. Muitos judeus que habitavam lá praticavam a adoração ao imperador para receber vantagens e perseguiam os cristãos porque estes adoravam exclusivamente a Deus.

Na carta à igreja em Esmirna Jesus se apresenta como Aquele que venceu a morte. E diz-lhes: "Conheço a tua tribulação, a tua pobreza...", deixando claro que nenhum aspecto de sua vida lhe é oculto. A palavra escolhida pelo apóstolo João para "pobreza" é o mesmo que "miséria". Os bens daqueles cristãos foram confiscados pelo Império Romano, pelo simples fato de servirem a Deus. No entanto, se são pobres materialmente, Jesus destaca sua riqueza de caráter.

> LEITURA:
> **Apocalipse 2:8-11**
> ...**Sê fiel até a morte, e dar-te-ei a coroa da vida.** v.10

Cristo também os avisa de uma perseguição que lhes sobreviria e duraria 10 dias. Ou seja, afirma que o sofrimento tem começo e fim porque o Senhor está no controle.

Encerrando essa carta há duas promessas: uma coroa da vida e a vida eterna. Da mesma forma, quando somos difamados ou perseguidos por amor a Cristo, podemos ter certeza de que o Senhor está no controle, e se perseverarmos herdaremos a vida eterna. Quem persevera demonstra que, de fato, nasceu de novo. Quando o sofrimento surge há apenas duas opções: ou você melhora ou amarga. Qual a sua escolha? 🌿 *LRS*

● *Pai, ajuda-me a perseverar em todas as circunstâncias.*

As provações são oportunidades de consolidar o nosso caráter.

12 DE OUTUBRO

A BÍBLIA em UM ANO:
Isaías 39–40, Colossenses 4

Órfãos e viúvas

Meu caminho para o trabalho dura cerca de 25 minutos e, assim, para passar o tempo, tornei-me um ouvinte ávido de livros falados. Recentemente, eu estava ouvindo o clássico de Charles Dickens, *Oliver Twist*. Em determinado ponto da história, tive de parar a gravação porque era demasiadamente perturbadora. Embora já soubesse que o livro teria um final feliz, havia algo inquietante sobre o tratamento brutal àquele pobre órfão.

> LEITURA:
> **Malaquias 3:1-6**
>
> A religião [...] é esta: visitar os órfãos e as viúvas nas suas tribulações... Tiago 1:27

Deus cuida das condições difíceis dos pobres e tem um lugar especial em Seu coração para os órfãos e as viúvas. O profeta Malaquias escreveu que Deus irá julgar aqueles que, não tendo temor a Deus, exploram viúvas e órfãos (3:5).

Em vez de tirar vantagem dos fracos, nós, cristãos, somos admoestados a ajudar os que estão em necessidades. Devemos cuidar daqueles com os quais Deus se preocupa, e buscar oportunidades para prover apoio financeiro e emocional aos que perderam um cônjuge ou que ficaram desprovidos do cuidado dos pais.

Você conhece uma viúva que precisa de sua ajuda? Conhece um órfão ou uma criança que perdeu o suporte de um dos pais por causa de morte, divórcio, serviço militar, abandono, ou outro motivo?

Como Tiago nos diz, uma característica da verdadeira espiritualidade é "... visitar os órfãos e as viúvas nas suas tribulações..." (1:27).

HDF

● *De que maneira você reage em relação ao sofrimento de órfãos e viúvas em seu contexto diário?*

Quanto mais o amor de Cristo cresce em nós, mais conseguimos transmiti-lo.

13 DE OUTUBRO

A BÍBLIA em UM ANO:
Isaías 41–42, 1 Tessalonicenses 1

Luta contra o medo

Em seu livro *A Negação da morte*, o antropólogo Ernest Becker argumenta que todas as nossas ansiedades e temores estão enraizados em nosso medo da morte. Embora Becker não fosse cristão, seu estudo pode servir como comentário da carta aos Hebreus, que nos diz que em nosso estado natural estamos sujeitos ao medo da morte por toda a vida (2:15).

> **LEITURA:**
> **Hebreus 2:9-18**
>
> Ainda que eu ande pelo vale da sombra da morte, não temerei mal nenhum... Salmo 23:4

Todos nós sabemos algo a respeito do medo. E certamente os homens e mulheres que conhecemos da Bíblia estavam sujeitos ao temor, oscilando entre um simples tremor de ansiedade a um pânico aterrorizador. Mas nunca há a necessidade de entrarmos em pânico, mesmo ao enfrentar a morte. Nosso Senhor experimentou a morte e a venceu!

O autor da carta aos Hebreus nos diz que Jesus "...por um pouco, tendo sido feito menor que os anjos, [...] para que, pela graça de Deus, provasse a morte por todo homem" (2:9). Por meio da Sua morte, Cristo derrotou "aquele que tem o poder da morte, a saber, o diabo..." para que "livrasse todos que, pelo pavor da morte, estavam sujeitos à escravidão por toda a vida" (vv.14,15).

Você é perseguido por seus temores? Lembre-se da maravilhosa promessa das Escrituras, que dissipa todos os temores: "...não temas, porque eu sou contigo [...] eu te fortaleço, e te ajudo, e te sustento com a minha destra fiel" (ISAÍAS 41:10). *VCG*

- *A esperança da vida eterna afasta os seus temores?*

Se você crê que Jesus vive, não precisa temer a morte.

14 DE OUTUBRO

A BÍBLIA em UM ANO:
Isaías 43–44, 1 Tessalonicenses 2

Face a face

Estar face a face com pessoas famosas pode fazer você perder o fôlego. Como redator de esportes, tenho entrevistado muitas estrelas do mundo esportivo. E também estive com pilotos de corridas e técnicos de futebol.

Uma pessoa pode, facilmente, sentir-se inferior quando fala com pessoas famosas. Podemos inclusive nos sentir intimidados por atletas e outras estrelas, que nos fazem sentir pequenos e insignificantes.

No entanto, isso não é nada se for comparado ao que Isaías viu no ano em que o rei Uzias morreu (6:1). O profeta experimentou algo tão magnífico e aterrorizador que nada poderia comparar-se a isso — ele esteve face a face com Deus!

> LEITURA:
> **Isaías 6:1-10**
>
> ...vi o Senhor assentado sobre um alto e sublime trono... v.1

Numa visão, Deus mostrou-lhe quem Ele realmente era. O profeta foi tremendamente influenciado pelo que viu: a majestade de Deus, e assim recebeu uma nova compreensão da santidade divina. Viu o contraste entre a sua natureza pecaminosa e a perfeição do Senhor. Ouviu o chamado de Deus para servi-lo e correspondeu.

Hoje, podemos ver Deus em Sua Palavra e na obra do Espírito Santo em nós e por meio de nós. Podemos ter comunhão com Ele por meio da oração. Mas um dia, no céu, veremos o nosso Senhor face a face (1 JOÃO 3:2). Isso sim nos deixará sem fôlego! JDB

● *Você reserva um tempo diário para encontrar-se face a face com Deus?*

A presença de Deus traz conforto.

15 DE OUTUBRO

A BÍBLIA em UM ANO:
Isaías 45–46, 1 Tessalonicenses 3

Presente caro

A marca de relógios *Rolex* é uma das melhores do mundo. Muitas pessoas gostariam de tê-lo. É por isso que meus amigos que viajaram recentemente para o exterior pensaram que seria divertido comprá-los como lembranças para os seus filhos.

Lembranças? Sim. Porque eram falsos, simples imitações do relógio verdadeiro, vendidos facilmente para turistas a preços baratos e ridículos. Os relógios que os meus amigos escolheram para os membros da sua família tinham uma pequena diferença daqueles que você compraria numa joalheria fina — o nome do relógio era soletrado: R-o-l-e-x.

> LEITURA:
> **Romanos 3:21-26**
>
> ...o salário do pecado é a morte, mas o dom gratuito de Deus é a vida eterna em Cristo Jesus, nosso Senhor.
> Romanos 6:23

Poucas coisas de valor são baratas. E outras pouquíssimas são gratuitas. Todavia, a salvação — o presente mais importante de todos — é de graça. Ao contrário do relógio de imitação, a salvação tem valor infinito. Mas é gratuita porque, como nos lembra o hino: "Nada Falta" (HCC 390), ninguém pode adquirir a salvação (EFÉSIOS 2:8,9). Precisamos somente crer e receber o presente da vida eterna que Deus oferece (ROMANOS 6:23).

Esta é uma verdade paradoxal. Embora a salvação seja gratuita, o seu custo foi muito alto. Oswald Chambers escreveu: "O perdão, que para nós é tão fácil aceitar, custou a agonia do Calvário." Qualquer um que ensina algo diferente disso está simplesmente nos empurrando uma "imitação". CHK

● *Você valoriza o perdão de Deus?* _____

Nossa salvação foi cara para Deus, mas é gratuita para nós.

16 DE OUTUBRO

A BÍBLIA em UM ANO:
Isaías 47–49, 1 Tessalonicenses 4

Palavra oportuna

Em **Liverpool,** Inglaterra, na véspera do Torneio Aberto da Grã-Bretanha de 2006, um jogador de golfe estava encrencado. No dia seguinte, ele começaria o torneio, sem saber exatamente o que estava lhe causando os problemas em campo.

Ao sair, naquela noite, teve uma surpresa. Um estranho, que era um ávido torcedor de golfe, reconheceu-o e comentou sobre uma falha que havia percebido em suas jogadas. No dia seguinte, o jogador levou em consideração aquele comentário enquanto jogava, e para sua surpresa, descobriu que o torcedor estava certo. Satisfeito com aquela valiosa contribuição, ele pôs em prática a sugestão que lhe fora dada e terminou o primeiro dia do torneio em primeiro lugar! E tudo porque um estranho investiu o seu tempo para dar-lhe uma palavra de ajuda.

> **LEITURA:**
> **Efésios 4:17-32**
>
> **O homem se alegra em dar resposta adequada, e a palavra, a seu tempo, quão boa é!**
> Provérbios 15:23

As palavras são assim: instrumentos poderosos para o bem ou para o mal. Podemos usá-las de forma destrutiva para edificar e encorajar. Provavelmente foi isso que Salomão tinha em mente quando disse: "O homem se alegra em dar resposta adequada, e a palavra, a seu tempo, quão boa é" (PROVÉRBIOS 15:23).

Neste mundo em que as palavras muitas vezes são utilizadas como armas, que possamos usá-las como instrumentos para edificar o coração dos outros. ✽

WEC

● *As palavras que você profere são agradáveis também para Deus?*

Palavras gentis são mais poderosas do que palavras de ira.

17 DE OUTUBRO

A BÍBLIA em UM ANO:
Isaías 50–52, 1 Tessalonicenses 5

Aviso e reação

Quando uma nevasca atingiu o Colorado, EUA, em 2006, a meteorologia já a previra com 36 h de antecedência e tinha emitido vários alertas. As pessoas correram aos supermercados para comprar suprimentos, e as lojas de autopeças fizeram horas extras para atender a demanda por pneus extras. Todos falavam da tempestade que estava para chegar. Mesmo antes de a neve começar a cair, as escolas e empresas anunciaram que fechariam naquele dia. Quando a tempestade se abateu, a maioria das pessoas estava a salvo em suas casas, sem precisar ir para a escola ou trabalho.

> **LEITURA:**
> **1 Ts 5:1-11**
>
> Assim, pois, não durmamos como os demais; pelo contrário, vigiemos e sejamos sóbrios. v.6

Quando cremos num aviso, isso influencia o nosso comportamento. Isso se aplica a cada área da vida, inclusive em nossa caminhada de fé. Paulo escreveu aos cristãos em Tessalônica, lembrando-os de que o dia do Senhor viria de forma inesperada, como o ladrão da noite (1 TESSALONICENSES 5:2). Esse chamado à ação conclamava-os a evitar a indiferença e a letargia espiritual, para que permanecessem alertas e sóbrios (v.6).

O desafio de Paulo ecoou as palavras de Jesus, que advertiu os Seus seguidores para que permanecessem alertas e prontos "...à hora em que não cuidais, o Filho do Homem virá" (MATEUS 24:44).

Se cremos nas palavras de nosso Senhor com relação à Sua volta, de que maneira isso influencia os nossos pensamentos e atitudes hoje?

DCM

● *Qual a sua atitude diante dos alertas da Palavra de Deus?*

Todo cristão deve buscar viver como Cristo viveu.

18 DE OUTUBRO

A BÍBLIA em UM ANO:
Isaías 53–55, 2 Tessalonicenses 1

Quando não sabemos o que dizer

O pai e o filho ficaram sentados no carro da família, no estacionamento onde se realizava o funeral, por diversos minutos. Como adolescente, ele não sabia de que maneira deveria reagir quando o seu pai colocou a cabeça entre as mãos e lamentou: "Não sei o que dizer!"

Uma amiga de sua igreja tinha se envolvido num acidente de automóvel. Ela sobrevivera, mas suas três filhas morreram quando um caminhão bateu no carro delas. O que poderiam dizer a essa amiga num momento como aquele?

> LEITURA:
> **Jó 6:1-14**
>
> **Ao aflito deve o amigo mostrar compaixão...** v.14

A Bíblia relata que, durante o tempo de sofrimento de Jó, os seus três amigos vieram ter com ele para lamentar as suas perdas e confortá-lo. Nos primeiros sete dias, sentaram-se e choraram com ele, porque Jó estava em tristeza profunda (JÓ 2:11-13). "...nenhum lhe dizia palavra alguma, pois viam que a dor era muito grande" (v.13). A presença deles já era um conforto.

Mas em seguida disseram a Jó que, com certeza, ele havia pecado, e que Deus o estava castigando (4:7-9).

Quando finalmente Jó foi capaz de reagir, disse aos seus amigos o que precisava deles. Ele pediu razões para continuar a ter esperança (6:11), pediu compaixão (v.14) e palavras que não presumissem qualquer culpa (v.29,30).

Lembrar a história de Jó e de seus amigos pode nos ajudar quando não sabemos o que dizer. AMC

● *Há alguém que precisa de sua presença para sentir o consolo de Deus?*

Quando alguém estiver sofrendo, ouça-o. Não faça sermões.

19 DE OUTUBRO

A BÍBLIA em UM ANO:
Isaías 56–58, 2 Tessalonicenses 2

O grande médico

Ao refletir sobre sua saúde, que estava se deteriorando, John Donne (1572–1631) descreveu o que sentira quando os médicos o examinaram para achar a "raiz" da sua doença. Serenamente, eles discutiram suas conclusões, do lado de fora do quarto.

Em princípio, Donne sentiu medo, mas com o tempo viu a compaixão neles e começou a confiar. A preocupação deles lembrou-lhe de que ele podia confiar no Grande Médico. Ao ler os evangelhos, viu o rosto de Deus o Pai no rosto terno e cheio de compaixão de Jesus.

> LEITURA:
> **João 9:1-7**
>
> **Ele mesmo tomou as nossas enfermidades e carregou com as nossas doenças.**
> Mateus 8:17

Muitos de nós lutamos com os nossos pensamentos a respeito de Deus, especialmente durante uma enfermidade. Talvez ao crescermos tenhamos participado de uma igreja que retratava um Deus irado, que nos enviou a doença. Será que podemos confiar nele? Como Donne, voltamo-nos para os evangelhos em busca da razão para confiar em Deus. E a encontramos em Seu Filho Jesus, que foi infalível em compaixão pelos aflitos.

E assim, oramos como fez Donne: "Livra-me, portanto, ó meu Deus, dessas imaginações vãs" — a crença de que por causa do nosso pecado perdemos a bondade e a misericórdia de Deus". Como Donne disse sabiamente, o grande médico "conhece as nossas enfermidades naturais, pois Ele as teve e conhece o peso dos nossos pecados, e pagou um preço alto por eles". DHR

- *A compaixão de Jesus pelos aflitos é um modelo de conduta para você?*

A cruz de Jesus é a evidência suprema do amor de Deus.
—OSWALD CHAMBERS

20 DE OUTUBRO

A BÍBLIA em UM ANO:
Isaías 59–61, 2 Tessalonicenses 3

Correndo em vão

Quando meu amigo **Roger Weber** iniciou a maratona de Chicago, em 2006, ele percebeu que havia algo no chão. Era o *chip* de um corredor — o dispositivo que cada atleta coloca em seu tênis para registrar a passagem por diversas estações de marcação de tempo, durante a corrida. Aparentemente, um pobre corredor seguiria pelos próximos 42 quilômetros, sem poder provar a sua participação.

> LEITURA:
> **Romanos 4:1-17**
>
> **E não há salvação em nenhum outro; porque abaixo do céu não existe nenhum outro nome...** Atos 4:12

Oficialmente, aquele corredor não estava participando da corrida. Não haveria o registro disso. Mesmo que ele terminasse a maratona em tempo recorde, isso não lhe valeria. As pessoas que organizam a corrida determinam as normas e, independentemente de quão bem alguém corra, se os fiscais disserem que esse corredor não se qualifica, é isso o que vale.

De certo modo, o mesmo acontece com todos nós. Podemos correr o que parece ser uma boa corrida, fazendo coisas boas para os outros e obedecendo a muitas normas. Mas quando chegarmos ao ponto final — o céu — se já não nos asseguramos de que o nosso nome esteja registrado no Livro da Vida do Cordeiro, crendo em Jesus como nosso Salvador, não estaremos qualificados para entrar.

Jesus disse: "...Eu sou o caminho, e a verdade, e a vida; ninguém vem ao Pai senão por mim" (JOÃO 14:6). Você está confiando em Jesus? Do contrário, você está correndo em vão. 🌿 *JDB*

- Você tem certeza de que seu nome está no Livro da Vida?

Se pudéssemos adquirir a salvação por nós mesmos, Cristo não teria morrido.

21 DE OUTUBRO

A BÍBLIA em UM ANO:
Isaías 62–64, 1 Timóteo 1

O que é o certo?

Quando meu computador saudou-me, certa manhã, com a assim chamada "tela azul da morte", eu sabia que algo estava estragado, mas não sabia como consertar. Li um pouco, tentei algumas coisas mas, por fim, tive que chamar um técnico. Saber que algo estava errado era só uma pequena parte do problema; eu não consegui consertá-lo porque não sabia lidar com aquilo e fazer a coisa certa.

> **LEITURA:**
> **Isaías 1:11-18**
>
> ...cessai de fazer o mal. Aprendei a fazer o bem; atendei à justiça, repreendei ao opressor... vv.16,17

Essa experiência difícil lembrou-me dos muitos peritos que aparecem nos noticiários de televisão. Todos eles são "especialistas" para proclamar o que é errado, mas a maioria deles não têm a mínima ideia do que é certo.

Isso também acontece nos relacionamentos. Nas famílias, igrejas e lugares de trabalho, nada é consertado, porque nos fixamos no que está errado. Não é necessário um perito para saber que algo está errado quando as pessoas fofocam e ferem umas as outras com palavras e maus comportamentos. Contudo, é necessário um perito para saber como resolver o problema.

Deus revelou aos profetas de Israel não somente o que estava errado, mas também o que estava certo: "...cessai de fazer o mal. Aprendei a fazer o bem; atendei à justiça, repreendei ao opressor; defendei o direito do órfão, pleiteai a causa das viúvas" (ISAÍAS 1:16,17).

Em vez de nos concentrarmos no que está errado, vamos obedecer Àquele que sabe o que é certo. 🌱

JAL

● *As suas decisões são tomadas à luz da Palavra de Deus?* _____

Como uma bússola, a Bíblia sempre aponta para a direção certa.

22 DE OUTUBRO

A BÍBLIA em UM ANO:
Isaías 65–66, 1 Timóteo 2

A caixinha e as joias

Certo pastor usou um episódio triste da vida do escritor britânico, Isaac Watts para fazer uma comparação persuasiva. O reconhecido autor de tantos hinos apaixonou-se por uma jovem muito bonita, Elizabeth Singer. Ela admirava as poesias dele, sua capacidade intelectual e seu espírito — mas, apesar disso, ela não conseguiu superar a aversão pela aparência de Watts.

Isaac era baixo e frágil, tinha olhos pequenos e cinzentos, um nariz encurvado e bochechas enormes. Quando ele a pediu em casamento, ela respondeu-lhe de forma grosseira: "Sr. Watts, se pelo menos eu pudesse dizer que admiro a caixinha tanto quanto admiro as joias que ela contém...".

> **LEITURA:**
> **Romanos 2:17-24**
>
> **Temos, porém, este tesouro em vasos de barro, para que a excelência do poder seja de Deus e não de nós.** 2 Coríntios 4:7

Temos aqui uma analogia perturbadora considerando as "joias" como sendo o evangelho e a "caixa" a igreja. Quantas pessoas rejeitam as boas-novas por causa dos testemunhos muitas vezes sinceros, porém demasiadamente zelosos, dos cristãos! Como podemos ser "... guia dos cegos, luz dos que se encontram em trevas" (ROMANOS 2:19), se a beleza de Cristo não pode ser vista em nós?

Proclamemos o evangelho de todas as formas possíveis, mas vamos orar para que o Espírito Santo nos torne pessoas cativantes, amorosas e livres do pecado, para que possamos atrair outros para conhecer Jesus. *VCG*

● De que maneira você é 'luz para os que se encontram em trevas'?

A justiça no coração produz a beleza no caráter.

23 DE OUTUBRO

A BÍBLIA em UM ANO:
Jeremias 1–2, 1 Timóteo 3

Continue rindo

Na **Alemanha,** um juiz ordenou que um homem parasse de dar gargalhadas num parque. Joachim Bahrenfeld, um contador, foi levado à corte por um dos muitos corredores do local, que afirmava que os brados ensurdecedores de alegria de Bahrenfeld atrapalhavam as corridas. Se fosse reincidente, ele poderia pegar até seis meses de prisão. Bahrenfeld, de 54 anos, diz que vai rir no bosque quase todos os dias para aliviar-se do estresse. Ele diz: "Isso faz parte da minha vida, como comer, beber e respirar." Para ele, um coração alegre que se expressa por meio de um riso sincero é importante para a saúde e a sobrevivência.

> LEITURA:
> **Salmo 126**
>
> O coração alegre é bom remédio, mas o espírito abatido faz secar os ossos.
> Provérbios 17:22

Um coração alegre é vital, e a Bíblia diz que: "O coração alegre é bom remédio…" (PROVÉRBIOS 17:28). Um coração alegre afeta o nosso espírito e a nossa saúde física.

Porém, há uma alegria mais profunda e permanente para aqueles que confiam no Senhor, baseada em muito mais do que frivolidades e circunstâncias. Trata-se da alegria alicerçada na salvação de Deus. Ele providenciou o perdão dos pecados e um relacionamento restaurado com Ele, por meio de Seu Filho Jesus. Isso nos dá uma profunda alegria, que as circunstâncias não podem abalar (SALMO 126:2,3; HABACUQUE 3:17,18; FILIPENSES 4:7).

Que você possa experimentar a alegria de conhecer a Jesus Cristo hoje!

MLW

● *A alegria do Senhor é a sua força?* _____

A alegria vem do Senhor que vive em nós, e não do que acontece ao nosso redor.

24 DE OUTUBRO

A BÍBLIA em UM ANO:
Jeremias 3–5, 1 Timóteo 4

Acendam as luzes

Aprecio o amor que os estudantes do instituto bíblico onde eu lecionava têm por Jesus e a maneira como o demonstram. Os seus empregadores, mesmo os não cristãos, muitas vezes me falaram da ética exemplar do trabalho deles. O superintendente da polícia local disse certa vez: "Quando os alunos do Instituto Moody voltam para o campus, é como se alguém "acendesse as luzes" naquela parte da cidade.

LEITURA:
Mateus 5:13-20

Vós sois a luz do mundo... v.14

Foi exatamente isso que Jesus tinha em mente quando disse: "Vós sois a luz do mundo..." (MATEUS 5:14). Essa é uma descrição poderosa sobre o impacto causado pelo contraste. Deveria haver uma diferença visível entre a integridade dos cristãos e a escuridão que prevalece sobre o nosso mundo.

Não se trata de fazer discursos a favor de Jesus; o fato é que as pessoas estão nos observando. Mesmo que não queiram ouvir a respeito de Jesus, você pode ter certeza que eles estão nos observando para ver se Cristo faz diferença em nossa vida. Quando Jesus disse: "Assim brilhe também a vossa luz diante dos homens, para que vejam as vossas boas obras e glorifiquem a vosso Pai que está nos céus" (v.16), Ele estava dizendo que, antes de falar, precisamos mostrar quem somos. Nossa capacidade de brilhar para Jesus é medida por nossas boas obras, as quais revelam a presença de Jesus em nós.

Vamos acender as luzes. 🌿

JMS

● *A presença de Cristo em sua vida influencia os ambientes em que você vive?*

Deixe que as pessoas vejam a luz de Cristo em seu cotidiano.

25 DE OUTUBRO

A BÍBLIA em UM ANO:
Jeremias 6–8, 1 Timóteo 5

Crescimento estimulado

Meu tio estava desanimado pela falta de frutos na laranjeira de seu pomar. Alguém lhe dissera para golpear o tronco da árvore diversas vezes com uma madeira, para fazê-la frutificar novamente.

Aparentemente, há fundamento científico nesse método incomum de motivar o crescimento de uma árvore. Um entendido em jardinagem afirmou: "Às vezes, o hormônio do florescimento parece estar travado na árvore, e por isso as flores não aparecem. Com cuidado, incentive a árvore a florescer por meio do choque em seu tronco. Golpeie o tronco muitas vezes causando pequenas escoriações na casca."

> **LEITURA:**
> **Hebreus 12:7-11**
>
> [a disciplina] produz fruto pacífico aos que têm sido por ela exercitados, fruto de justiça. v.11

Quando surgem os problemas em nossa vida, sentimos o golpe, sentimos desespero e então nos perguntamos: *Por que isto está acontecendo justamente comigo?*

Talvez Deus esteja utilizando uma experiência dolorosa para chamar a nossa atenção. No Salmo 119:71, Davi escreveu: "Foi-me bom ter eu passado pela aflição, para que aprendesse os teus decretos." E na carta aos Hebreus lemos que a disciplina "... produz fruto pacífico aos que têm sido por ela exercitados, fruto de justiça" (12:11).

Deus está usando a dor para convencê-lo amorosamente a mudar? Enfrentar os problemas pode não ser fácil, mas se lhe permitirmos que nos treine, haverá crescimento e seremos mais semelhantes ao Filho de Deus (FILIPENSES 3:10). CHK

● *Você aceita a correção divina em seu modo de viver?*

Para os filhos de Deus, as aflições podem ser o instrumento de crescimento espiritual.

26 DE OUTUBRO

A BÍBLIA em UM ANO:
Jeremias 9–11, 1 Timóteo 6

Esperança em Deus

Olhando as praias ocidentais do Sri Lanka, tive dificuldades em imaginar que um havia acontecido ali alguns meses antes. O mar estava calmo e bonito, os casais caminhavam sob o sol e as pessoas estavam ocupadas com seus afazeres — tudo aparentava normalidade, para a qual eu não estava preparado. O impacto do desastre ainda estava lá, mas no fundo dos corações e mentes dos que sobreviveram. O trauma não seria esquecido tão facilmente.

LEITURA:
Salmo 42

Por que estás abatida, ó minha alma? [...] Espera em Deus, pois ainda o louvarei... v.5

Foi um sofrimento catastrófico que levou o salmista a clamar angustiado: "As minhas lágrimas têm sido o meu alimento dia e noite, enquanto me dizem continuamente: O teu Deus, onde está?" (SALMO 42:3). Por dentro, o coração dele também estava transtornado. Enquanto o restante do mundo seguia com seus afazeres costumeiros, o salmista tinha em seu coração a necessidade de cura profunda e completa.

Somente quando submetemos o nosso quebrantamento diante do bom e grande Pastor do nosso coração, encontramos a paz que nos permite dizer: "Por que estás abatida, ó minha alma? Por que te perturbas dentro de mim? Espera em Deus, pois ainda o louvarei..." (v.5).

A esperança em Deus é a única solução para os traumas profundos do coração.

WEC

● *Você crê que a sua cura profunda e completa está ao seu alcance por meio de Cristo?*

Ninguém que espera em Deus fica sem esperança.

27 DE OUTUBRO

A BÍBLIA em UM ANO:
Jeremias 12–14, 2 Timóteo 1

Um empurrão nos outros

Quando era adolescente, Mariana caminhava muitas vezes por um parque onde via as mães sentadas nos bancos, conversando. As crianças brincavam nas balanças, esperando que alguém as empurrasse. "Eu dava um empurrãozinho nelas", disse Mariana. "E sabe o que acontece quando se empurra uma criança numa balança? Em breve ela está se movimentando sozinha. Este é o meu papel na vida — estou aqui para dar um empurrãozinho nos outros."

> **LEITURA:**
> **Atos 11:19-26**
>
> ...exortava a todos a que, com firmeza de coração, permanecessem no Senhor. v.23

Encorajar outros na vida: esse é um propósito digno de ser seguido. José, um homem piedoso mencionado no livro de Atos, também tinha esse dom. Nos dias da igreja primitiva, ele vendeu um campo que possuía e deu o dinheiro para que a igreja o usasse com os menos afortunados (4:36,37). Ele também viajou com Paulo em jornadas missionárias e pregou o evangelho (11:22-26; 13:1-4).

Talvez você conheça José como "Barnabé", pois foi o nome que os apóstolos deram a este homem "encorajador" (4:36). Quando a igreja em Jerusalém ouviu que as pessoas na Antioquia tinham conhecido Jesus como Salvador, enviaram Barnabé "[porque] era homem bom, cheio do Espírito Santo e de fé..." (11:24). Ele "...exortava a todos a que, com firmeza de coração, permanecessem no Senhor" (v.23).

Nós também podemos dar um "empurrãozinho" de encorajamento nos outros, em sua caminhada com o Senhor. AMC

● *Você está disposto a ser este encorajador aos que o cercam?*

Uma faísca de encorajamento pode resultar em grandes realizações.

28 DE OUTUBRO

A BÍBLIA em UM ANO:
Jeremias 15-17, 2 Timóteo 2

Não tenho vontade!

Você já teve que fazer uma tarefa que não gostava e sentiu como se fosse a última coisa na terra que gostaria de fazer? Pode ter sido cortar a grama, lavar a louça, limpar a casa ou mesmo preparar uma lição para a Escola Dominical depois de uma semana exaustiva. A vontade é de deixar tudo para depois.

> **LEITURA:**
> **Mateus 21:28-32**
>
> **Mas este respondeu: Não quero; depois, arrependido, foi.** v.29

Quando isso acontece, minha esposa e eu temos um lema que repetimos um para o outro: "Não tenho vontade — mas farei mesmo assim." É importante reconhecer a nossa falta de motivação e mesmo assim decidir ser responsável. Isso nos ajuda a realizar a tarefa.

Nas parábolas de Jesus, vemos o valor que Deus dá para a fé e a obediência. Cristo falou de dois filhos que deveriam trabalhar na vinha. Um disse: "...Sim, senhor; porém não foi" (MATEUS 21:29). O segundo disse não, mas foi. E o Senhor perguntou aos seus ouvintes: "Qual dos dois fez a vontade do pai?..." (v.31). A resposta é óbvia: aquele que terminou a tarefa.

A ilustração de nosso Senhor sublinha um princípio espiritual importante. Deus está interessado em nossa fé e obediência — e não apenas em nossas boas intenções. Da próxima vez que você se sentir tentado a fugir das suas obrigações, peça a Deus a graça para realizar a tarefa mesmo assim.

HDF

● *Você está pronto a obedecer a voz do Senhor?*

Obediência é fé em ação.

29 DE OUTUBRO

A BÍBLIA em UM ANO:
Jeremias 18–19, 2 Timóteo 3

Um simples rebite

Os cientistas concluíram que rebites defeituosos podem ter causado o naufrágio rápido do "inafundável" *Titanic*. Segundo os pesquisadores que examinaram recentemente as partes recuperadas da embarcação, os rebites impuros feitos de ferro fundido em vez de aço fizeram o corpo do navio se abrir como um zíper. A tragédia do *Titanic* prova a insensatez de se gastar recursos em equipamentos luxuosos e em publicidade e negligenciar as peças "simples".

> LEITURA:
> **Tiago 3:13-18**
>
> A sabedoria, porém, lá do alto é, primeiramente, pura; depois, pacífica, indulgente [...] sem fingimento. v.17

De certa forma, as igrejas são como navios, e muitos de seus frequentadores são como os rebites. Embora os rebites pareçam insignificantes, eles são essenciais para segurar o navio e mantê-lo flutuando.

Os sentimentos de insignificância são bastante comuns em nossos dias, mesmo entre os cristãos, e alguns fazem coisas prejudiciais para sentirem-se importantes. Tiago disse: "Pois, onde há inveja e sentimento faccioso, aí há confusão e toda espécie de coisas ruins" (3:16). Os corrompidos por desejos mundanos de beleza, riqueza e poder podem acabar com grandes igrejas, mas "a religião pura e sem mácula" é "guardar-se incontaminado do mundo" (1:27).

Como membros da igreja de Deus, precisamos ser como os rebites sem defeitos. Quando somos puros (TIAGO 3:17), fortes (EFÉSIOS 6:10) e firmes (1 CORÍNTIOS 15:58), somos usados pelo Senhor para manter o Seu navio flutuando nos tempos de crise. 🍂 *JAL*

● *Somos puros, fortes e firmes quando servimos a igreja do Senhor?*

Ser fiel nas pequenas coisas agrada ao Senhor.

30 DE OUTUBRO

A BÍBLIA em UM ANO:
Jeremias 20–21, 2 Timóteo 4

Bon Voyage

A palavra "**partida**" usada por Paulo na carta de 2 Timóteo 4:6, tem um grande significado. Ela significa sair ou "desprender". Ele a usa quando suspira: "Ora, de um e outro lado, estou constrangido, tendo o desejo de partir e estar com Cristo, o que é incomparavelmente melhor" (FILIPENSES 1:23).

Partir é um termo náutico que sugere o ato de: "içar velas" — levantar âncora, soltar as cordas que nos prendem a este mundo e seguir viagem. É uma metáfora maravilhosa para a morte.

> LEITURA:
> **2 Timóteo 4:1-8**
>
> **...e o tempo da minha partida é chegado.** v.6

Para os cristãos, a morte não é o fim — mas o começo. Significa deixar para trás este mundo e ir a um lugar melhor, completando o propósito para o qual fomos feitos. É a hora de se dizer "Boa viagem!", de coração.

Em qualquer viagem, porém, existem incertezas, especialmente quando passamos por águas nas quais jamais navegamos. Não é tanto a morte que tememos, e sim a travessia. Quem conhece os perigos que estão à nossa frente?

Porém, a jornada não é desconhecida. Alguém já passou por ela antes, e retornou para conduzir-nos a salvo. Mesmo quando passarmos pelo vale da sombra da morte, Deus estará conosco todo o tempo (SALMO 23:4). Suas mãos estão no leme para nos guiar ao porto celestial que Ele preparou para nós (JOÃO 14:1-3). DHR

● *O encontro face a face com Cristo na eternidade o consola?*

Aqueles que temem a Deus não precisam temer a morte.

31 DE OUTUBRO

A BÍBLIA em UM ANO:
Jeremias 22–23, Tito 1

Estrada tranquila

Viajando de carro para a minha cidade, deixei a estrada principal e segui por uma via secundária, atravessando as montanhas. No final daquela tarde, dirigi lentamente, parando algumas vezes para apreciar as paisagens e as últimas cores do outono. A jornada não me levou rapidamente ao meu destino, mas serviu para restaurar a minha alma.

LEITURA:
Marcos 6:30-46

...Vinde repousar um pouco, à parte, num lugar deserto... v.31

A experiência fez com que eu me perguntasse: quantas vezes viajo pela estrada tranquila com Jesus? Todos os dias eu saio da "via expressa" das minhas responsabilidades e preocupações para me concentrar nele por algum tempo?

Depois que os discípulos de Jesus completaram um período exaustivo de ministério, Ele lhes disse: "...Vinde repousar um pouco, à parte, num lugar deserto..." (MARCOS 6:31). Em vez de férias prolongadas, eles tiveram apenas um pequeno passeio de barco juntos antes de serem rodeados pela multidão. Os discípulos foram testemunhas da compaixão do Senhor e o ajudaram a suprir as necessidades das multidões (vv.33-43). Quando o dia exaustivo finalmente havia terminado, Jesus buscou renovação com Seu Pai celestial (v.46), na oração.

Jesus, o nosso Senhor, sempre está conosco, quer a vida seja agitada ou calma — mas há um grande valor em investir tempo, a cada dia, para seguir com Ele pela estrada tranquila. DCM

- *Suas obrigações o afastam do tempo diário com Deus?*

O tempo investido com o Senhor sempre é bem aproveitado.

1.º DE NOVEMBRO

A BÍBLIA em UM ANO:
Jeremias 24–26, Tito 2

Dois reinos

Há algum tempo, li numa notícia de jornal que muitos jovens não veem a política como nos velhos tempos e consideram as eleições um ato sem utilidade, irracional. Pergunto-me na sequência, se nós, como seguidores de Jesus, também não pensamos assim a respeito de nossa responsabilidade como cidadãos!

As observações de Jesus no evangelho de Mateus 22 ajudaram Seus seguidores a pensar claramente sobre as suas obrigações civis no mundo. Os judeus tinham a obrigação de pagar impostos para o governo romano. Eles odiavam aquela cobrança porque o dinheiro era levado diretamente ao cofre de César, e parte dele era dado para os templos pagãos e contribuía com o estilo de vida decadente da aristocracia romana. Talvez eles até questionassem se tinham realmente alguma responsabilidade em relação a César. Entretanto, Jesus lhes lembrou de que eles tinham dupla cidadania. Viviam num mundo com dois reinos — o reino de César (autoridade humana) e o reino de Deus (autoridade espiritual). Eles tinham responsabilidades com ambos — mas a sua maior responsabilidade era com Deus e o Seu reino (ATOS 5:28,29).

> **LEITURA:**
> **Mateus 22:15-22**
>
> **Dai, pois, a César o que é de César e a Deus o que é de Deus.** v.21

Como seguidores de Cristo, recebemos a orientação de cooperar com os nossos governantes, mas somos definitivamente chamados para obedecer e nos comprometer com Deus. 🌿   MLW

● *Você exerce suas duas cidadanias com responsabilidade?*

O governo tem autoridade, mas a suprema autoridade pertence a Deus.

2 DE NOVEMBRO

A BÍBLIA em UM ANO:
Jeremias 27–29, Tito 3

Sofrimento devastador

No dia 4 de novembro de 1970, um acidente de avião tirou a vida da maioria dos participantes do time de futebol de uma universidade norte-americana, da equipe técnica e de muitos líderes daquela comunidade. Perderam-se 75 vidas nesse desastre. Duas pessoas que perderam seus entes queridos foram Paul Griffen e Annie Cantrell. Suas histórias se entrelaçaram porque o filho de Griffen era o noivo de Annie. No ano em que o jovem morreu, a vida deles mergulhou numa dor que parecia insuportável. Por quê? Porque, como Griffen disse a Annie, no filme que representou essa tragédia, "O sofrimento é devastador."

> LEITURA:
> **1 Ts 4:13-18**
>
> **...para não vos entristecerdes como os demais, que não têm esperança.** v.13

Ele estava certo, o sofrimento é devastador. Todos nós enlutamos em algum momento — incluindo os que seguem a Cristo. Todavia, para o cristão, existe algo que vai além das lágrimas, da dor e da perda. Existe a esperança.

Ao escrever para uma família da igreja que havia perdido um ente querido pela morte, Paulo reconheceu o sofrimento deles. No entanto, ele os desafiou a não se entristecerem "...como os demais, que não têm esperança" (1 TESSALONICENSES 4:13). Perdas e morte fazem parte da vida, mas os cristãos podem enfrentá-las, sabendo que nunca se despedem de outro cristão pela última vez. Podemos confortar uns aos outros (v.18) com a esperança da ressurreição e de um futuro reencontro. *WEC*

● *Você louva o Senhor por Ele estar preparando um lugar para nós lá no céu?*

Porque Cristo vive, a morte é triunfo – não tragédia.

3 DE NOVEMBRO

A BÍBLIA em UM ANO:
Jeremias 30–31, Filemom

Como caminhar

Certa tarde, Patrícia e Ricardo foram dar um passeio de bicicleta esperando voltar para casa revigorados. Suas vidas, porém, mudaram para sempre. Enquanto descia uma colina, Ricardo perdeu o controle da bicicleta e caiu. O seu corpo ficou gravemente ferido e ele chegou quase morto ao hospital.

Patrícia estava sempre ao lado do esposo, que já não podia comer sozinho nem caminhar. Certo dia, no jardim do hospital, Ricardo disse a sua esposa: "Não sei se algum dia vou caminhar novamente, mas estou aprendendo a caminhar mais perto de Jesus, e é isso o que realmente desejo." Em vez de irar-se com Deus, Ricardo estendeu a sua mão até alcançar a do Senhor.

> LEITURA:
> **Efésios 3:14–4:3**
>
> **...vos conceda que sejais fortalecidos com poder, mediante o seu Espírito no homem interior.** v.16

Às vezes, em meio às nossas provações, precisamos pensar em alguém como este homem para nos ajudar a colocar a nossa perspectiva no lugar certo — lembrar-nos do relacionamento notável que temos com Deus por meio de Jesus Cristo. Este é o relacionamento que mais precisamos quando a caminhada se torna difícil.

Não estamos preparados para lidar com todos os problemas que enfrentamos, mas Deus está. É por essa razão que Ele nos diz para lhe entregarmos todos os nossos problemas: "Confia os teus cuidados ao Senhor..." (SALMO 55:22). Assim como Ricardo descobriu: caminhar com Jesus não depende de nossas pernas, depende do nosso coração. 🌿

JDB

● *Você confia que o Senhor o susterá em todas as situações?*

Podemos caminhar por lugares escuros quando caminhamos com Deus na luz.

4 DE NOVEMBRO

A BÍBLIA em UM ANO:
Jeremias 32–33, Hebreus 1

Treinando para a vida

Quando **Dean Karnazes** completou a maratona de quase 40 quilômetros, na cidade de Nova Iorque, em 2006, ele marcou o término de uma façanha quase impossível: perseverança. Ele já havia participado de 50 maratonas, em 50 estados e em 50 dias. A resistência excepcional desse atleta incluiu 563 quilômetros contínuos: ciclismo em montanhas por 24 horas seguidas e o cruzamento da baía de São Francisco a nado. Esse nível de performance requer treinamento rígido e dedicado.

> LEITURA:
> **1 Timóteo 4:1-11**
>
> ...Exercita-te, pessoalmente, na piedade... v.7

Paulo disse a Timóteo que a boa forma espiritual também exige muito mais do que uma tentativa displicente de viver de modo que honre a Deus. Numa cultura caracterizada por falsos ensinamentos, além de formas extremas de autoindulgência e autonegação, Paulo escreveu: "...Exercita-te, pessoalmente, na piedade. Pois o exercício físico para pouco é proveitoso, mas a piedade para tudo é proveitosa, porque tem a promessa da vida que agora é e da que há de ser" (1 TIMÓTEO 4:7,8).

Nossos corpos e mentes devem ser dedicados a Deus e preparados para o Seu serviço (ROMANOS 12:1,2). O objetivo não é a flexão muscular espiritual, mas uma vida que agrada ao Senhor. O estudo vigoroso da Palavra de Deus, dedicação à vida de oração, fazem parte do processo. Se o nosso treinamento é bem feito, ele tem efeitos muito positivos em nosso cotidiano.

DCM

● *Você exercita-se diariamente para ter um caráter divino?*

O exercício da piedade é a chave para um caráter divino.

5 DE NOVEMBRO

A BÍBLIA em UM ANO:
Jeremias 34–36, Hebreus 2

Limites

Não passa um ano sem que aconteça um desastre da natureza em algum lugar no mundo. Enchentes, ciclones e *tsunamis* destroem vidas, casas e o sustento das pessoas.

Ninguém argumentaria que os mares têm o "direito" de violar seus limites estabelecidos e ultrapassar a linha do litoral. As pessoas concordam que os desastres ocorrem sempre que o mar passa à margem da praia. O próprio Deus fez da areia um limite para o mar (JEREMIAS 5:22).

> **LEITURA:**
> **Jeremias 5:20-29**
>
> [Eu, o Senhor] ...pus a areia para limite do mar... v.22

O Senhor também estabeleceu limites para o comportamento humano. No entanto, não passa um dia sem que ocorram inúmeras violações dos mandamentos de Deus, o que resulta em consequências desastrosas, tanto físicas como espirituais. É surpreendente como muitas vezes nós argumentamos que temos o "direito" de violar esses limites.

Nos dias do profeta Jeremias, o povo de Deus ultrapassou os limites, usando o engano para se tornarem ricos e se recusando a ajudar os necessitados (5:27,28). O resultado foi um desastre. Deus disse: "As vossas iniquidades desviam estas coisas, e os vossos pecados afastam de vós o bem" (v.25).

Há uma ordem inerente na criação. Violá-la traz consequências. Deus, em Sua bondade, comunicou-nos a ordem das coisas para que evitemos essas consequências. Sejamos sábios em conhecer e permanecer dentro dos limites que o Senhor prescreveu.

JAL

● *Os nossos limites nos afastam ou nos aproximam do Senhor?*

Não observar as ordens de Deus nos conduz à desordem.

Pão Diário, volume 20

6 DE NOVEMBRO

A BÍBLIA em UM ANO:
Jeremias 37–39, Hebreus 3

Melhor ainda!

Francis Bacon afirmou: "Não acredito que um homem tema o fato de estar morto, teme apenas o ataque da morte." E Woody Allen acrescentou: "Não tenho medo de morrer. Só não quero estar lá, quando isso ocorrer."

O que mais assusta não é a morte. É o ato de morrer que nos amedronta. Quando Paulo enfrentou a prisão e a perspectiva de morrer numa cela, compartilhou sua visão sobre a vida e a morte: "Porquanto, para mim, o viver é Cristo, e o morrer é lucro" (FILIPENSES 1:21). Que perspectiva!

> **LEITURA:**
> **Filipenses 1:19-26**
>
> **Porquanto, para mim, o viver é Cristo, e o morrer é lucro.** v.21

A morte é nossa inimiga (1 CORÍNTIOS 15:25-28), mas não tem o poder de finalizar tudo, como muitos temem. Há uma eternidade esperando pelos cristãos além dessa vida, algo melhor ainda.

Alguém já disse: "O que a lagarta acha que é o fim da vida, a borboleta acha que é apenas o começo." George MacDonald escreveu: "Como é estranho esse medo da morte! Nós nunca nos assustamos com o pôr do sol."

Gosto muito desta paráfrase de Filipenses 1:21: "Para mim, viver significa ter oportunidades para Cristo, e morrer — bem, é melhor ainda!" Durante nossa vida física, temos oportunidades de servir a Jesus. Mas um dia, estaremos verdadeiramente em Sua presença. Nosso medo desaparecerá quando o virmos face a face.

Esse é o "melhor ainda" do qual o apóstolo Paulo fala! CHK

● *Como será o seu destino eterno?*

Para o cristão, o medo da morte dará lugar à plenitude da vida.

7 DE NOVEMBRO

A BÍBLIA em UM ANO:
Jeremias 40–42, Hebreus 4

Nosso refúgio e fortaleza

Em agosto de 2004, o furacão Charley trouxe uma violenta destruição para certas áreas na Flórida, EUA. Durante o temporal, um jovem de 25 anos saiu do local onde estava à busca de proteção num dos seus lugares favoritos, um barraco debaixo dos galhos protetores de uma figueira-de-bengala. Mas a árvore caiu sobre o barraco e o matou. Algumas vezes, os lugares em que buscamos segurança podem ser os mais perigosos.

LEITURA:
Isaías 31

Uns confiam em carros, outros, em cavalos; nós, porém, nos gloriaremos em o nome do SENHOR, nosso Deus. Salmo 20:7

O profeta Isaías admoestou o rei de Judá, Ezequias, sobre esta verdade. Ezequias foi um bom rei, mas repetiu o pecado de seu pai Acaz, buscando segurança na aliança com um poder estrangeiro (2 REIS 16:7; ISAÍAS 36:6). Em vez disso, ele deveria ter encorajado o seu povo a confiar no Senhor.

Ao buscar a ajuda do Egito, Ezequias mostrou que falhou em aprender com a história. O Egito havia sido tudo menos um aliado para Israel. Ezequias também se esqueceu das Escrituras. Ter muitos cavalos era contrário à determinação divina para o rei (DEUTERONÔMIO 17:16).

No final, Ezequias buscou a ajuda do Senhor (ISAÍAS 37:1-6, 14-20). E Deus destruiu os invasores assírios de forma milagrosa (v.36-38).

Judá cometeu o erro de valorizar as forças do Egito acima das forças do Deus vivo. Que *sempre* confiemos no "...nome do SENHOR, nosso Deus" (SALMO 20:7). 🌿

MLW

● *Você reafirma diariamente a sua confiança em Deus?*

Nenhuma vida está mais segura do que aquela entregue a Deus.

Pão Diário, volume 20

8 DE NOVEMBRO

A BÍBLIA em UM ANO:
Jeremias 43-45, Hebreus 5

Vivendo plenamente

Uma **revista de barcos mostra** que alguns dos nomes mais populares para eles são: *Serenidade, Enrolando o Tempo, Intervalo e Descobertas Casuais*. Há pouco tempo, vi o nome *Vivendo Plenamente* num barco. Não estou segura do que isso significava para o proprietário do barco, mas para muitas pessoas "vivendo plenamente" significa ter as melhores propriedades, férias em lugares exóticos, comprar o que quiser, viver de forma extravagante.

> **LEITURA:**
> **2 Coríntios 6:1-13**
>
> **Para vós outros, ó coríntios, abrem-se os nossos lábios, e alarga-se o nosso coração.** v.11

Entretanto, esse tipo de vida não traz em si um propósito ou satisfação verdadeira. Os cristãos devem viver de forma plena, mas de modo diferente daquele, como vemos no exemplo do apóstolo Paulo e de seu colaborador, Timóteo. Paulo disse aos coríntios: "...lhes abrimos todo o nosso coração" (2 CORÍNTIOS 6:11 NVI). Outra tradução nos diz o seguinte: "aberto completamente" (NTLH). Eles haviam dedicado toda a sua afeição para as pessoas, assim como um pai faz com seus filhos, quando os abraça. Naquele momento eles queriam a mesma resposta. Por isso Paulo pediu: "Ora, como justa retribuição [...] dilatai-vos também vós" (v.13).

Uma pessoa com um coração aberto mostra sua afeição de forma livre e generosa por meio de palavras, atitudes e atos. Como cristãos, vivamos plenamente hoje e aproveitemos para ser cordiais e demonstrar amor uns aos outros. 🌿

AMC

● *Há alguma atitude que você precise modificar ainda hoje?*

___

Os que não demonstram seu amor na verdade não amam. —SHAKESPEARE

9 DE NOVEMBRO

A BÍBLIA em UM ANO:
Jeremias 46–47, Hebreus 6

A grande pandemia

Em 1918, foi diagnosticado que **Albert Gitchell,** um cozinheiro do exército americano, contraíra a gripe espanhola. Antes do término daquele ano, esta doença já havia dizimado cerca de 40 milhões de pessoas. Este vírus altamente contagioso tornou-se uma epidemia global.

Um médico relatou que os pacientes que mostravam sintomas semelhantes ao da gripe desenvolviam rapidamente os piores tipos de pneumonia jamais vistas e sufocavam em questão de horas. Felizmente, a doença desapareceu tão misteriosamente quanto surgira. Mas os médicos continuaram confusos com a sua origem e incapazes de encontrar a cura.

LEITURA:
Números 21:1-9

...assim importa que o Filho do Homem seja levantado, para que todo o que nele crê tenha a vida eterna.
João 3:14,15

Israel também sofreu uma praga devastadora, mas o povo sabia a causa e pediu a Moisés que os curasse. Eles tinham sido ingratos e falado contra o Senhor por causa do maná que Deus lhes providenciara. Com justa ira, Deus enviou serpentes cujas mordidas venenosas deixavam uma ferida fatal, e ordenou a Moisés que fizesse uma serpente de bronze e a colocasse sobre uma haste. Todos os que a mirassem permaneceriam vivos (NÚMEROS 21:1-9).

Séculos mais tarde, Jesus descreveu este fato como um símbolo de Sua morte na cruz: "...assim importa que o Filho do Homem seja levantado, para que todo o que nele crê tenha a vida eterna" (JOÃO 3:14,15).

HDF

- *Você já confiou em Jesus para que Ele o cure do pecado?* _____

Olhe para Cristo hoje ou você poderá estar perdido para sempre.

Pão Diário, volume 20

10 DE NOVEMBRO

A BÍBLIA em UM ANO:
Jeremias 48–49, Hebreus 7

A boa vida

Dirigindo pela autoestrada, passei por uma placa que anunciava a "boa vida!" Cheguei mais perto e consegui ler que a "boa vida" significava comprar uma casa à beira de um lago a partir de meio milhão de reais. Isso me fez pensar em famílias infelizes que vivem numa dessas casas, com filhos que nunca veem seus pais ou em casais que — embora morem perto de um lago — talvez desejassem nunca ter vivido juntos.

LEITURA:
Lucas 12:13-21

"...a vida de um homem não consiste na abundância dos bens que ele possui. v.15

Veio-me à mente a passagem do evangelho de Lucas 12, ao lembrar-me da história do homem que se aproximou de Jesus para lhe pedir que falasse com seu irmão para que repartisse com ele a herança. Aquilo foi a coisa errada para se pedir a Jesus! O Senhor respondeu com uma admoestação: "...Tende cuidado e guardai-vos de toda e qualquer avareza; porque a vida de um homem não consiste na abundância dos bens que ele possui" (v.15). E lhes contou uma parábola de um homem extremamente rico que, do ponto de vista de Deus, era insensato — não porque teve sucesso em enriquecer, mas porque não era rico para com Deus.

Quanto mais cedo nos desprendermos da ilusão de que quanto mais bens mais paz, felicidade e autorrealização teremos, melhor estaremos. E então seremos mais capazes de ver que o anseio por paz e felicidade — a verdadeira "boa vida" — vamos encontrar somente em Jesus. 🌿

JMS

● *Qual será o seu legado, e para quem será?* _____

A "boa vida" se encontra na riqueza de Deus.

11 DE NOVEMBRO

A BÍBLIA em UM ANO:
Jeremias 50, Hebreus 8

Só pulo em braços grandes

A menina de 4 anos se prepara para pular e diz ao seu pai: "Mais *pra* trás!" Ele volta um passo. A filha ri contente, bate palmas e pede para ele voltar ainda mais. Quando o pai já está a uma distância considerável, ela diz: "Aí *tá* bom!" O pai lhe estende os braços e a pequena voa de sua cama para os braços dele.

Seu pai lhe sugere que ela pule novamente, mas nos braços de seu irmão, que tem 8 anos. Ela se recusa. O pai insiste; ela diz não e responde enfática: "– Só pulo em braços grandes!"

> LEITURA:
> **Mateus 11:28-30**
>
> **Vinde a mim, todos os que estais cansados e sobrecarregados, e eu vos aliviarei.** v.28

Dessa mesma forma, você pode "pular" nos braços de Cristo. Ele diz: *"Vinde a mim todos vós que estais cansados e sobrecarregados e eu vos aliviarei."* Nos dramas da vida, temos este Amigo em quem podemos ter inteira confiança e fé. Ter fé é confiar na Palavra e no caráter do Deus invisível, revelado no Senhor Jesus.

Da próxima vez que você temer, recorde-se dos milhares que ao longo da história já pularam em Seus braços. Da próxima vez que suspeitar que o Senhor não poderá ajudá-lo a superar suas dores, enfrentar suas perdas, perdoá-lo de seus pecados, prover novas oportunidades, ideias e recursos, lembre-se de Seus braços abertos na cruz. Ele morreu pelos nossos pecados, e jamais esqueça que o túmulo está vazio.

Pule nos braços grandes e fortes de Cristo. Creia. Confie. Busque-o de todo o coração. 🌿

JPS

● *Você se propõe a "pular" nos braços de Jesus, ao enfrentar os desafios deste dia?* _____

Os olhos veem apenas o gigante; a fé o enxerga tombado e vencido.

12 DE NOVEMBRO

A BÍBLIA em UM ANO:
Jeremias 51–52, Hebreus 9

Beleza incomum

Para algumas pessoas, a palavra *santidade* suscita imagens de uma pessoa puritana que é "boa" no pior sentido da palavra, com rostos taciturnos e sombrios. Estão cheias de justiça própria e obrigações rígidas, "só na espera da próxima vida", como se expressou o redator de um jornal.

A maioria das pessoas anseia pela verdade e bondade. Todavia, esse desejo pode ser frustrado pelo que elas veem em alguns cristãos, quando percebem que estes se consideram justos e julgadores. Para os não cristãos, tal "virtude" é bem menos interessante do que vício, mesmo que o odeiem. Joy Davidman, a esposa de C.S. Lewis disse: "Um hipócrita devoto equivale a 100 pessoas descrentes."

> **LEITURA:**
> **1 Pedro 2:9-17**
>
> Porque o SENHOR se agrada do seu povo e de salvação adorna os humildes. Salmo 149:4

Gostaria que o mundo visse a qualidade extraordinária da vida sobre a qual Pedro fala — tão cativante e atraente que conduz muitos ao Salvador (1 PEDRO 2:12). C.S. Lewis refletiu: "Se apenas 10% da população mundial tivesse [santidade], será que o mundo inteiro não se converteria e seria feliz antes do final de um ano?"

Nós podemos conseguir isso! À medida que rendemos nossa vida ao Espírito de Deus, podemos demonstrar a beleza incomum dessa vida diante do mundo que nos observa. O poeta de Israel nos assegura: "Porque o SENHOR [...] adorna os humildes" (SALMO 149:4).

DHR

● *A sua maneira de viver agrada o Senhor?* _____

Viva de tal maneira que os outros tenham o desejo de conhecer a Jesus.

13 DE NOVEMBRO

A BÍBLIA em UM ANO:
Lamentações 1–2, Hebreus 10:1-18

Por que temos valor?

Num **discurso de formatura** dirigido a uma classe de formandos universitários, um colunista apresentou estatísticas que ajudam a diminuir o nosso orgulho. Ele destacou que "o sol, ao redor do qual a Terra orbita, é uma de talvez 400 bilhões de estrelas da Via Láctea, que é uma galáxia ínfima". E acrescentou: "Talvez haja 40 bilhões de galáxias no universo [...]. Se todas as estrelas do universo fossem do tamanho da cabeça de um alfinete, elas encheriam um estádio de futebol e ainda transbordariam mais de três bilhões de vezes."

> LEITURA:
> **Salmo 8**
>
> **Mas, a todos quantos o receberam, deu-lhes o poder de serem feitos filhos de Deus...** João 1:12

Há um lado positivo em todos esses dados surpreendentes. O Deus que criou e sustenta o nosso cosmos, salpicado de estrelas em sua incompreensível imensidão, nos ama. E Ele não ama a raça humana apenas como uma identidade de bilhões de pessoas que se multiplicaram. Ele nos ama individualmente. O que Paulo proclama ser verdade em relação a si mesmo é verdade em relação a cada um de nós, em toda a nossa insignificância. Como está escrito: Cristo "...que me amou e a si mesmo se entregou por mim" (GÁLATAS 2:20).

Do ponto de vista astronômico, somos insignificantes. Mas somos os objetos amados do cuidado de Deus. Apesar de não termos razão para o orgulho, somos indescritivelmente gratos ao Senhor, cujo amor por nós está revelado na cruz do Calvário. ✿

VCG

● *Você sabia que Deus o ama desde antes de você amá-lo?*

Não temos nada de que nos vangloriar, somente de que somos amados por Deus.

14 DE NOVEMBRO

A BÍBLIA em UM ANO:
Lamentações 3–5, Hebreus 10:19-39

Perdendo um amigo

Quando em 2005, os ônibus vermelhos de duplo convés, de Londres, foram retirados do serviço regular, muitas pessoas acharam que haviam perdido um amigo. Esses ônibus haviam oferecido um serviço de confiança por 51 anos, e eram populares entre os usuários devido ao fácil acesso de entrada e saída. Alguns dos antigos ônibus ainda são utilizados em duas rotas de turismo, mas no restante da cidade, já não circulam mais.

> LEITURA:
> **Lamentações 3:19-29**
>
> **As misericórdias do Senhor são a causa de não sermos consumidos, porque as suas misericórdias não têm fim.** v.22

Muitas mudanças em nossa vida representam perdas, quer sejam pequenas, como as queridas lembranças de um ônibus, quer grandes, como a casa destruída de uma família, um sonho fracassado ou a morte de alguém. Em cada uma dessas perdas, anelamos por um toque de cura e esperança.

O livro de Lamentações tem sido chamado: "o funeral de uma cidade". Nele, Jeremias lamentou o cativeiro de seu povo e a destruição de Jerusalém. Contudo, em meio à tristeza, há uma celebração da fidelidade de Deus: "As misericórdias do Senhor são a causa de não sermos consumidos, porque as suas misericórdias não têm fim; renovam-se cada manhã. Grande é a tua fidelidade. A minha porção é o Senhor, diz a minha alma; portanto, esperarei nele" (LAMENTAÇÕES 3:22-24).

Quando os nossos corações sofrem por alguma perda, podemos encontrar esperança em nosso Senhor, que nunca muda. DCM

● *As misericórdias do Senhor o consolam diariamente?*

Temos esperança quando olhamos para o Senhor.

15 DE NOVEMBRO

A BÍBLIA em UM ANO:
Ezequiel 1–2, Hebreus 11:1-19

Diga "não" à autoajuda

No início da minha carreira editorial, em publicações religiosas, fui responsável por uma linha de livros denominada de "autoajuda". Este rótulo me incomodou porque parecia contrário a tudo o que é cristão.

O termo autoajuda é popular porque embasa-se na ideia de que temos o controle. Conforme as palavras do poema *Invictus*: "Sou o mestre do meu destino; sou o capitão de minha alma."

Mas não o somos! Ocasionalmente, algo nos acontece e nos lembra como a vida está fora do controle, e nenhum livro de autoajuda pode nos auxiliar.

Felizmente, os cristãos não estão envolvidos com os negócios da autoajuda. É justamente o contrário! Para tornar-se um cristão é necessário admitir que somos indefesos e reconhecer nossa total dependência de Deus. Jesus disse: "...porque sem mim nada podeis fazer" (JOÃO 15:5).

Os israelitas sempre arrumavam problemas para si mesmos porque confiavam na força humana em vez de confiar na força de Deus (JEREMIAS 17:5). Todavia, mesmo após suas falhas, o Senhor lhes disse: "Bendito o homem que confia no Senhor..." (v.7).

Quando as circunstâncias especialmente difíceis ou fortes tentações invadem a nossa vida e nos lembram de nossa fraqueza, temos um Deus todo-poderoso que age em favor daqueles que confiam nele.

JAL

> **LEITURA:**
> **Jeremias 17:1-8**
>
> O Senhor é a minha força e o meu escudo; nele o meu coração confia, nele fui socorrido. Salmo 28:7

● *Você se refugia no Senhor em tempos de aflição?*

Tudo o que não começa com Deus acabará em fracasso.

16 DE NOVEMBRO

A BÍBLIA em UM ANO:
Ezequiel 3–4, Hebreus 11:20-40

Renovo de 2 mil anos

Em 2006, os cientistas israelenses conseguiram fazer germinar com sucesso uma semente de palmeira de 2 mil anos. Encontrada no lado oeste do mar Morto, a semente foi rotulada como "Matusalém", o homem com o registro bíblico de maior idade na Bíblia (GÊNESIS 5:27). Além do desafio de despertar uma semente há tanto tempo adormecida, a equipe também queria saber mais sobre a árvore elogiada nas Escrituras, por sua sombra, nutrição, beleza e qualidades medicinais.

> **LEITURA:**
> **Salmo 92:12-15**
> O justo florescerá como a palmeira [...]. Na velhice darão ainda frutos... vv.12,14

A palmeira desempenha um papel importante na Bíblia. No Antigo Testamento, a árvore tem conexão com o templo e a presença de Deus. O Novo Testamento descreve como as multidões entusiastas louvavam a Deus e jogavam ramos de palmeiras aos pés de Jesus, quando Ele entrou em Jerusalém montado num jumento.

A promessa do Senhor de abençoar o mundo por meio de um descendente de Abraão também permaneceu dormente por 2 mil anos (GÊNESIS 12:1-3). Por fim, a Semente da promessa brotou. Essa Semente foi Jesus, o tão esperado Messias. Em breve, a história da Sua vida ressurreta se espalharia por todas as nações na terra.

Agora podemos experimentar esse milagre. O tempo não é o fator determinante. Nem tampouco o solo estéril das circunstâncias. Tudo o que importa é permitir que o nosso coração seja o solo no qual Cristo seja bem recebido e adorado.

MRD

● *Jesus é bem-vindo no solo do seu coração?*

Deus nunca faz uma promessa que não irá cumprir.

17 DE NOVEMBRO

A BÍBLIA em UM ANO:
Ezequiel 5–7, Hebreus 12

Corpos novos

Em 1728, um jovem chamado Ben Franklin compôs o seu próprio epitáfio. *Aqui jaz para sustento dos vermes, o corpo de Benjamin Franklin, impressor, como a capa de um velho livro, seu conteúdo já desgastado, desprovido de suas letras douradas. Contudo, o trabalho não será perdido; pois aparecerá, como creu este homem, novamente, em uma edição nova e mais bela, corrigida e aperfeiçoada pelo Autor.*

> **LEITURA:**
> **1 Coríntios 15:42-49**
>
> ...o Autor e Consumador da fé, Jesus, o qual, em troca da alegria que lhe estava proposta, suportou a cruz...
> Hebreus 12:2

Neste epitáfio, o humor irônico de Franklin; um homem da época renascentista — se assemelha ao texto bíblico sobre a ressurreição. Os corpos que temos agora estão predispostos ao envelhecimento, à decadência física e finalmente à morte. Mas a ressurreição de Jesus Cristo traz em si a promessa de um corpo novo, sobrenatural, ressuscitado em glória. O apóstolo Paulo nos diz: "...Semeia-se o corpo na corrupção, ressuscita na incorrupção. Semeia-se em desonra, ressuscita em glória. Semeia-se em fraqueza, ressuscita em poder" (1 CORÍNTIOS 15:42,43).

À medida que a vida toma o seu curso no processo do envelhecimento, temos a esperança de um corpo novo que brilhará muito além do original. Apesar das nossas dores e sofrimentos, o nosso destino pertence com segurança às mãos do "...Autor e Consumador da fé, Jesus..." (HEBREUS 12:2). HDF

● *Você já entregou o seu destino ao Autor e Consumador da fé?*

Seremos transformados [...] num abrir e fechar de olhos... —APÓSTOLO PAULO

18 DE NOVEMBRO

A BÍBLIA em UM ANO:
Ezequiel 8–10, Hebreus 13

Direto para o céu

Um antigo canto espiritual adverte: "Todos falam do céu mas não vão para lá", pois lá é o lugar onde Deus habita e onde a Sua presença e glória se manifestam em todo o Seu esplendor. O Senhor tem o direito soberano de determinar quem será aceito lá e sob que condições. Qualquer outra crença sobre o como e o porquê seremos aceitos no céu infelizmente é errônea.

> **LEITURA:**
> **João 3:1-8**
> **E não há salvação em nenhum outro...**
> Atos 4:12

Quando perguntaram a uma famosa atriz a respeito de sua fé, ela respondeu confiante: "Eu oro e leio a Bíblia. É o livro mais bonito já escrito. Eu devo ir para o céu; caso contrário, não vai ser legal. Não fiz nada de errado. Minha consciência está bem limpa. Minha alma está tão branca quanto aquelas orquídeas ali, e eu deveria ir direto para o céu."

Somente Deus determina quem vai direto para o céu. Na Bíblia, a Palavra santa de Deus, Ele nos diz que somente os que confiaram em Jesus Cristo como Salvador pessoal serão aceitos. O apóstolo Pedro disse: "E não há salvação em nenhum outro; porque abaixo do céu não existe nenhum outro nome, dado entre os homens, pelo qual importa que sejamos salvos" (ATOS 4:12).

A autojustificação em relação à pureza da alma e a ter o caráter merecedor para ir ao céu não são o critério. Somente a Palavra de Deus nos dá o padrão para a admissão na morada celestial.

VCG

● *Você já tem a certeza de que passará a vida eterna ao lado de Jesus?*

Crer em Cristo significa receber a salvação e herdar o céu.

19 DE NOVEMBRO

A BÍBLIA em UM ANO:
Ezequiel 11–13, Tiago 1

Não se preocupe

O **cargo ocupado por meu sobrinho** em breve seria extinto e por isso fiquei contente em ouvir de sua esposa que ele acabara de aceitar a oferta para uma nova posição.

"Nós oramos, eu me preocupei e Érico estava determinado a conseguir um outro trabalho", escreveu Angélica num *email*.

É fácil entrarmos em pânico quando enfrentamos preocupações sérias: a perda de emprego, um membro da família com câncer, um filho rebelde.

Então oramos. E ficamos atarefados. Começamos a fazer tudo o que conseguimos pensar para seguir adiante de forma positiva.

> **LEITURA:**
> **Mateus 6:25-34**
>
> ...não vos inquieteis [...] vosso Pai celeste sabe que necessitais de todas elas. vv.31,32

E nos preocupamos. Sabemos que isso é uma perda de tempo. No entanto, muitos de nós nos encontramos neste dilema — sabemos que devemos confiar em Deus, mas nos perguntamos o que Ele vai fazer exatamente .

É nesse momento que nos voltamos à Sua Palavra, que nos relembra que Ele está caminhando conosco e nos convidando a entregarmos as nossas preocupações e fardos. As Escrituras nos dizem: "lançando sobre ele toda a vossa ansiedade, porque ele tem cuidado de vós" (1 PEDRO 5:7), e "...segundo a sua riqueza em glória, [Deus] há de suprir, em Cristo Jesus, cada uma de vossas necessidades" (FILIPENSES 4:19).

Quando a sua mente se volta para pensamentos de ansiedade sobre o futuro, lembre-se de que o "...vosso Pai celeste sabe..." (MATEUS 6:32) e lhe dará o que você necessita. 🌿   CHK

● *Quais motivos de ansiedade você precisa colocar diante do Pai celeste?*

A preocupação é um fardo que Deus nunca quis que carregássemos.

20 DE NOVEMBRO

A BÍBLIA em UM ANO:
Ezequiel 14–15, Tiago 2

Fique fora disso!

Certo **homem cristão** em nossa comunidade foi promovido, e o seu salário teve um aumento considerável. Seus companheiros vendedores incentivaram-no a melhorar sua vida por meio de grandes compras com cartões de crédito. O que quer que os outros fizessem, ele também fazia — férias de esqui com a família, cruzeiros, novos móveis, viagens caras para fazer compras.

LEITURA:
1 Timóteo 5:17-25

...Não te tornes cúmplice de pecados de outrem... v. 22

Então as vendas diminuíram e ele não conseguiu pagar os seus débitos. Essa pressão colocou seu casamento sob tremenda tensão. Seus colegas sugeriram que fizesse o que eles faziam: inflar as despesas e maquiar os relatórios de vendas. Ele o fez, mas foi consumido por ansiedade e culpa.

Outro amigo cristão observou a tensão sob a qual se encontrava, orou por ele, e o aconselhou a enfrentar a realidade. Angustiado, ele finalmente clamou a Deus, envergonhado e arrependido. Confessou seu pecado, acertou as coisas com a sua empresa e falou sobre o assunto com sua esposa. Por fim, a paz voltou à sua vida.

As instruções de Paulo na passagem bíblica de hoje se aplicam a todos os cristãos. Quando tantas culturas no mundo são compelidas por orgulho e ganância, o ensino do apóstolo é oportuno: "...Não te tornes cúmplice de pecados de outrem..." (v.22).

Quando você for persuadido a juntar-se a outros para fazer algo errado, fique de fora!

DCE

● *Você está disposto a aconselhar outros conforme a Palavra de Deus adverte?*

Ninguém que segue a Cristo será desiludido.

21 DE NOVEMBRO

A BÍBLIA em UM ANO:
Ezequiel 16–17, Tiago 3

O outro lado da gratidão!

Um **jovem casal recebeu** um presente pelo nascimento de seu bebê. Agradecida, a mãe escolheu um cartão de agradecimento e o deixou pronto para ser enviado.

De alguma maneira, o cartão misturou-se com outros papéis e nunca foi postado, e o agradecimento foi esquecido. Os que deram o presente esperaram, mas não receberam o reconhecimento.

Com isso desenvolveu-se uma brecha, pois uma família pensou que o agradecimento fora enviado e recebido, enquanto a outra achou que a falta de uma palavra de gratidão era falta de consideração. Essa falha inadvertida fez os outros se sentirem ofendidos, menosprezados e negligenciados.

> **LEITURA:**
> **1 Coríntios 13**
>
> ...[O amor] não procura os seus interesses, não se exaspera, não se ressente do mal. v.5

Dentre as palavras mais importantes que podemos dizer está a palavra "obrigado". E como é importante ter gratidão. Mas há o outro lado. Se presenteamos alguém devemos fazê-lo sem a expectativa de receber algo em troca. Nem sequer um "obrigado". O verdadeiro amor dá sem expectativas.

O amor, como o vemos descrito na carta de 1 Coríntios 13:7, "tudo sofre, tudo crê, tudo espera, tudo suporta" e nunca é egoísta. O amor não guarda registro dos erros – mesmo que alguém se esqueça de nos agradecer por alguma demonstração de bondade. O outro lado da gratidão é um coração puro que reflete o amor perfeito de Deus por nós.

JDB

● *É possível praticar a gratidão diariamente?*

O verdadeiro amor não tem amarras.

22 DE NOVEMBRO

A BÍBLIA em UM ANO:
Ezequiel 18–19, Tiago 4

Colheita celestial

O hino "**Vinde, Povo de Deus**" escrito em 1844 por Henry Alford (HA) muitas vezes é cantado nos cultos cristãos nas datas dos festejos de ações de graças. Ele começa com gratidão a Deus pelas colheitas reunidas com segurança antes do inverno. Mas há mais do que gratidão pela recompensa da terra. O hino termina destacando a "colheita" de Deus de Seu povo, quando Cristo voltar:

> *Mesmo assim Senhor, venha breve*
> *Para a colheita celestial final:*
> *Junte Seu povo; livre-os da dor. Livre-os do pecado; Lá, purificados para sempre,*
> *na Sua presença permanecerão:*
> *Venha, com todos os Seus anjos, venha*
> *— faça a gloriosa colheita celestial.*

> **LEITURA:**
> **Tiago 4:13-17; 5:7-11**
>
> **Sede vós também pacientes e fortalecei o vosso coração, pois a vinda do Senhor está próxima.** 5:8

Ao darmos graças pelo suprimento das necessidades materiais, é essencial relembrar que nossos planos são incertos e nossa vida como a neblina que se dissipa rapidamente (TIAGO 4:14). Tiago nos encoraja a sermos como um agricultor que aguarda que a terra faça crescer e amadureça o que plantou. "Sede vós também pacientes e fortalecei o vosso coração, pois a vinda do Senhor está próxima" (5:8).

Ao agradecermos a Deus por Sua fiel provisão às nossas necessidades, voltemos os nossos pensamentos à promessa do retorno de Jesus Cristo. Vivamos para Ele e esperemos, com expectativa, pelo dia quando voltará para reunir Sua gloriosa colheita no lar celestial. 🌱

DCM

● *Trabalhar e orar! É essa a minha tarefa enquanto estou aqui, Senhor?*

...Amém! Vem, Senhor Jesus! —APOCALIPSE 22:20

23 DE NOVEMBRO

A BÍBLIA em UM ANO:
Ezequiel 20–21, Tiago 5

Fazendo de conta

Quando uma garçonete pediu para ver a carteira de motorista de uma cliente, ela ficou chocada quando viu que a foto do documento era a sua própria foto! A garçonete havia perdido sua carteira de identidade um mês antes, e esta jovem estava usando a sua para "provar" que tinha idade suficiente para tomar bebidas alcoólicas. Chamaram a polícia e a cliente foi presa pelo roubo. Ao tentar obter o que queria, ela passou por quem não era.

> LEITURA:
> **Gênesis 27:19-33**
>
> Confessai, pois, os vossos pecados uns aos outros e orai uns pelos outros, para serdes curados...
> Tiago 5:16

No Antigo Testamento, Jacó também agiu dessa forma. Com a ajuda da sua mãe Rebeca, enganou o seu pai moribundo, fazendo-o crer que era o seu próprio irmão Esaú para ganhar a bênção destinada ao filho mais velho (GÊNESIS 27). Jacó foi descoberto depois de seu ato enganoso, mas era tarde demais para que Esaú recebesse a bênção.

O "fazer de conta" também existe em nossas igrejas hoje. Algumas pessoas usam as palavras certas, participam dos cultos quase todos os domingos e até oram antes das refeições. Fingem que "têm tudo de acordo" para conseguir a aprovação alheia. Mas em seu interior, lutam com mágoa, culpa, dúvidas ou outro pecado persistente.

Deus nos colocou num corpo de cristãos para nos apoiarmos mutuamente. Admita que você não é perfeito. Em seguida, busque o conselho de um irmão ou irmã piedosa em Cristo. AMC

● *Senhor, que eu seja genuíno em meu relacionamento com a igreja.*

Seja o que Deus quer que você seja — não faça de conta que é o que não é.

24 DE NOVEMBRO

A BÍBLIA em UM ANO:
Ezequiel 22-23, 1 Pedro 1

Presente anônimo

Anos atrás, recebi pelo correio um cilindro embalado. Era uma excelente vara de bambu com uma bobina famosa e clássica — uma engrenagem cara para pescar, que eu não teria condições de comprar. O cartão que o acompanhava simplesmente dizia: "Queria fazer algo por você". Até hoje, não tenho a menor ideia de quem a enviou.

O poeta William Cowper também teve um amigo anônimo que lhe enviava presentes, mas nunca revelou o seu nome. Cada vez que Cowper recebia um presente, seu comentário sempre era o mesmo: "O anônimo chegou". Penso nessa frase muitas vezes quando pesco com a vara que recebi: "O anônimo chegou". Sempre serei grato ao meu amigo sem nome por sua bondade e amor por mim.

> LEITURA:
> **Tito 3:1-7**
>
> Quando, porém, se manifestou a benignidade de Deus, nosso Salvador, e o seu amor para com todos. v.4

Durante toda a nossa vida, Deus derrama Sua bondade sobre nós — a verdade, beleza, amizade, amor, e risos, apenas para citar alguns, e nos comportamos como se não conhecêssemos a fonte. Deus tem sido nosso Amigo anônimo.

Mas Ele não quer permanecer nessa condição de anonimato. Se você quiser saber mais a respeito desse seu Amigo secreto, leia os evangelhos, pois o vemos de forma mais clara em Jesus. O amor sempre esteve no coração de Deus, mas "apareceu" por meio de Jesus. Deus, revelado em Jesus, é seu Amigo bondoso e misericordioso. Você o reconhecerá e lhe agradecerá hoje por isso?

DHR

● *O seu relacionamento com Jesus tem sido reconhecível ou anônimo?*

Nosso amigo mais querido é apenas uma sombra se comparado com Jesus.

25 DE NOVEMBRO

A BÍBLIA em UM ANO:
Ezequiel 24–26, 1 Pedro 2

Idoso demais?

Deus tem maneiras ilimitadas para alcançar pessoas. Por isso se você acha que não tem a habilidade de alcançar e ganhar outros para Cristo, pense na sra. Ethel Hatfield, de 76 anos. Ela desejava servir ao Senhor e perguntou ao seu pastor se podia ensinar na Escola Dominical. Ele lhe disse que a achava bem idosa para a tarefa! E ela foi para casa com o coração pesado e decepcionada.

> LEITURA:
> **Romanos 1:14-17**
>
> Vós sois a luz do mundo... Mateus 5:14

Certo dia quando Ethel estava cuidando de seu jardim de rosas, um estudante chinês da universidade próxima parou para comentar a beleza das suas flores. Ela o convidou para uma xícara de chá. Enquanto conversavam, a senhora teve a oportunidade de falar-lhe sobre Jesus e Seu amor. Ele voltou no dia seguinte com outro estudante e este retorno marcou o início do ministério dela entre os chineses.

Ethel ficou alegre em compartilhar o evangelho de Cristo com esses estudantes porque sabia que Jesus tem o poder de transformar vidas. O seu evangelho "...é o poder de Deus para a salvação de todo aquele que crê..." (ROMANOS 1:16).

Exatamente por causa da idade de Ethel, os estudantes chineses a ouviam com respeito e admiração. Quando ela morreu, um grupo de 70 cristãos chineses participou de seu funeral. Eles foram ganhos para Cristo por uma mulher da qual se dizia ser idosa demais para ensinar numa classe de Escola Dominical! 🌿 *VCG*

● *Você quer mover montanhas com a força que vem do Senhor?*
_____
_____
_____

Ninguém é idoso demais para testemunhar sobre Cristo.

26 DE NOVEMBRO

A BÍBLIA em UM ANO:
Ezequiel 27–29, 1 Pedro 3

Escondendo meu rosto

Sou viciada em notícias. Gosto de saber o que está acontecendo no mundo. Mas algumas vezes, as atrocidades fazem-me sentir como uma criança que assiste a um filme de terror. Não quero ver o que acontece. Quero desviar minha atenção.

Deus reage ao mal de forma semelhante. Anos atrás, Ele admoestou os israelitas de que esconderia Seu rosto se praticassem o mal (DEUTERONÔMIO 31:18). Eles agiram dessa forma, e o Senhor fez o que disse que faria (EZEQUIEL 39:24).

> **LEITURA:**
> **Habacuque 1:1-5**
> Tu és tão puro de olhos, que não podes ver o mal... v.13

O profeta Habacuque não abandonou a Deus, mas sofreu com os que o fizeram. Ele perguntou ao Senhor: "Por que me mostras a iniquidade e me fazes ver a opressão?..." (HABACUQUE 1:3).

A resposta de Deus ao Seu confuso profeta indica que mesmo quando o mal obscurece a Sua face, nossa incapacidade em não poder vê-lo não significa que Ele não está mais envolvido. Deus disse: "Vede entre as nações, olhai, maravilhai-vos e desvanecei, porque realizo, em vossos dias, obra tal, que vós não crereis, quando vos for contada" (v.5). Deus julgaria a Judá, mas também os invasores babilônicos pelo seu mal (HABACUQUE 2). E por meio disso tudo, "...o justo viverá pela sua fé" (2:4).

Quando os acontecimentos no mundo causam desespero, desligue as notícias e abra as Escrituras. O final da história já foi escrito por Deus. O mal não prevalecerá. 🌿

JAL

- *Você já descobriu o final da história nas Escrituras?*

Não se desespere por causa do mal; Deus terá a última palavra.

27 DE NOVEMBRO

A BÍBLIA em UM ANO:
Ezequiel 30–32, 1 Pedro 4

Dois irmãos rebeldes

A **história do filho pródigo** é na realidade a história de dois irmãos rebeldes e de seu pai amoroso. É uma história universal que representa cada membro da raça humana.

Não consigo me identificar totalmente com o filho pródigo. Para mim, viver de modo irresponsável é algo estranho. Mas a atitude de autojustiça do irmão mais velho, agora se *reproduz* em minha luta espiritual. O seu pecado talvez tenha sido mais sério do que um estilo de vida imoral, vivido abertamente. Estava escondido, mas foi fácil reconhecer, quando veio à tona.

Aqui estão suas características: ele escolheu a ira no lugar da aceitação (LUCAS 15:28). Afastou-se e não quis entrar (v.28), dizendo a seu pai: "esse teu filho" (v.30), em vez de chamá-lo de "meu irmão". Vemos claramente que ele não havia experimentado o milagre da graça.

> LEITURA:
> **Lucas 15:25-32**
>
> ...era preciso que nos regozijássemos e nos alegrássemos, porque esse teu irmão estava morto e reviveu... v.32

Contudo, o pai amava ambos os filhos incondicionalmente. Com o filho pródigo, o pai correu-lhe ao encontro dando as boas-vindas. E com o mais velho, "procurava conciliá-lo" (v.28). Não houve uma repreensão áspera, apenas alegria pelo filho mais novo e um coração que também ansiava pelo filho mais velho. Que imagem maravilhosa de como Deus nos busca com tanta graça!

Qual dos dois filhos você representa? De que maneira você tem recebido o amor imensurável de seu Pai celestial? *DJD*

● *A graça de Deus já o alcançou?*

O amor de Deus transforma filhos pródigos em santos preciosos.

28 DE NOVEMBRO

A BÍBLIA em UM ANO:
Ezequiel 33–34, 1 Pedro 5

A oração de um idoso

Você ouviu a história do homem de 85 anos que foi preso por causa das suas orações? Provavelmente sim. Trata-se da história de Daniel, um judeu idoso na Babilônia que foi sentenciado à morte por falar fielmente com Deus (DANIEL 6).

Embora aquelas orações específicas tenham levado este profeta para a cova dos leões, (6:11), essas não foram as únicas vezes que o vimos em oração.

> **LEITURA:**
> **Daniel 9:3-19**
>
> Voltei o rosto ao Senhor Deus, para o buscar com oração e súplicas... v.3

No livro de Daniel 9, lemos um exemplo de como ele buscava a Deus. Daniel havia lido em seu pergaminho de Jeremias que o cativeiro de seu povo duraria 70 anos, e o povo já estava no exílio havia 67 anos (JEREMIAS 25:8-11). Ele estava ansioso para que aquilo terminasse.

Deus havia chamado o Seu povo a viver de maneira justa, mas eles não estavam agindo dessa forma. Daniel decidiu viver corretamente, apesar da falta de fé dos israelitas. Começou a pedir que Deus não tardasse o fim do cativeiro.

Quando orava, Daniel se concentrava-se na adoração e confissão. Seu modelo de súplica nos traz um importante discernimento sobre como orar para Deus. Devemos reconhecer que Deus é "grande e temível" (9:4), que "temos pecado e procedido perversamente (v.15). Em oração, nós louvamos e confessamos.

Sigamos o exemplo de Daniel. Para ele, a oração foi tão essencial quanto a própria vida. 🌾

JDB

● *Você age como Daniel?* _____

Ninguém é mais corajoso do que um cristão, quando este está ajoelhado.

29 DE NOVEMBRO

A BÍBLIA em UM ANO:
Ezequiel 35–36, 2 Pedro 1

Tradução de Shakespeare?

Alguns especularam que **William Shakespeare** ajudou a traduzir a Bíblia na versão *King James*. Dizem que ele inseriu um criptograma (uma mensagem escrita em um código), enquanto traduzia o Salmo 46. Nesse salmo, na versão em inglês, a 46ª palavra contando do início é *shake* (abalam) e a 40.ª contando do final é *spear* (lança). Essas palavras em inglês assemelham-se ao nome dele. Apesar dessas coincidências, nenhuma evidência corrobora essa teoria.

> LEITURA:
> **2 Pedro 1:16-2:3**
>
> ...nenhuma profecia da Escritura provém de particular elucidação. v.20

Algumas pessoas também reivindicam ter encontrado significados escondidos quando interpretam a Bíblia. Certos rituais religiosos citam um versículo fora de seu contexto somente para conduzir alguém a uma teoria doutrinária herética. Alguns citam a passagem de João 14:16, por exemplo, e dizem que "conselheiro" se refere à Sua "nova revelação". Todavia, quando comparado com as outras Escrituras, o Conselheiro que Jesus nos enviou é evidentemente o Espírito Santo (JOÃO 16:7-14; ATOS 2:1-4).

O apóstolo Pedro escreveu: "nenhuma profecia da Escritura provém de particular elucidação" (2 PEDRO 1:20). Para interpretar uma passagem bíblica de forma precisa, devemos considerar sempre o contexto e compará-lo com as outras porções das Escrituras. Isto respeita o significado claro da Bíblia sem procurar encontrar nela um significado escondido. ❧

HDF

● *A Bíblia é o seu manual de conduta?* _____

O melhor intérprete da Escritura é a própria Escritura.

30 DE NOVEMBRO

A BÍBLIA em UM ANO:
Ezequiel 37–39, 2 Pedro 2

Promessa de 45 anos

Nola Ochs interrompeu seus estudos na universidade recentemente para celebrar seu 95.º aniversário. Ela começou a estudar na instituição em 1930, mas não se formou. Quando percebeu que faltavam apenas algumas matérias para conseguir o diploma, retomou seus estudos. Nola não vai permitir que a sua idade a impeça de terminar seus estudos — de honrar esse compromisso feito há tantos anos.

No livro de Josué 14, lemos que Calebe não permitiu que sua idade avançada o impedisse de crer que Deus ainda assim honraria a promessa que fizera 45 anos antes (VV.10-12). Como um dos espiões enviados para a Terra Prometida, ele viu grandes cidades habitadas por pessoas poderosas e de grande estatura (NÚMEROS 13:28-33).

> **LEITURA:**
> **Josué 14:6-13**
>
> ...o Senhor me conservou em vida, como prometeu; quarenta e cinco anos há desde que o Senhor falou esta palavra... v.10

Mas Calebe permaneceu fiel a Deus e creu que ajudaria os israelitas a conquistar a terra (14:6-9). Aos 85 anos, Calebe ainda era fisicamente forte e sua fé inabalável. Ele confiou que Deus o ajudaria a conquistar a terra, mesmo que ali morassem gigantes. Assim Josué abençoou a Calebe com a porção de terra que lhe era devida, cumprindo a promessa que o Senhor fizera há 45 anos.

Como Calebe, não devemos permitir que a idade, os nossos gigantes pessoais ou promessas ainda não cumpridas nos impeçam de crer que Deus honra a Sua palavra.

MLW

● *Você confia nas promessas e na fidelidade de Deus?*

Cada promessa de Deus é amparada por Sua garantia pessoal.

1.º DE DEZEMBRO

A BÍBLIA em UM ANO:
Ezequiel 40–41, 2 Pedro 3

Krakatoa

A maior explosão vulcânica da história moderna ocorreu em 1883. O vulcão Krakatoa, localizado numa ilha próxima da Indonésia, lançou cerca de dez quilômetros cúbicos de detritos, pedras, vegetação, animais e vidas humanas a 38 quilômetros de altura, na estratosfera. A onda de choque deu a volta ao mundo sete vezes, e os escombros atingiram Madagascar — a mais de 3.200 km de distância!

LEITURA:
2 Pedro 3:1-13

...os céus passarão com estrepitoso estrondo, e os elementos se desfarão abrasados...
v.10

Nessa época, o capitão de um navio britânico estava nas proximidades e anotou em seu diário de bordo: "Estou escrevendo isso numa escuridão total. Estamos sob chuvas contínuas de pedras-pomes e poeira. As explosões são tão violentas que os tímpanos de mais da metade de meus tripulantes se romperam [...]. Estou convencido de que o dia do juízo chegou."

Esse capitão pensou que o mundo estava acabando. A explosão parecia estar de acordo com o versículo de 2 Pedro 3:10: "...os céus passarão com estrepitoso estrondo, e os elementos se desfarão abrasados...". Todavia, por mais terrível que tenha sido o vulcão Krakatoa, ainda não era o fim do mundo.

A crise, de alguma maneira, nos sacode de nossa complacência. E lembra-nos de que esse mundo não é o nosso lar e nos encoraja a vivermos em santo procedimento e piedade (v.11). Ao parecer que o nosso mundo está se findando, devemos nos empenhar em viver para a eternidade.

HDF

● *O melhor lugar para descobrir a vontade de Deus é em Sua Palavra.*

Confiar em Deus pode transformar uma crise num tesouro.

2 DE DEZEMBRO

A BÍBLIA em UM ANO:
Ezequiel 42–44, 1 João 1

Promessa cumprida

Fora da época de campeonato nacional, os diretores e treinadores se concentram em negociações de jogadores, a fim de se prepararem para uma temporada de vitórias no próximo torneio. Mas para o torcedor de um time como o meu, não se pode esperar muita coisa, porque não saímos da série B do campeonato há muitos anos! Por isso a promessa que um novo jogador do time fez numa conferência da imprensa, soou inacreditável: "Vamos entrar para série A!" Tenho de admitir: foi difícil não duvidar dessas palavras.

> **LEITURA:**
> **Mateus 1:18-25**
>
> Ela dará à luz um filho e lhe porás o nome de Jesus, porque ele salvará o seu povo dos pecados... v.21

Não é de se admirar que os judeus dos dias de Jesus — que viviam sob o domínio da opressão romana — se perguntassem se Deus algum dia cumpriria a Sua promessa de enviar o Salvador, que perdoaria os pecados e restauraria a glória de Israel (ISAÍAS 1:26; 53:12; 61). O Senhor havia feito aquela promessa muito tempo antes, e os judeus não tinham ouvido uma palavra sequer de Deus por mais de 400 anos. Mas no devido momento, o anjo anunciou a José que Maria daria à luz um filho que salvaria "...o seu povo dos pecados deles" (MATEUS 1:21).

O Natal prova que Deus é cumpridor de Suas promessas! O Senhor disse que enviaria um Salvador, e assim Ele o fez. O seu pecado não está fora do alcance da promessa de Deus, pois o Senhor está pronto e esperando para perdoá-lo. *JMS*

● *Seu coração se alegra pelo cumprimento dessa promessa de Deus em Cristo?*

Você pode contar com isso — Deus cumpre as Suas promessas.

3 DE DEZEMBRO

A BÍBLIA em UM ANO:
Ezequiel 45–46, 1 João 2

Continue rumo ao topo

O escritor e alpinista Jon Krakauer estava determinado a alcançar o "teto do mundo", o cume do Monte Everest. Na árdua escalada em que alguns de seus companheiros morreram, ele perseverou. E alcançou o topo no dia 10 de maio de 1996.

A respeito daquele momento Krakauer escreveu: "Eu tinha uma compreensão limitada, obscura, de que [aquela extensão de terra sob meus pés] seria uma visão espetacular. Havia fantasiado por meses sobre aquele momento e a carga de emoção que o acompanharia. Mas no instante em que finalmente estava ali, pisando o cume do Monte Everest, simplesmente não conseguia juntar energia para desfrutar daquela paisagem."

> LEITURA:
> **Filipenses 3:12-21**
>
> ...crescei na graça e no conhecimento de nosso Senhor e Salvador Jesus Cristo... 2 Pedro 3:18

Os alvos temporários nunca nos satisfazem totalmente. Vemos isso no ministério de Paulo. Ele disse aos cristãos de Filipos: "prossigo para o alvo, para o prêmio da soberana vocação de Deus em Cristo Jesus" (FILIPENSES 3:14). É o alvo para o qual "...também fui conquistado por Cristo Jesus" (v.12). Ele "...transformará o nosso corpo de humilhação, para ser igual ao corpo da sua glória..." (v.21).

Esse alvo pode nos dar o incentivo mais poderoso, pois nos inspira a nos tornarmos mais e mais semelhantes a Jesus. Cada passo nessa direção alegra e satisfaz a alma. Estamos sendo zelosos, sábios e prudentes para alcançar esse alvo? ❦   *VCG*

● *Os seus alvos são apenas temporais ou visam à eternidade?*

Que o contentamento com alvos terrenos não o impeçam de alcançar lucros eternos.

4 DE DEZEMBRO

A BÍBLIA em UM ANO:
Ezequiel 47–48, 1 João 3

Compaixão ativa

Às vezes, quando chego ao escritório, encontro uma surpresa sobre a minha mesa. Há pouco tempo, encontrei uma caneca com a imagem de um girassol, presente de uma colega de trabalho. Ela a comprou, pois sabia que esse presente alegraria minha esposa. Encontrei a caneca sobre a minha mesa, com uma nota de encorajamento.

Tive o prazer de levar o presente para minha mulher, em nome dessa amiga que queria encorajá-la.

Ela poderia simplesmente ter pensado em minha esposa, ou ter falado positivamente sobre ela com alguém. Mas essas coisas nem de perto se assemelham ao encorajamento que resulta de uma ação que praticamos.

> **LEITURA:**
> **1 João 3:16-24**
>
> ...não amemos de palavra, nem de língua, mas de fato e de verdade. v.18

Na carta de 1 João 3:18, o apóstolo falou a respeito do que devemos fazer quando vemos os outros em necessidade. Ele nos disse que devemos agir com compaixão "...não amemos de palavra, nem de língua, mas de fato e de verdade". Quando vemos uma necessidade é bom falar a respeito, mas também devemos *fazer* algo. Somos instruídos a ser: "...praticantes da palavra e não somente ouvintes..." (TIAGO 1:22).

Peça que o Espírito Santo mostre alguém ao seu coração a quem você possa ajudar em nome de Jesus. Em seguida, aja. Faça a diferença, hoje. Envie um cartão, mensagem ou *email*. Dê um presente. Ofereça carona ou telefone a quem precisa. O amor em ação é verdadeiramente amor.

JDB

● *Senhor, fala com o meu coração e dá-me compaixão pelo próximo.*

A compaixão é o amor em ação.

5 DE DEZEMBRO

A BÍBLIA em UM ANO:
Daniel 1-2, 1 João 4

Paisagem transformada

Gosto demais do meu jardim. No entanto, no inverno, o frio e a geada o reduzem a uma paisagem seca, coberta de geada e sem flores.

No jardim do Éden não era assim. Era um jardim lindíssimo durante o ano todo, e ali Adão e Eva se deleitavam com a maravilhosa criação de Deus e com a alegria da perfeita harmonia com o Senhor, e entre os dois. Até Satanás entrar em cena, trazendo ervas daninhas, espinhos, destruição e morte.

> LEITURA:
> **Mateus 4:1-11**
> ...foi Jesus levado pelo Espírito ao deserto, para ser tentado pelo diabo. v.1

É impossível não observar o contraste entre a paisagem descrita em Gênesis 1 e no evangelho de Mateus, capítulo 4. O mesmo tentador, que certa vez entrou no jardim do Senhor, agora saúda o Filho de Deus em seu território — o deserto perigoso e infrutífero.

O deserto pode ser uma representação do que o mundo e a vida se tornam quando Satanás se faz presente. Com um golpe certeiro, a alegria do Éden foi substituída pela aridez da vergonha (GÊNESIS 3). Contudo, Jesus foi vitorioso no território de Satanás! (MATEUS 4). Por Sua vitória, Ele nos concede a esperança de também podermos ser vencedores, o que nos mostra que o inimigo já não prevalece. Essa vitória nos assegura de que chegará o dia em que não mais sofreremos no deserto de Satanás, pois seremos conduzidos ao céu, onde a alegria do Éden será nossa — para sempre.

E isso é algo que podemos esperar com ansiedade! JMS

● *Você está certo de que triunfará sobre o mal?*

Ao atravessar o deserto da tentação, a vitória de Cristo já é sua.

6 DE DEZEMBRO

A BÍBLIA em UM ANO:
Daniel 3-4, 1 João 5

Presentes dentro do presente

O presente de Natal favorito da Márcia, no ano passado, foi um baú antigo que recebeu de seu marido Alexandre. Dentro desse baú tinha três caixas com presentes adicionais: chocolates e joias. Ela apreciou cada mimo que havia dentro daquele presente.

Quando Deus enviou Seu Filho Jesus para ser o Salvador do mundo, Ele nos deu muitas dádivas dentro desse Presente. Quando as pessoas recebem o presente de Jesus, recebem também estas graças especiais que não poderiam obter de outra maneira:

LEITURA:
1 João 5:9-13,20

Graças a Deus pelo seu dom inefável!
2 Coríntios 9:15

Perdão dos pecados. "...temos a redenção, pelo seu sangue [em Jesus], a remissão dos pecados, segundo a riqueza da sua graça" (EFÉSIOS 1:7).

Instrução pelo Espírito Santo. Jesus prometeu: "...o Consolador, o Espírito Santo, a quem o Pai enviará em meu nome, esse vos ensinará todas as coisas e vos fará lembrar de tudo o que vos tenho dito" (JOÃO 14:26).

Vida eterna e um lar no céu. João disse: "Aquele que tem o Filho tem a vida..." (1 JOÃO 5:12). Jesus prometeu: "Na casa de meu Pai há muitas moradas [...]. Pois vou preparar-vos lugar" (JOÃO 14:2).

Um amor inigualável. "Como o Pai me amou, também eu vos amei [...]. Ninguém tem maior amor do que este: de dar alguém a própria vida em favor dos seus amigos" (JOÃO 15:9,13).

Você já recebeu o Presente indescritível de Deus? É necessário somente pedi-lo.

AMC

● *Você já fez, pessoalmente, o pedido desse presente ao Senhor?*

Jesus é o presente e o doador de toda boa dádiva.

7 DE DEZEMBRO

A BÍBLIA em UM ANO:
Daniel 5–7, 2 João

Mude seu nome

Os nomes são importantes. Os pais podem passar meses investigando e procurando decidir qual o nome perfeito para o seu bebê. E muitas vezes a decisão final é baseada no som, na singularidade ou significado.

Uma mulher adotou um nome novo porque não gostava do seu nome original. Ela acreditava, de forma errônea, que ao mudar de nome poderia alterar o seu destino. Isso é improvável, mas naqueles que confiam em Jesus Cristo como seu Salvador — e a partir disso são identificados pelo Seu nome — *ocorre* uma transformação radical.

> **LEITURA:**
> **Atos 3:1-16**
>
> ...Todo aquele que invocar o nome do Senhor será salvo.
>
> Romanos 10:13

Há um significado poderoso vinculado ao nome de Jesus. Os apóstolos realizaram milagres (ATOS 3:6,7,16; 4:10) e expeliram demônios em Seu nome (LUCAS 10:17). Eles falaram e ensinaram no nome de Jesus. Batizaram os que criam no nome de Jesus (ATOS 2:38). E é somente por meio do nome de Jesus que temos acesso ao Pai (ATOS 4:12).

Quando nos tornamos cristãos, compartilhamos desse nome tão valioso. E, ao seguirmos a Cristo, podemos irradiar Sua luz em qualquer escuridão que encontrarmos, seja ela em nossa vizinhança, local de trabalho ou até em nosso lar. Nossa oração deve ser para que, quando nos olharem vejam *Cristo*.

Os nossos nomes podem ter seu significado ou importância, mas o fato de nos identificarmos como cristãos envolve uma experiência de transformação de vida. 🌱

CHK

● *Ao irradiar a luz do Senhor, os que o cercam reconhecem essa transformação?* _____

O nome de Jesus é o único nome com poder para transformar.

Pão Diário, volume 20

8 DE DEZEMBRO

A BÍBLIA em UM ANO:
Daniel 8–10, 3 João

Estamos vendendo tudo?

Será que nos "vendemos", como fez Esaú? (HEBREUS 12:16). Será que a sedução da riqueza, poder, prestígio, posição, segurança, estilo ou a aprovação e o elogio dos outros nos levaram a trocar as riquezas de Deus por uma simples refeição?

Esaú tentou influenciar seu pai para receber a herança que havia perdido por sua precipitação, mas não conseguiu desfazer o dano que tinha causado. Ele teve que viver com a consequência de sua decisão. Também não podemos cancelar ou reverter os erros que cometemos contra nós ou contra outros.

LEITURA:
Hebreus 12:12-17

...Esaú, o qual, por um repasto, vendeu o seu direito de primogenitura. v.16

Embora o passado seja irrevogável, pode haver um novo dia a nossa frente, repleto de novas chances, oportunidades e expectativas. Deus não irá refazer o passado. Porém, quando nos arrependemos, Ele pode e quer nos perdoar e colocar num novo caminho.

O Senhor pode nos dar oportunidades de demonstrar de que maneira verdadeiramente nos arrependemos das decisões do passado e o quanto ansiamos servi-lo nas decisões futuras. Ele nunca mencionará as ações com as quais envergonhamos os outros e a nós mesmos; elas foram perdoadas e esquecidas para sempre.

Deus nos dará um lugar para recomeçar — amar, servir, tocar a vida de outros de maneira profunda e eternamente, por amor ao Senhor. Isto demonstra a grandeza do amor perdoador de nosso Pai celestial por nós.

DHR

- Você está pronto a transformar os erros do passado em bênçãos atuais?

O perdão de Deus é a porta para um novo começo.

9 DE DEZEMBRO

A BÍBLIA em UM ANO:
Daniel 11–12, Judas

Natal triste

Um número crescente de igrejas está celebrando anualmente o culto do Natal, respeitando, em especial, os que enfrentam sofrimento e perdas. A ênfase na alegria e regozijo nessa época do ano muitas vezes faz as pessoas que estão lidando com tristezas intensas se sentirem ainda pior.

Um artigo de jornal citou um pastor que descreveu esse tipo de culto do Natal como "uma oportunidade para as pessoas virem e estarem na presença de Deus, e reconhecerem a sua dor, desespero e solidão para entregá-los a Deus". Um participante acrescentou: "E é um bom lugar para chorar, pois ninguém se perturbará com isso."

> **LEITURA:**
> **Isaías 53:1-6**
>
> Certamente, ele tomou sobre si as nossas enfermidades e as nossas dores levou sobre si... v.4

Durante a época do Natal, lemos frequentemente as profecias de Isaías sobre a vinda do Messias que nasceria de uma virgem (ISAÍAS 7:14) e seria chamado de "...Maravilhoso Conselheiro, Deus Forte, Pai da Eternidade, Príncipe da Paz" (9:6). Mas talvez deveríamos incluir as palavras em Isaías 53: "...homem de dores e que sabe o que é padecer [...]. Certamente, ele tomou sobre si as nossas enfermidades e as nossas dores levou sobre si [...] pelas suas pisaduras fomos sarados" (vv.3-5). O salmista nos lembra de que Ele "...sara os de coração quebrantado e lhes pensa as feridas" (SALMO 147:3).

Se você estiver sofrendo neste Natal, lembre-se: Jesus veio para nos salvar, ajudar e curar. 🌿

DCM

● *Você já entregou os seus fardos a Jesus?* _____

Jesus provê um oásis de graça no deserto da tristeza.

10 DE DEZEMBRO

A BÍBLIA em UM ANO:
Oseias 1–4, Apocalipse 1

Seja uma estrela

Muitos buscam ser famosos, tentando estar em evidência na mídia. Mas um jovem prisioneiro judeu alcançou isso de forma melhor.

Quando Daniel e seus amigos foram levados cativos por uma nação cruel e invasora, era improvável que se ouvisse deles novamente. Porém, eles logo se distinguiram por serem inteligentes e dignos de confiança.

LEITURA:
Mateus 2:1-12

...os que a muitos conduzirem à justiça, [resplendecerão] como as estrelas, sempre e eternamente.
Daniel 12:3

O rei teve um sonho que os seus homens sábios não conseguiram repetir nem interpretar, e ele os condenou à morte. Depois de uma noite de orações com seus amigos, Deus revelou o sonho e sua interpretação a Daniel. Com isso, o rei o promoveu a seu principal conselheiro (DANIEL 2).

Se a história terminasse ali, já seria suficientemente notável. Mas alguns estudiosos creem que a influência de Daniel na Babilônia conscientizou as pessoas das profecias messiânicas sobre o Salvador que nasceria em Belém. Os ensinamentos deste profeta podem ter motivado, 500 anos mais tarde, que os homens sábios do Oriente seguissem a estrela a uma parte pouco familiar e remota do mundo, para encontrar o menino rei, adorá-lo e retornar ao seu país com as boas-novas da incrível vinda de Deus a esta terra (MATEUS 2:1-12).

Ao conduzir outros à retidão, nós — à semelhança de Daniel, podemos nos tornar estrelas que brilharão para sempre. JAL

- *Você pode abençoar alguém ainda hoje?*

Você pode atrair pessoas a Jesus quando a luz dele irradiar em você.

11 DE DEZEMBRO

A BÍBLIA em UM ANO:
Oseias 5–8, Apocalipse 2

Ricamente abençoada

No jardim em frente à minha casa, as aceráceas ou bordos são as últimas árvores a perder as folhas no outono. Assim, num dia gelado, eu estava resmungando para mim mesmo enquanto varria e ensacava as últimas folhas.

De repente, ouvi uma voz alegre dizendo: "Bom dia!" A mulher que faz a leitura do nosso medidor de gás se aproximou, despercebida. Eu perguntei: "Como vai você nesta manhã cinzenta?"

"Ricamente abençoada", respondeu-me com um sorriso. Depois de um pequeno ajuste em meu humor e comportamento, falei: "Eu também. Deus não é maravilhoso?"

LEITURA:
Salmo 33:1-9

...a terra está cheia da bondade do SENHOR. v.5

Ela respondeu: "Certamente. Você também crê em Jesus?" Confirmei que sim e acrescentei: "Ele tem preenchido minha vida com bênçãos."

Essa pequena conversa não somente melhorou o meu humor, mas também lembrou-me de que nós, os que cremos em Cristo, somos abençoados além de qualquer medida. Depois que essa irmã em Cristo foi embora, o céu não parecia mais tão escuro nem o vento tão gelado; varrer as folhas tornou-se menos cansativo. O Senhor havia usado uma companheira cristã para voltar minha atenção a Ele e para que eu enxergasse a Sua bondade (SALMO 33:5).

Os cristãos fazem parte de uma comunidade. Vamos encorajar uns aos outros. Nunca sabemos quando um peregrino companheiro pode necessitar de um lembrete da bondade de Deus. DCE

● *Você está disposto a compartilhar o amor de Deus com os outros, em qualquer situação?*

A fé na bondade de Deus coloca uma canção em seu coração.

12 DE DEZEMBRO

A BÍBLIA em UM ANO:
Oseias 9–11, Apocalipse 3

Orações perdidas

A manchete dizia: "Orações não respondidas — cartas a Deus jogadas no oceano foram encontradas." Eram 300 cartas enviadas a um pastor que já havia falecido, e que tinham sido atiradas no oceano, a maioria delas sem ter sido abertas. O pastor já tinha falecido havia muito tempo. Como as cartas chegaram à beira-mar flutuando é um mistério.

> LEITURA:
> **Salmo 86:1-7**
> **No dia da minha angústia, clamo a ti, porque me respondes.** v.7

Elas estavam endereçadas ao pastor porque ele havia prometido orar. Algumas delas foram escritas por motivos fúteis: outras por cônjuges angustiados, crianças ou viúvas. Elas derramavam seus corações perante Deus, pedindo ajuda para parentes viciados em drogas e álcool ou a cônjuges que os traíam. Uma senhora pediu a Deus um esposo que fosse um pai para amar seu filho. O repórter concluiu que todas essas orações não tinham sido respondidas.

De maneira alguma! Se as pessoas que as escreveram clamaram a Deus, Ele ouviu cada uma delas. Nenhuma oração honesta está perdida aos ouvidos do Senhor. Davi escreveu em meio a uma profunda crise: "Na tua presença, Senhor, estão os meus desejos todos, e a minha ansiedade não te é oculta" (SALMO 38:9). Davi compreendeu que podemos lançar todas as nossas ansiedades sobre o Senhor, mesmo que ninguém ore por nós. Ele concluiu com confiança: "No dia da minha angústia, clamo a ti, porque me respondes" (86:7).

DHR

● *As suas preocupações já foram colocadas na presença do Senhor?*

Jesus ouve nosso mais fraco clamor.

13 DE DEZEMBRO

A BÍBLIA em UM ANO:
Oseias 12–14, Apocalipse 4

Pagar para o de trás?

Você pagaria a conta para as pessoas que estão no carro atrás de você, no *drive-thru* de uma lanchonete — mesmo sem conhecê-las?

Esse foi o desafio que uma estação de rádio local lançou, para transformar a comunidade. Foi chamada de "A diferença no *drive-thru*". O alvo era promover um ato de bondade, à semelhança de Cristo, para pessoas que não o esperavam e deixar uma nota dizendo que estavam fazendo isso por causa de seu amor a Cristo.

Por que fazer isto? Por que gastar dinheiro com a comida de alguém — especialmente alguém que nem conhecemos e que pode ser hostil à fé? Por que dar sem esperança de retorno? Isso soa contracultura, mas a ideia tem uma forte base bíblica.

> **LEITURA:**
> **Lucas 6:27-36**
>
> Se fizerdes o bem aos que vos fazem o bem, qual é a vossa recompensa?... v.33

Observe o que Jesus disse ao dirigir-se a uma grande multidão: "Se amais os que vos amam, qual é a vossa recompensa? Porque até os pecadores amam aos que os amam. Se fizerdes o bem aos que vos fazem o bem, qual é a vossa recompensa?" (LUCAS 6:32,33). Com certeza, Jesus quer que façamos o bem a pessoas que não têm nenhum recurso para nos pagar de volta.

Se estivermos pagando a conta de alguém ou colocando moedas na *caixinha* de uma organização de assistência social, devemos nos preocupar em ofertar com generosidade — quer isso nos traga alguma recompensa ou não. Em nome de Jesus, a quem você pode abençoar hoje?

JDB

● *Você quer compartilhar o que recebeu de graça?* ____

A motivação para dar revela o caráter do doador mais do que a própria dádiva.

14 DE DEZEMBRO

A BÍBLIA em UM ANO:
Joel 1–3, Apocalipse 5

Fatos da vida

Parece que a maioria das nossas lutas referem-se a querer algo que não temos ou a possuir algo que não queremos.

Nossos mais profundos anseios e nossos maiores desafios estão profundamente enraizados em tentar ver a mão de Deus nesses dois fatos da vida. É exatamente ali que começa o relato de Lucas a respeito do nascimento de Jesus.

A idosa Isabel ansiava por gerar um bebê. Todavia, para a jovem noiva Maria, a gravidez poderia ser uma desgraça. Mas quando ambas souberam que teriam um bebê, aceitaram a notícia com fé em Deus, que havia escolhido o momento perfeito, e para quem nada é impossível (LUCAS 1:24,25,37,38).

> LEITURA:
> **Lucas 1:24-38**
> ...Aqui está a serva do Senhor; que se cumpra em mim conforme a tua palavra... v.38

Quando lemos a história do Natal, talvez fiquemos chocados com o verdadeiro contexto de vida das pessoas cujos nomes se tornaram tão familiares. Embora Zacarias e Isabel sofressem com o estigma cultural de não terem filhos, eles foram elogiados porque "Ambos eram justos diante de Deus, vivendo irrepreensivelmente em todos os preceitos e mandamentos do Senhor" (v.6). E o anjo disse para Maria que ela achou graça diante de Deus! (v.30).

O exemplo deles nos mostra o valor de um coração que confia e aceita os caminhos misteriosos de Deus e a presença de Sua mão poderosa sem se importar quão perplexas possam ser as nossas circunstâncias. ❦

DCM

● *A sua vida está à disposição do Senhor?*

Para o cristão, a confiança deve acompanhar a provação.

15 DE DEZEMBRO

A BÍBLIA em UM ANO:
Amós 1–3, Apocalipse 6

Precisamos de Deus e das pessoas

Enquanto promovia o filme *Rocky Balboa*, em 2006, Sylvester Stallone surpreendeu os cristãos com uma revelação. Ele disse que a sua fé em Jesus Cristo não apenas influenciara o roteiro do primeiro filme *Rocky*, mas que a sua decisão de criar o último filme foi inspirada em sua recém-afiliação ao cristianismo. Como parte dessa transformação, Stallone compreendeu que, anteriormente, uma escolha infeliz havia orientado a sua vida — a autossuficiência. Ele diz: "Você precisa da experiência e da orientação de outra pessoa." Stallone aprendeu algo que muitas pessoas estão começando a reconhecer — precisamos de Deus e de outras pessoas.

> LEITURA:
> **Eclesiastes 4:9-12**
>
> Escuta, Rei meu e Deus meu, a minha voz que clama, pois a ti é que imploro.
> Salmo 5:2

A Bíblia confirma isso. Davi expressou sua confiança em Deus por meio de seu grito de socorro e ao clamar a Deus em oração. "Escuta, Rei meu e Deus meu, a minha voz que clama, pois a ti é que imploro" (SALMO 5:2). E no livro de Eclesiastes lemos que Salomão encorajou a devida confiança em outras pessoas. Na verdade, ele disse que ajudar um ao outro pode nos fortalecer, no entanto o individualismo e a autoconfiança são perigosos e nos enfraquecem. Duas pessoas que fazem algo em conjunto são melhores do que um indivíduo autoconfiante (ECLESIASTES 4:9-12).

Deus nos deu uns aos outros. Vamos confiar intensamente no poder divino e receber a ajuda de outras pessoas. *MLW*

● *A comunhão com outros servos de Cristo o ajuda na caminhada diária com Ele?*

Podemos ir muito mais longe juntos do que sozinhos.

16 DE DEZEMBRO

A BÍBLIA em UM ANO:
Amós 4–6, Apocalipse 7

Um momento *Selá*

O rei Davi proclamou: "...O SENHOR dos Exércitos, ele é o Rei da Glória" (SALMO 24:10). A palavra *Selá* foi acrescentada mais tarde no final desse salmo e de muitos outros. Alguns creem que se refere a um interlúdio instrumental, porque os salmos muitas vezes foram escritos para a música. Os estudiosos da Bíblia também sugerem outros possíveis significados, incluindo: silêncio, pausa, interrupção, ênfase, exaltação ou fim.

LEITURA:
Salmo 24:1-10

...O SENHOR dos Exércitos, ele é o Rei da Glória! v.10

Refletir sobre essas palavras pode ajudar-nos a ter um "momento *Selá*", para parar e adorar a Deus durante o dia.

Aquiete-se! e ouça a voz de Deus (SALMO 46:10).

Faça uma pausa em sua agenda agitada para revigorar a alma (SALMO 42:1,2).

Interrompa o dia para fazer um inventário espiritual e ser purificado (SALMO 51:1-10).

Enfatize a alegria da provisão de Deus, por meio da gratidão (SALMO 65:9-13).

Exalte o nome de Deus pelas orações respondidas, apesar das decepções (SALMO 40:1-3).

Termine o dia refletindo sobre a fidelidade do Senhor (SALMO 119:148).

A meditação de Davi a respeito de Deus incluiu um momento *Selá*. Seguir o seu exemplo nos ajudará a adorar nosso Senhor no decorrer de todo o dia.

HDF

● *Você pode declarar ao mundo que o Senhor é um Deus de amor e misericórdia?*

Nenhum dia é completo sem adoração.

17 DE DEZEMBRO

A BÍBLIA em UM ANO:
Amós 7–9, Apocalipse 8

Alegre para sempre

O colunista de um renomado jornal ofereceu aos seus leitores "Nove dicas para investir na felicidade". Surpreendentemente, uma de suas sugestões foi exatamente a mesma que é dada no antigo hino favorito de Johnson C. Oatman: "Conta as bênçãos" (CC 329). Oatman nos incentiva a não nos determos nas riquezas de nosso próximo, mas nos concentrarmos nas muitas bênçãos que já possuímos. Esse é um conselho sábio, dado para compreendermos que nossa riqueza espiritual em Jesus é imensuravelmente mais valiosa do que qualquer bem material.

> **LEITURA:**
> **1 Timóteo 6:6-16**
>
> ...sendo rico, se fez pobre por amor de vós, para que [...] vos tornásseis ricos.
>
> 2 Coríntios 8:9

Deus não nos deu a Bíblia como guia para a felicidade, porém, ela destaca como podemos ser eternamente alegres e como podemos experimentar alegria em nosso caminho para a felicidade eterna. Assim, é instrutivo comparar a verdade bíblica com os conselhos de senso comum.

Paulo escreveu a Timóteo: "...grande fonte de lucro é a piedade com o contentamento" (1 TIMÓTEO 6:6). O apóstolo queria que o seu protegido compreendesse que ser grato pelas coisas básicas da vida o ajudaria a guardá-lo da armadilha da cobiça.

Por isso, vamos nos concentrar nas maravilhas da graça de Deus, exercitando-nos para que a atitude da gratidão esteja presente em nossa vida. Essa é a maneira de experimentarmos a alegria hoje e sermos alegres, para sempre. *VCG*

● *Conte as suas bênçãos — aquelas que nenhum dinheiro pode comprar. E agradeça-as ao Senhor.*

Comece a contar as muitas bênçãos e logo você perderá a conta.

Rãs e mais rãs

Maria recebeu uma rã de cerâmica como presente de aniversário de um colega, e colocou-a em sua mesa, para ser vista por todos. Alguns de seus colegas de trabalho acharam que ela gostava de rãs e, por isso, começaram a dar-lhe itens em formato de rãs no Natal, aniversários e celebrações especiais. Seu escritório logo se encheu de "rãs": canetas, velas, adesivos, cartazes, canecas.

Depois que Maria deixou a companhia, uma amiga perguntou-lhe o que ela havia feito com as rãs. Ela respondeu: "Bem, na verdade não gosto de rãs, por isso doei todas."

> LEITURA:
> **Salmo 139:1-12**
> **Senhor, tu me sondas e me conheces.** v.1

Os outros têm boas intenções, mas nem sempre nos conhecem muito bem. E nunca nos conhecerão como Deus nos conhece. Somos um livro aberto para Ele — não há nada a nosso respeito que possa ser escondido do Senhor. O Salmo 139 nos ensina:

• Deus sabe tudo o que fazemos (v.2). Ele conhece todas as atividades do nosso dia e cada detalhe de nossa agenda.
• Deus sabe tudo o que pensamos (v.2) — o bem e o mal, o que é benéfico e o que é impuro.
• Deus conhece todos os lugares onde vamos — "...conheces todos os meus caminhos" (v.3).
• Deus sabe tudo o que dizemos (v.4).

Ele nos conhece melhor do que nós mesmos. É confortante saber que somos conhecidos de maneira tão íntima por nosso Senhor — mesmo com todas as nossas falhas — e ainda assim sermos tão amados!

AMC

• *Não é maravilhoso saber que Deus nos ama, apesar do que somos?*

Cristo conhece suas necessidades, seu nome e seu rosto.

19 DE DEZEMBRO

A BÍBLIA em UM ANO:
Jonas 1–4, Apocalipse 10

Um verdadeiro Natal

Uma **citação no guia de celebrações** para a época natalina, em nossa igreja, levou-me a refletir sobre o meu modo de ver o Natal:

"Vamos evitar, a todo custo, cair na tentação de fazer do Natal um escape do estresse e da tristeza da vida e transformá-lo, em nossa mente, num reino de beleza irreal. Cristo veio a um mundo real, a uma cidade onde não havia lugar para Ele, e a um país onde Herodes, o assassino de inocentes, era rei.

> LEITURA:
> **Lucas 2:25-35**
>
> ...este menino está destinado [...] para levantamento de muitos em Israel e para ser alvo de contradição. v.34

Ele vem a nós, não para nos defender da crueldade do mundo, mas para dar-nos a coragem e força de suportá-la; não para arrancar-nos do conflito da vida por meio de um milagre, mas para dar-nos paz — a Sua paz — em nossos corações. Por meio dela, podemos permanecer firmes e calmos enquanto o conflito seguir rugindo, e sermos capazes de trazer a este mundo despedaçado a cura, que é a paz".

Quando Maria e José apresentaram o menino Jesus ao Senhor, Simeão os abençoou e disse-lhes: "...Eis que este menino está destinado tanto para ruína como para levantamento de muitos em Israel e para ser alvo de contradição [...] para que se manifestem os pensamentos de muitos corações" (LUCAS 2:34,35).

O Natal não é um retiro da realidade, mas significa adentrar essa realidade junto ao Príncipe da Paz. *DCM*

● *Você já conhece essa paz que supera todo o entendimento?*

Jesus veio para trazer luz a um mundo de trevas.

20 DE DEZEMBRO

A BÍBLIA em UM ANO:
Miqueias 1–3, Apocalipse 11

Fazer o bem

José era um militar de confiança, e chegou à posição de coronel das forças especiais no exército de seu país. Isso lhe trouxe grandes oportunidades, para o bem e para o mal.

Quando foi enviado a uma região dominada pelo tráfico de drogas, a intenção de José era trazer justiça àquela área problemática. Ele e suas tropas começaram a enfrentar os criminosos, a fim de proteger as pessoas. Alguns de seus superiores eram corruptos e aceitavam subornos dos traficantes de drogas e, ordenaram que ele fechasse os olhos para alguns crimes. Ele se recusou continuamente, até ser preso, por oito anos — por praticar o bem.

> **LEITURA:**
> **1 Pedro 3:8-17**
>
> ...se for da vontade de Deus, é melhor que sofrais por praticardes o que é bom do que praticando o mal. v.17

Infelizmente, vivemos num mundo onde às vezes fazer o bem traz sofrimento. Isso se deu no caso desse militar; o pagamento por servir o seu povo foi uma prisão injusta.

O apóstolo Pedro, que também foi preso por fazer o bem, compreendeu esse tipo de desgosto. Ele nos deu esta perspectiva: "...porque, se for da vontade de Deus, é melhor que sofrais por praticardes o que é bom do que praticando o mal" (1 PEDRO 3:17).

À medida que José compartilhava o que Deus lhe ensinou na prisão, entendi que a justiça de Deus não é obstruída pela maldade dos homens. Fazer o bem ainda é agradável aos Seus olhos —mesmo quando, por isso, somos maltratados pelo mundo que nos cerca.

WEC

● *Você quer honrar o Senhor praticando o bem sem hesitação sempre?*

A alegria de fazer o bem talvez seja a nossa única recompensa aqui, mas vale a pena!

21 DE DEZEMBRO

A BÍBLIA em UM ANO:
Miqueias 4–5, Apocalipse 12

Resposta surpreendente de Deus

"**Oh! Se fendesses os céus e descesses!** [...] para fazeres notório o teu nome aos teus adversários, de sorte que as nações tremessem da tua presença!", rogou o profeta Isaías a Deus (ISAÍAS 64:1-3).

Este profeta queria que Deus agisse como tinha agido no passado. Ao relembrar as Escrituras, quando Deus visitou a Moisés no Monte Sinai, Isaías ansiava a mesma atuação.

LEITURA:
Isaías 42:1-9

Oh! Se fendesses os céus e descesses!... Isaías 64:1

Porém, Deus já havia dito ao profeta que faria algo novo: "Eis que as primeiras predições já se cumpriram, e novas coisas eu vos anuncio" (42:9).

O "algo novo" era Jesus! Deus de fato desceu dos céus. Mas não durante o tempo de vida de Isaías. E também não da forma dramática que o profeta pediu. "Não clamará, nem gritará, nem fará ouvir a sua voz na praça" (42:2). Ele veio na forma modesta de um menino.

Assim como eu, muitas pessoas podem lembrar de uma situação em que Deus se fez presente ao responder a uma de nossas necessidades na hora em que esperávamos. Como Isaías, também queremos que Deus faça mais do mesmo. Mas talvez o Senhor tenha algo melhor em mente. Ao celebrar a descida humilde de Deus a este mundo, reconheça que Ele veio para transformar os nossos corações, e não apenas as nossas circunstâncias.

JAL

● *Por que muitos não reconhecem Jesus como o Salvador nos dias atuais?*

As respostas de Deus às nossas orações podem exceder nossas expectativas.

22 DE DEZEMBRO

A BÍBLIA em UM ANO:
Miqueias 6–7, Apocalipse 13

Onde está a coleira?

Recentemente, quando saímos para saborear comida chinesa com amigos, observei que um homem passeava com o seu cachorro em frente ao restaurante. Normalmente, eu não olharia duas vezes. Mas o dono do cachorro havia colocado a coleira e dobrado em forma do número oito na boca do cachorro.

Meus amigos explicaram que naquela cidade era proibido caminhar com um cachorro sem a coleira. O dono esperto daquele cachorro achou uma brecha — a lei não estipulava que você teria que segurar a corda! A parte impressionante não é a brecha da lei, mas o fato de o cachorro caminhar obedientemente ao lado do dono, embora pudesse ter fugido para perseguir algum pequeno animal das redondezas.

> **LEITURA:**
> **Miqueias 6:1-8**
>
> ...o SENHOR pede de ti: que pratiques a justiça, e ames a misericórdia, e andes humildemente com o teu Deus. v.8

Nosso caminhar com Deus precisa ser assim. Embora Deus, em Sua misericórdia, nos tenha dado um guia, raras vezes Ele nos dá um "puxão espiritual". O Senhor não tem prazer em aplicar força para manter-nos na linha. Ele se alegra quando caminhamos rendidos à Sua vontade.

Quando Israel queixou-se ao profeta Miqueias, achando muito difícil agradar a Deus, o Senhor respondeu de forma direta e simples sobre como agradá-lo. Ele se agrada quando praticamos a justiça, amamos a misericórdia, e quando caminhamos humildemente com o Senhor (6:8). Você reconhecerá que Ele está contente, quando Ele não tiver que frear suas ações. 🌱

JMS

- *Você está disposto a render-se sempre à vontade do Senhor?*

Encontre a verdadeira liberdade caminhando obedientemente com Deus.

23 DE DEZEMBRO

A BÍBLIA em UM ANO:
Naum 1–3, Apocalipse 14

Guardada nos céus

Meu amigo investiu seu tempo por diversos meses reparando um velho jipe. Ele o guardava em sua garagem, com cadeado e chave para usá-lo nas redondezas. Quando chegou o Natal, pensou: *Não há lugar melhor para esconder o presente de minha filha Kátia.*

Pouco antes do Natal, alguém perguntou a Kátia o que ela receberia de presente. Ela respondeu: "Oh, eu já tenho o meu presente. É uma bicicleta que está numa caixa debaixo do jipe velho, na garagem!"

LEITURA:
1 Pedro 1:3-12

...uma herança incorruptível, sem mácula, imarcescível, reservada nos céus para vós outros... v.4,5

Eu não sei que métodos Katie usou para descobrir o seu presente, mas admiro a sua inabalável confiança de que a bicicleta era sua, embora não a tivesse recebido ainda.

Essa confiança recorda-me das palavras do apóstolo Pedro: "[Deus] ...nos regenerou para uma viva esperança, mediante a ressurreição de Jesus Cristo dentre os mortos, para uma herança incorruptível, sem mácula, imarcescível, reservada nos céus para vós outros que sois guardados pelo poder de Deus, mediante a fé, para a salvação preparada para revelar-se no último tempo" (1 PEDRO 1:3-5).

O que está reservado para nós? Nossa herança — o céu é um legado que ultrapassa qualquer descrição e se fundamenta na certeza da vida eterna, a qual "...Deus que não pode mentir prometeu antes dos tempos eternos" (TITO 1:2). DHR

● *A esperança do céu é uma certeza em seu coração?*

O futuro de um cristão é tão brilhante quanto as promessas de Deus.

24 DE DEZEMBRO

A BÍBLIA em UM ANO:
Habacuque 1–3, Apocalipse 15

O homem esquecido

Em meio a todas as atividades natalinas, frequentemente esquecemos de um homem. Embora muitas vezes falhemos em dar a Jesus o primeiro lugar que Ele merece, geralmente não o esquecemos. Eu estou falando de José — o homem no qual Deus confiava tanto, que colocou Seu filho em seu lar, para que ele o amasse e cuidasse dele. Que responsabilidade!

> **LEITURA:**
> **Mateus 1:18-25**
>
> **Confia no SENHOR de todo o teu coração...**
> Provérbios 3:5

José realmente é o homem esquecido na história do Natal. No entanto, sua tarefa foi um componente importante no plano excepcional de Deus. Quando lemos a história do nascimento de Jesus, vemos que José era justo, íntegro, misericordioso, protetor e corajoso. Mas, acima de tudo — ele era obediente. Quando o anjo lhe instruiu que recebesse Maria como esposa, ele obedeceu (MATEUS 1:24). E quando o anjo lhe ordenou que fugisse para o Egito com Maria e Jesus, José assim o fez (2:13,14).

Assim como Maria foi cuidadosamente escolhida para dar à luz ao Filho de Deus, José foi escolhido deliberadamente para prover o necessário para a sua jovem esposa e para Cristo, o bebê. E, confiando em Deus, José fez tudo o que Ele lhe pediu.

O que o Senhor está pedindo de você, hoje? Você está disposto a comprometer-se e fazer tudo o que Ele quer?

Podemos aprender muito a respeito da obediência com José, o homem esquecido do Natal.

CHK

- *É minha a escolha de obedecer ao Senhor?*

A prova de nosso amor a Deus é nossa obediência aos Seus mandamentos.

25 DE DEZEMBRO

A BÍBLIA em UM ANO:
Sofonias 1-3, Apocalipse 16

A árvore das bênçãos

Li a respeito de um casal jovem cujos negócios falharam e eles tinham pouco dinheiro para investir em comemorações no Natal. Eles teriam de sair de sua casa depois do Ano Novo, mas não queriam estragar a época natalina por causa disso. Então decidiram fazer uma festa. Quando chegaram os convidados, viram uma árvore decorada com um único cordão de luzes e pequenos papéis enrolados, amarrados aos galhos com fitas.

> **LEITURA:**
> **Lucas 1:46-55**
>
> ...porque o Poderoso me fez grandes coisas. Santo é o seu nome. v.49

Sorrindo de alegria, eles disseram: "Essa é nossa "árvore das bênçãos"! Apesar dos tempos difíceis, Deus nos abençoou de tantas maneiras que decidimos dedicar nossa árvore a Ele. Cada pedaço de papel descreve uma bênção que Ele nos deu este ano."

Esse casal enfrentou outras provações desde então, mas escolheram permanecer firmes no Senhor. E muitas vezes comentam que o Natal com a "árvore das bênçãos" foi um dos mais bonitos, porque puderam testemunhar como Maria tinha feito: "...e o meu espírito se alegrou em Deus, meu Salvador [...] porque o Poderoso me fez grandes coisas..." (LUCAS 1:47-49).

Quaisquer que sejam as dificuldades, elas não precisam estragar o seu Natal, pois nada pode roubar-lhe as bênçãos de estar em Cristo! Fique perto de Jesus e busque maneiras de compartilhar suas bênçãos com outros — quem sabe por meio da sua própria "árvore das bênçãos".

JEY

- *Quais as bênçãos que você pode compartilhar neste Natal?*

Para dar sentido ao Natal, dê o primeiro lugar a Cristo.

26 DE DEZEMBRO

A BÍBLIA em UM ANO:
Ageu 1–2, Apocalipse 17

Ainda novo

Você já percebeu quão rapidamente as coisas ficam velhas ou ultrapassadas?

Eu pensei nisso num dia em que estava lecionando à minha turma na faculdade cristã. A escola está na vanguarda, pois oferece um *tablet* a cada aluno. Não faz muito tempo, o fato de se ter computadores na biblioteca de uma universidade já era uma inovação. Depois a inovação foi colocar computadores nos dormitórios. Porém, um dia, até mesmo os *tablets* portáteis vão se tornar obsoletos.

> LEITURA:
> **1 Coríntios 15:1-8**
>
> ...o evangelho que vos anunciei, o qual recebestes e no qual **ainda perseverais.** v.1

Tudo o que o homem cria se torna obsoleto com o tempo. Mas isso não acontece com o evangelho. Ele tem mais de 2 mil anos. E, embora existam muitas traduções atualizadas da Bíblia, o evangelho ainda é tão relevante hoje quanto na época em que foi escrito.

O evangelho é este: Jesus Cristo veio ao mundo, viveu uma vida perfeita, entregou Sua vida ao ser sacrificado na cruz, foi sepultado num túmulo emprestado e ressuscitou dos mortos três dias mais tarde (1 CORÍNTIOS 15:1-4). Ele tomou nossos pecados sobre si e, por isso, pode perdoar os pecados e tornar-nos filhos de Deus, se colocarmos nossa fé e confiança nele (ATOS 13:38,39).

Permita que a maior história já contada o transforme — para sempre. É a história que nunca envelhece.

JDB

● Você crê que o poder do evangelho nunca muda?

O evangelho nunca envelhece.

27 DE DEZEMBRO

A BÍBLIA em UM ANO:
Zacarias 1–4, Apocalipse 18

Histórias de família

Em um de seus livros, Mary Pipher dá conselhos sobre como reconstruir famílias. Ela aborda o tempo excessivo que algumas crianças passam diante da TV e de *video-games*, em detrimento das instruções informais que receberiam do círculo mais amplo da família.

Ela dá um exemplo de reunião de família em que as crianças recebem um vídeo e o assistem para que os adultos possam conversar despreocupados. A dra. Pipher crê que essa diversão, na realidade, prive as crianças de algo importante: estarem junto às gerações mais velhas, para ouvir suas histórias. Isso as ajuda a aprender daqueles que as antecederam.

LEITURA:
Josué 4:1-9

...Estas pedras serão, para sempre, por memorial aos filhos de Israel. v.7

O Antigo Testamento dá grande valor em ensinar as crianças sobre a sua herança espiritual. Após Deus ter dividido as águas do rio Jordão, Josué foi instruído a tomar 12 pedras do rio para fazer um memorial para as gerações futuras. "...quando vossos filhos, no futuro, perguntarem, dizendo: Que vos significam estas pedras?, então, lhes direis que as águas do Jordão foram cortadas diante da arca da Aliança do SENHOR [...]. Estas pedras serão, para sempre, por memorial aos filhos de Israel" (JOSUÉ 4:6,7).

Precisamos de interação espiritual entre as gerações. Lembre-se: as histórias da Bíblia muitas vezes são histórias de famílias. Nossos filhos precisam delas e de nós também. HDF

● *Você se preocupa em deixar uma herança espiritual?*

Os antepassados que foram tementes a Deus são bons exemplos.

28 DE DEZEMBRO

A BÍBLIA em UM ANO:
Zacarias 5–8, Apocalipse 19

Morrer para viver

No lugar em que moro temos invernos com muita neve, e é necessário colocar sal nas ruas para se viajar com segurança. O problema é que o sal corrói o metal dos carros. Por isso, lavar os carros frequentemente é um ritual do inverno.

Recentemente, eu estava num lava-car e, quase no final do processo, a máquina começou a pulverizar todo o carro com um líquido especial. A placa dizia que se tratava de um "agente de secagem", mas aquilo me pareceu estranho. Molhar algo para secá-lo parece ser contraditório. No entanto, é exatamente isso o que fazem esses produtos químicos. O conceito parece ilógico — um paradoxo.

> LEITURA:
> **Mateus 16:21-28**
>
> **Porquanto, quem quiser salvar a sua vida perdê-la-á; e quem perder a vida por minha causa achá-la-á.** v.25

Jesus também lidou com formas de pensar pouco lógicas quando apresentou a mensagem de Seu reino aos Seus seguidores. No evangelho de Mateus 16:25, Ele disse: "Porquanto, quem quiser salvar a sua vida perdê-la-á; e quem perder a vida por minha causa achá-la-á." Isso não parece estar correto. Para salvar sua vida, você tem de perdê-la? É como dizer: "Para secar algo, você precisa molhar!" Porém, isso é absolutamente correto. Somente quando morrermos para nós mesmos, confiando nossas vidas a Cristo, poderemos aprender o que significa viver de verdade.

"Morrer para viver" pode parecer algo ilógico, mas é o centro da experiência cristã.

WEC

● *Estou pronto a diminuir-me para que o Senhor receba toda a glória?*

A fim de viver para Cristo, precisamos aprender a morrer para nós mesmos.

29 DE DEZEMBRO

A BÍBLIA em UM ANO:
Zacarias 9–12, Apocalipse 20

Não é bom

Nos sistemas presidiários dos EUA, os 25 mil dos presos mais perigosos devem suportar o confinamento, isolados em pequenas celas de concreto. Eles praticamente não têm qualquer contato com o mundo lá fora. Um dos presidiários disse que a parte mais difícil é "não ser capaz de ver alguém face a face [...] de comunicar-se, tocar, abraçar, de sentir-se amado, de sentir-se humano". As palavras desse homem parecem gritar: "Eu estou sozinho! Não é dessa maneira que deveria ser."

> **LEITURA:**
> **Gênesis 2:15-25**
>
> Disse mais o SENHOR Deus: Não é bom que o homem esteja só; far-lhe-ei uma auxiliadora que lhe seja idônea. v.18

O escritor do livro de Gênesis teria concordado com ele. Depois que Deus criou o homem, Ele reconheceu a solidão de Adão e disse: "Não é bom que o homem esteja só; farei para ele alguém que o auxilie e lhe corresponda." Na essência, Deus afirmou que o homem precisava de uma outra pessoa, com a qual pudesse interagir como indivíduo. Embora o plano imediato fosse o companheirismo, num contexto mais amplo o Senhor está nos dizendo que como seres humanos precisamos nos relacionar uns com os outros.

Não importa a causa da solidão: pecados, perdas, doenças, depressão, vergonha — Deus diz que isso "não é bom". Ele nos criou para vivermos num relacionamento próximo com os outros (ECLESIASTES 4:9-12) e com Ele (APOCALIPSE 21:3). Procure estender e desenvolver aquelas amizades necessárias — por amor a você e aos outros.

MLW

● *Você investe o seu tempo para desenvolver bons relacionamentos?*

Amizades podem ajudar a dissipar a solidão.

30 DE DEZEMBRO

A BÍBLIA em UM ANO:
Zacarias 13–14, Apocalipse 21

Os "asseguradores"

Tenho grande respeito por pessoas corajosas que escalam montanhas íngremes. Elas devem tomar sérias precauções ao escalar penhascos perigosos. Uma medida de segurança é a corda que sempre está conectada à pessoa que vem abaixo, o "assegurador", como podemos chamá-lo. Se o alpinista perde o equilíbrio ou cai, a pessoa abaixo dele segura-o com firmeza, até ele conseguir firmar os pés e continuar a subida ou descida. Sendo assim, ser assegurador é ancorar, segurar com firmeza, manter a segurança.

> **LEITURA:**
> **2 Ts 2:13-17**
>
> ...não cessamos de orar por vós...
>
> 2 Tessalonicenses 1:11

Certa igreja tem um grupo de comunhão chamado "os asseguradores". Seus membros estão comprometidos a dar ajuda e apoio uns aos outros no caminhar diário com Cristo e a dar suporte por meio da oração. Eles providenciam assistência quando necessário, encorajam uns aos outros e caminham lado a lado em tempos de perigos espirituais. Eles "seguram as cordas" uns dos outros.

Penso que o apóstolo Paulo foi uma pessoa assim para muitas igrejas, incluindo a igreja de Tessalônica. Os cristãos daquela região estavam sofrendo perseguição e sendo provados. Paulo lembrou-os de que foram escolhidos e continuavam a ser amados por Deus (2 TESSALONICENSES 2:13). E ele os encorajou a continuar confiando no Senhor e orou por eles (vv.15-17).

De quem é a corda que Deus o encoraja a "segurar"? 🌿 DCE

● *A ajuda daqueles que seguram a 'corda' para você o fortalece?*

Uma palavra de encorajamento pode fazer a diferença entre desistir ou prosseguir.

31 DE DEZEMBRO

A BÍBLIA em UM ANO:
Malaquias 1–4, Apocalipse 22

Eficaz para o crescimento

Quais das seguintes citações está na Bíblia?
1. A pureza se equipara a santificação.
2. Deus ajuda aqueles que ajudam a si próprios.
3. A confissão é boa para a alma.
4. O homem nasceu para as dificuldades, como as fagulhas voam para cima.
5. O dinheiro é a raiz de todos os males.
6. A honestidade é a melhor diretriz.

Acredite se quiser, somente uma dessas citações se encontra na Bíblia. A 4.ª está em Jó 5:7.

> **LEITURA:**
> **2 Timóteo 3:10-17**
>
> **Toda a Escritura é inspirada por Deus e útil para o ensino...** v.16

George Müller, pastor e diretor de um orfanato no século 19, não teria problemas em saber quais dessas citações eram bíblicas. Por quê? Porque ele leu a Bíblia mais de 100 vezes! Ele afirmou: "Digo que o dia foi desperdiçado se eu não tiver tido um bom tempo com a Palavra de Deus. Sempre coloquei como norma, nunca começar o trabalho antes de ter tido um bom tempo com Deus e Sua Palavra. A bênção que tenho recebido tem sido maravilhosa."

Não precisamos nos sentir culpados se não lemos a Bíblia tanto quanto George Müller a leu. Mas proponha-se a ler comigo toda a Bíblia, pelo menos uma vez no próximo ano — não para saber responder a algumas "pegadinhas" sobre ela, mas porque ela nos foi dada por Deus e é útil para o nosso crescimento espiritual (2 TIMÓTEO 3:16,17). *AMC*

● *Quanto tempo você vai dedicar para conhecer melhor a Palavra de Deus?*

Creia na mensagem da Bíblia para ser salvo; pratique-a para ser santo.

Cristo em mim

Eu nasci e cresci em Ruanda, tinha cinco irmãos e os meus pais eram as pessoas mais incríveis. Meus pais eram muito religiosos e íamos à igreja regularmente. Nós líamos a Bíblia e orávamos juntos como família todas as noites. Fomos ensinados a amar e a tratar os outros como se fossem pessoas da família. Quando imaginava como seria o céu, eu visualizava a minha família fazendo fila diante de Deus e o meu pai apresentando a minha mãe e nós filhos a Ele. E então Deus nos daria um empurrãozinho deixando-nos entrar no céu. Eu jamais poderia imaginar que as coisas poderiam ocorrer de outra maneira.

Mas por volta das 8 horas da noite de 6 de abril de 1994, o avião presidencial foi abatido no desembarque em Kigali. Em poucos segundos, o genocídio de Ruanda começou. As estatísticas estimam que cerca de um milhão de pessoas foram massacradas em 100 dias, e este número incluía os meus pais e dois dos meus irmãos. Pela graça de Deus eu sobrevivi com meus três irmãos mais novos, que estavam todos com menos de 10 anos, e eu tinha apenas 13.

> Logo percebi que as minhas asas imaginárias para o céu tinham sido quebradas...

Ao mesmo tempo em que eu estava grato por estar vivo, meu mundo mudou para sempre. Logo percebi que as minhas asas imaginárias para o céu tinham sido quebradas e que precisaria descobrir uma outra maneira para chegar lá. Tendo os meus anos de adolescência roubados, meu coração estava ferido e pesado. Tudo que eu almejava era conquistar algo para apagar a minha dor.

Certo dia, enquanto eu ainda estava na escola, ouvi alguém gritando a distância. Fui andando em direção ao som que ouvia, quando percebi que vinha de um pastor.

Ele estava afirmando aos que o ouviam que há Alguém que pode ser um pai para os órfãos e aliviar sua dor. Pensei que alguém tivesse lhe contado sobre mim. Ele convidou as pessoas que precisavam de oração. Ajoelhei-me, soluçando, e pedi a Deus que se tornasse o meu Pai celestial. Ele se tornou real para mim conforme lemos em Sua Palavra. O Senhor realmente andou comigo "através do fogo" e proveu por minhas necessidades e também as de meus irmãos.

Não removas os marcos antigos, nem entres nos campos dos órfãos, porque o seu Vingador é forte e lhes pleiteará a causa contra ti (PROVÉRBIOS 23:10,11).

Quando passares pelas águas, eu serei contigo; quando, pelos rios, eles não te submergirão; quando passares pelo fogo, não te queimarás, nem a chama arderá em ti. Porque eu sou o Senhor, teu Deus, o Santo de Israel, o teu Salvador; dei o Egito por teu resgate e a Etiópia e Sebá, por ti. Visto que foste precioso aos meus olhos, digno de honra, e eu te amei, darei homens por ti e os povos, pela tua vida (ISAÍAS 43:2-4).

Levei muito tempo para perdoar aqueles que nos feriram, e às vezes ainda sofro. Mas o que me impede de odiar é saber que eu também preciso de perdão. Se Deus pesasse os meus erros contra mim, eu teria vergonha. Todos nós precisamos de perdão, esperança e amor, que vem de Deus — e que um dia fará novas todas as coisas.

—***Alphonsine Imaniraguha***, *sobrevivente do genocídio ruandês de 1994 e fundador do Ministério* Rising Above the Storms *(Voando sobre as tempestades)*.

O risco do perdão

O perdão é um dos assuntos mais incompreendidos na Bíblia e se tornou pouco mais do que um caminho terapêutico para nos desligarmos daqueles que nos feriram. No entanto, o cerne do verdadeiro perdão é muito mais rico do que podemos perceber.

Os pesquisadores têm dedicado bastante atenção às questões sobre o perdão. Os que não são perdoados e os que não perdoam têm índices mais altos de problemas relacionados ao estresse, depressão clínica e divórcio. O perdão contribui para uma vida saudável.

Mas qual é a aparência do perdão? É um ato pontual ou um processo? Nós esperamos até nos sentirmos prontos a perdoar? Exigimos que o outro se arrependa, ou o perdão é algo que concedemos por nós mesmos? Se perdoamos, isso significa que devemos retornar imediatamente ao relacionamento continuamente abusivo? As respostas vêm de um homem chamado Jesus — o Mestre do perdão.

O que é perdão?
A declaração mais resumida e sucinta de Jesus sobre o perdão está em Lucas 17:3-5. Jesus disse aos Seus discípulos: "Se teu irmão pecar contra ti, repreende-o; se ele se arrepender, perdoa-lhe. Se, por sete vezes no dia, pecar contra ti e, sete vezes, vier ter contigo, dizendo: Estou arrependido, perdoa-lhe." A declaração sobre perdoar sete vezes em um dia foi tão forte que os discípulos sabiam que precisavam da ajuda de Jesus para perdoar daquela forma.

O perdão começa com honestidade
Há aspectos fundamentais para dar e receber perdão.

Defina o delito com cuidado. O uso do termo *irmão* ou *irmã* coloca o perdão no contexto do relacionamento e nos lembra que o primeiro lugar onde ele precisa ser expresso é na comunidade da fé. As palavras de Jesus transmitem sabedoria a todos, mas os cristãos, mais do que qualquer outro, devem perdoar uns aos outros.

Igualmente importante é o reconhecimento de que Jesus estava falando sobre pecado — especificamente sobre alguém que "peca contra ti" (v.4). Muitas coisas sobre os outros nos irritam, incomodam ou nos entristecem. Essas coisas podem demandar paciência, mas não envolvem perdão. O perdão é exercido onde ocorre o pecado; quando os padrões de comportamento de Deus são violados.

O perdão não *ignora* ou *nega* o pecado, se fazendo de cego. O perdão não *banaliza* o pecado, tentando colocá-lo sob a melhor luz possível. Jesus não estava falando de enterrar o pecado sob o pressuposto ingênuo de que o "tempo cura todas as feridas." Jesus não estava falando sobre simplesmente *esquecer* o pecado, como é sugerido no ditado "perdoe e esqueça."

Com frequência, essa ideia ganha credibilidade citando-se o princípio bíblico de que Deus não "se lembrará" dos nossos pecados (HEBREUS 10:17). Isso significa que os nossos pecados são apagados da memória dele? Se isso ocorresse, Ele não poderia ser o Deus onisciente! Quando Deus esquece nossos pecados, Ele não os considera mais contra nós. A questão central não é que nós esqueçamos das ofensas que nos fizeram, mas o que fazemos, quando nos lembramos delas. A única forma de perdoar verdadeiramente, é lembrando. O verdadeiro perdão requer um olhar cuidadoso para o que realmente aconteceu.

Confronte o pecado corajosamente. A segunda implicação das palavras de Jesus é que devemos *confrontar* o pecado corajosamente. "...Se teu irmão pecar contra ti, repreende-o..." (LUCAS 17:3). Jesus está nos dizendo para responsabilizar as pessoas por seu comportamento. Isto demanda que determinemos com cuidado e em oração a natureza do comportamento da outra pessoa. Se for verdadeiramente pecaminoso, não devemos ignorar.

Não despreze a importância desta etapa! Devemos falar diretamente com a pessoa, não *sobre* ela com os outros. Em vez disso, devemos confrontar honestamente o agressor com o pecado em seu comportamento. O perdão sem a confrontação resulta em curto-circuito no processo. O objetivo desse confronto não é expressar nossa raiva, mas encorajar o arrependimento, a restauração e a reconciliação. Quando somos maltratados, a última coisa que a maioria de nós quer é encarar o agressor. É mais confortável reclamar ou aguentar em silêncio à medida que o evitamos e nos retraímos. Mas não nos foram dadas essas opções. O verdadeiro perdão exige a confrontação honesta da ofensa.

Confronte corretamente o pecado. Precisamos entender o terceiro aspecto fundamental: Precisamos *confrontar* o pecado corretamente. Em Mateus 18:15, Jesus disse, "Se teu irmão pecar [contra ti], vai argui-lo entre ti e ele só. Se ele te ouvir, ganhaste a teu irmão."

Tornou-se comum enfatizar os benefícios terapêuticos do perdão. Não nego os benefícios terapêuticos de perdoar o outro, mas o perdão não se refere somente a mim. Jesus não nos perdoou pelo Seu próprio bem, mas pelo nosso! Embora o perdão me beneficie de diversas formas, tem a ver com "ganhar" o meu irmão, aquele que me ofendeu, trazê-lo de volta à saúde espiritual.

Diversas passagens nos ajudam sobre como devemos abordar um irmão pecador e qual a melhor maneira de seguir "a verdade em amor" (EFÉSIOS 4:15).

- ***Devemos fazê-lo em particular, não em público.*** "Se teu irmão pecar [contra ti], vai argui-lo entre ti e ele só..." (MATEUS 18:15).
- ***Devemos agir com humildade e arrependimento, sem arrogância e hipocrisia.*** "Por que vês tu o argueiro no olho de teu irmão, porém não reparas na trave que está no teu próprio? Ou como dirás a teu irmão: Deixa-me tirar o argueiro do teu olho, quando tens a trave no teu? Hipócrita! Tira primeiro a trave do teu olho e, então, verás claramente para tirar o argueiro do olho de teu irmão" (MATEUS 7:3-5).
- ***Devemos fazê-lo com espírito de brandura.*** "Irmãos, se alguém for surpreendido nalguma falta, vós, que sois espirituais, corrigi-o com espírito de brandura..." (GÁLATAS 6:1).

O perdão requer que o agressor se arrependa do próprio pecado

A frase seguinte do Senhor, em Lucas 17:3, mostra a reação apropriada se alguém pecou contra mim, mas também a resposta certa, se eu for o agressor. Estas simples palavras contêm uma riqueza de significado: "...se ele se arrepender...".

A forma como respondo à confrontação de alguém que se preocupa o suficiente para desafiar meu comportamento pecaminoso, revela o meu caráter. O livro de Provérbios deixa claro que minha reação à repreensão justa é um indício da minha sabedoria: "Não repreendas o escarnecedor, para que te não aborreça; repreende o sábio, e ele te amará" (PROVÉRBIOS 9:8).

O arrependimento genuíno vai além do simples pedido de desculpa ou expressão de remorso. É uma mudança de mente que produz uma mudança de atitude. É mais profundo que o remorso, porque envolve a determinação para mudar. E pode ser genuíno, mesmo quando não resulta em mudança instantânea. Afinal, o texto em Lucas 17:4 sugere que alguém pode se arrepender sete vezes em um dia! Também o arrependimento descrito aqui não é apenas sentido, é demonstrado (se "...sete vezes, vier ter contigo, dizendo: Estou arrependido"). Sem arrependimento, o processo é interrompido. Jesus disse, "...se ele se arrepender, perdoa-lhe". O verdadeiro perdão flui em direção ao arrependimento.

A situação ideal é clara: pecaram contra mim; eu confronto o agressor; ele declara sinceramente o seu arrependimento; eu declaro o meu perdão. Porém, algumas vezes o agressor não o admitirá, não importa quão evidente seja. Algumas vezes não há arrependimento; ele pode até comemorar o mal. Outras vezes, a pessoa não pode se arrepender porque morreu ou está doente demais para reagir. E então o que fazemos? Perdoamos de qualquer forma? Nem sempre é fácil perdoar!

O perdão é concedido graciosa e generosamente

Jesus não desvia o assunto para discutir o caso do não arrependido. Sua ordem é clara: se ele se arrepender, perdoe-o. O registro de quem foi perdoado fica limpo.

Em Lucas 17:4, o Senhor salientou a incrível natureza do perdão em Suas palavras de esclarecimento: "Se, por sete vezes no dia, pecar contra ti e, sete vezes, vier ter contigo, dizendo: Estou arrependido, perdoa-lhe." Podemos esbarrar nisso, se questionarmos como uma pessoa pode realmente se arrepender sete vezes num dia.

Jesus não estava encorajando palavras baratas de remorso; Ele estava dizendo que os Seus seguidores devem imitar a incrível graça de Deus, que nos acompanha em meio a nossa perversidade e pecaminosidade. O perdão não é ganho, mas é dado, e é dado generosa e graciosamente.

Perceba que apenas a pessoa que foi insultada pode perdoar. Alguns confessam a mim um pecado que foi direcionado contra outra pessoa ou organização, e então pedem meu perdão. Mas se eu não sou a parte ofendida, não posso perdoar. O perdão precisa vir daqueles que foram prejudicados.

Jesus quer que perdoemos o arrependido. Isso significa livrar-se do desejo de se vingar ou do "direito" de exigir que o outro pague pelo que fez. Perdoar é dizer, "Você está livre. A sua dívida está paga."

> A palavra para *perdão* que Jesus usa tem vários significados, incluindo "deixar livre, libertar" e em certos contextos, "limpar, soltar."

O perdão não significa se esquecer de lembrar, mas lembrar-se de esquecer. Parece um paradoxo, mas não é. Lembramo-nos do que aconteceu, possivelmente, todas as vezes que encontramos com o agressor. Mas declarar "eu perdoo," não é mergulhar numa amnésia intencional. Estou me comprometendo a não tratar você com base no que fez, mesmo que eu lembre o que houve. O tempo pode aliviar a dor, mas é muito pouco provável que a apague completamente da memória.

O perdão olha o pecado dentro dos olhos e diz as difíceis palavras: "eu o perdoo."

Ao mesmo tempo, precisamos reconhecer que o perdão não necessariamente restaura o *status quo*. Perdão não é o mesmo que reconciliação. Ele limpa o livro-razão; os registros lançados anteriormente, mas não reconstrói a confiança instantaneamente. O perdão é dado; a reconciliação é conquistada. O perdão cancela dívidas; não elimina todas as consequências. Por exemplo, uma esposa que foi abusada por seu marido, pode perdoá-lo, mas não seria sábia se o deixasse retornar para casa, a menos que surjam evidências claras, ao longo do tempo, de uma profunda mudança. Um marido pode perdoar genuinamente o adultério de sua esposa, mas isso não significa que o casamento será restaurado automaticamente. Reconciliação e perdão estão relacionados, mas são bem distintos.

Em resumo, o perdão envolve escolha e processo. O verdadeiro perdão não pode ser reduzido a uma simples fórmula, mas há quatro passos que merecem consideração.

Encarar os fatos.
O perdão autêntico demanda que identifiquemos o que aconteceu e compreendamos seu significado. Eis quatro perguntas úteis:

- **Qual a seriedade** da ofensa? Algumas coisas requerem mais paciência do que perdão.
- **Quão sensível** é a mágoa? Esta não é apenas uma questão de tempo. É possível que eu esteja "coçando o ferimento" para mantê-lo aberto.
- **Qual a proximidade** dessa pessoa em relação a mim?
- **Quão significativo** é o nosso relacionamento?

Reconheça os sentimentos.
Há o perigo do "perdão rápido" — uma declaração verbal precipitada, que nos afasta de processar a violação. O outro extremo é a tentação do perdão lento, um eterno "não me sinto pronto ainda". Há um tempo apropriado para lamentar a perda do que poderia ter sido.

Uma decisão e uma declaração.
O perdão é um ato de obediência, uma escolha íntima que produz a declaração: "Eu o perdoo." Estas palavras, declaram que a questão está morta e enterrada. Quando ela vem à mente, nós a levamos ao Senhor.

Quando eu tinha 15 anos, pedi ao meu pai para me deixar dirigir o carro da igreja para casa, num domingo. Infelizmente, perdi o controle do veículo numa esquina e acertei um poste de luz, causando um dano de centenas de dólares ao carro. Fiquei envergonhado e com medo. Enquanto o vapor assoviava saindo do radiador, antes mesmo que saíssemos do carro, meu pai virou-se para mim e disse, "Tudo bem, Gary. Eu perdoo você." Pelo resto de sua vida, nem uma única vez meu pai mencionou aquele acidente, mesmo tendo lhe custado um bom dinheiro. E ele me deixou usar o carro de bom grado quando tirei minha carteira de motorista.

Renove a decisão. O perdão não é uma decisão única. E somente por confiar na ajuda do Senhor, podemos evitar trazer a questão à tona novamente. C. S. Lewis observou, "Perdoar por um momento não é difícil, mas continuar perdoando, perdoar a mesma ofensa cada vez que ela recorre à memória — essa é a verdadeira peleja."

Durante a Segunda Guerra Mundial, a família de Corrie Ten Boom foi flagrada escondendo judeus. Ela e sua irmã foram enviadas para Ravensbruck, um dos campos de concentração nazistas, onde Corrie viu sua irmã e muitos outros morrerem. Em 1947, ela voltou para a Alemanha para propagar o evangelho.

Numa de suas palestras, Corrie falou sobre o perdão de Deus. Após o encontro, uma longa fila de pessoas a esperava para falar com ela. Corrie viu, de pé na fila, um rosto terrivelmente familiar — um homem que tinha sido um dos guardas mais cruéis da prisão. Quando o viu, um turbilhão de lembranças dolorosas inundou a sua mente. O homem se aproximou dela, esticou a mão e disse: "Bela mensagem, *Fraulein*. Como é bom saber que todos os nossos pecados estão no fundo do mar." Corrie não apertou a mão dele, mas ficou mexendo em sua bolsa. Seu sangue congelou. Ela o conhecia, mas obviamente ele não a tinha reconhecido. Era compreensível. Afinal, ela era apenas uma prisioneira sem rosto entre dezenas de milhares. Em seguida, ele disse: "Você mencionou Ravensbruck. Fui guarda lá. Mas, desde então, me tornei cristão. Sei que Deus perdoou as coisas cruéis que fiz lá, mas gostaria de ouvir isso também dos seus lábios." Novamente ele esticou a mão: "*Fraulein*, você me perdoa?"

Como ela poderia perdoar depois de tudo o que tinha acontecido? Sua mão não se movia, ainda que soubesse que o Senhor queria que ela o perdoasse. Tudo o que conseguia fazer era clamar internamente, "Jesus, ajuda-me. Posso esticar a minha mão, mas o Senhor terá que fazer o restante." Rígida, mecanicamente, ela levantou sua mão para segurar a dele. Estava agindo por obediência e fé, não por amor. Entretanto, mesmo assim, ela experimentou a graça transformadora de Deus. E escreveu:

"Eu o perdoo, irmão!" gritei: *"Com todo o meu coração!"* Por um longo momento seguramos a mão um do outro, o ex-guarda e a ex-prisioneira. *Eu nunca tinha sentido o amor de Deus tão intensamente, quanto senti naquela hora. Mas mesmo então, percebi que não era o meu amor. Tentei, e não tive o poder. Foi o poder do Espírito Santo."*

Extraído e adaptado do livreto da série Descobrindo a Palavra, *O risco do perdão*, © 2015, Ministérios Pão Diário, Gary Inrig.

Índice temático

TEMA	DATA
Abençoando outros	jan.25
Adoção	jun.5
Adoração	jan.2,3,11,21; abr.26; ago.16; set.22; dez.20
Alegria	abr.13; nov.8; dez.4
Amizade	abr.8,9; jul.28; ago.2; out.30
Amor	fev.4,14; mar.29; jul.14; ago.13; set.26
Amor divino	mar.4; ago.29; set.5,30; nov.12,27
Amor pelos outros	jan.22; abr.17; mai.2,11; jun.2,16; out.4,20; nov.10, 20
Arrependimento	mai.13,23; jul.25,27; out.24; dez.8,11,14
Atitude	mar.14; jul.6
Autoimagem	jan.19; fev.11; ago.30
Autossuficiência	mar.21; nov.16
Batalha Espiritual	abr.28; mai.19,29; dez.2
Bíblia	jan.1,15; fev.15; mar.8; mai.1,20; jun.12,14,25; jul.1,31; ago.8,9; set.10,17; out.3,18,22; nov.6,7; dez.15
Bondade	jan.5; fev.21; jun.2; set.16
Caráter divino	jan.11
Casamento	fev.26; jun.27; ago.26
Ceia do Senhor	mai.3
Chamado	mar.2; out.8
Compreensão	out.7
Compromisso	jun.29; jul.15; out.23

TEMA	DATA
Confiança	fev.12; out.1,14,15 nov.11
Confissão	jul.22; ago.23; out.24; nov.25; dez.8
Conflito	out.21
Conforto	fev.18; mar.11; mai.4; set.8
Confronto	ago.6
Conhecendo Deus	jan.23; ago.1; set.13
Contentamento	mar.10; set.24
Convicção	nov.5; dez.14
Crescimento espiritual	jan.10,30; fev.1; mar.12; abr.18; jul.10; set.25; out.5,31; nov.4,19,29; dez.16,29,30
Criação	set.4; out.27; nov.18; dez.22
Crianças	out.18
Cuidado divino	jan.12,14; mar.31; jul.12; dez.22
Dar	abr.5; jun.17; nov.17; dez.23
Destino	fev.16
Discernimento	mai.26; out.28
Disciplina espiritual	fev.29; ago.15
Discipulado	mai.14; jun.13; ago.7
Dons espirituais	nov.10
Dúvida	mar.16
Emoções	out.9
Encarnação	nov.28
Escolhas	jan.28
Esperança	jan.1; fev.19
Espírito Santo	mar.15; nov.29; dez.4
Eternidade	jul.21

Índice temático

TEMA	DATA
Falar	jan.5; ago.19
Falsas doutrinas	mar.8; ago.18
Falta de coragem	fev.24
Fé	jan.6; mar.16; mai.10; jun.1,6
Fidelidade	fev.22; mar.26; abr.20; out.17
Fidelidade divina	mar.1,6; abr.14,24; dez.31
Filhos de Deus	jun.5
Fofocas	dez.6
Força divina	ago.20
Futuro	out.15
Glória divina	nov.1; dez.21
Glorificação divina	out.13
Graça divina	mar.7; dez.27
Gratidão	jul.3; ago.3; out.12; nov.25,27
Herança	set.14
Hipocrisia	abr.23,26; jul.24
Honestidade	set.11
Honra	nov.11
Hospitalidade	abr.7,20
Humildade	abr.12,15; set.12
Idolatria	jan.3; mar.5
Ira	mar.27; set.16; dez.19
Julgamento	jan.9; mai.22; jun.26; set.28
Justiça	jan.18; fev.20
Lar celestial	abr.11; mai.18; jun.10,21; jul.8,29; set.1,18,22; out.25; nov.21,22
Lealdade	out.30
Legalismo	set.21
Lembranças	mar.23
Liberdade	jun.25; jul.4
Liderança	nov.24
Liderança de Cristo	jan.8
Louvor	fev.18; jul.5; ago.17; set.6; out.27
Luto	jun.8; ago.25; nov.8
Mães	mai.9
Majestade divina	fev.3,8; mai.30
Materialismo	mai.16
Meditação	mai.5; jun.14
Medo	abr.21; jun.4
Ministério	jan.24
Momento de quietude	fev.27; mai.5; jul.20; out.6
Moralidade	ago.4
Morte	abr.11; out.16
Morte de Jesus	mar.28; abr.1,2,3; set.27; dez.26
Música	mai.17; out.2
Nascimento de Jesus	dez.25
Obediência	mar.9,17; jul.2; ago.5,8,13; set.10; nov.7,15
Oração	jan.13,27; mar.15; mai.7; jun.1,22; jul.22; set.7,23,29; out.1; dez.13
Orgulho	jun.9; jul.19
Orientação divina	abr.10; dez.10
Ouvindo a Deus	mar.24
Paciência	set.2
Pais	jun.15,20
Paz	fev.5; dez.7
Pecado	jan.16; ago.14,23
Perdão	abr.19; jun.4; dez.7
Perseguição	set.20; out.11; nov.14
Perseverança	jun.6; set.1; dez.28

Índice temático

TEMA	DATA
Preocupação	abr.21; jul.13; ago.11
Presença divina	mar.25; abr.30; set.2; dez.3,5
Prioridades	fev.28; abr.27; dez.13
Procrastinação	jun.24
Propósito	mar.13
Propósito divino	mai.8
Prosperidade	mai.15
Provações	jan.15; fev.6,24; abr.6,25; jul.5,17; ago.3,21; set.3,8,23; nov.12; dez.3,9,27
Provisão divina	dez.18,24
Pureza	nov.5
Recompensas	ago.21
Reconciliação	out.21; nov.23
Remorso	nov.23
Rendição	abr.5; set.15
Ressurreição	out.16
Ressurreição de Jesus	abr.4,16; ago.22
Restauração	abr.29; ago.28; nov.20
Riquezas	set.9
Rir	ago.27
Sabedoria	jan.20
Sacrifício	fev.10,25; mar.19; jun.17; jul.9
Salvação	fev.13; mar.30; abr.30; mai.25; jun.30; jul.1,31; ago.31; set.30; out.29; nov.2,18,30; dez.1,26
Santidade divina	jan.21
Satanás	jul.18; out.28; nov.13; dez.2
Segunda vinda	fev.17; mai.12
Semelhança de Cristo	nov.19
Servir	jan.2,24; fev.22,25; mar.26; abr.8,20,22; mai.2,27,31; jun.24,28,29; jul.7,16,30; out.19; nov.1,15,17,24; dez.17
Soberania divina	jun.8
Sofrimento	jan.7; out.20
Suficiência de Cristo	mai.21
Suficiência divina	ago.12; dez.9
Supremacia de Jesus	fev.2
Temor a Deus	nov.3
Tempo	jun.3
Tentação	jan.31; fev.7; jun.19; nov.13
Terceira Idade	jan.29; mar.20; abr.22; jun.10
Testemunho	jan.26; fev.4,9,23; mar.18,22; abr.17; mai.11,24,28; jun.11,18,23; jul.10,11,23,26; ago.10,24; set.19; out.10,26; nov.26; dez.12
Tristeza	mar.11
Unidade	jan.17; jun.7
Utilidade	mar.20
Valores	mai.1
Verdade	mar.3; jul.18; ago.9,18; out.3,10
Vida	jan.19
Vingança	jan.18
Vontade divina	mai.6
Zelo	nov.9